CONTEMPORÁNEA

Salman Rushdie nació en Bombay en 1947, estudió en Rugby y Cambridge y se licenció en Historia. Trabajó como actor de teatro y escritor publicitario. A su primera novela, *Grimus* (1975) siguió *Hijos de la medianoche* (1981), con la que obtuvo los premios Booker y James Tait Black y en 1993 fue designada como el Bookers of Bookers (la mejor novela entre las ganadoras de este premio en el último cuarto del siglo XX); *Vergüenza* (1983), galardonada en Francia con el Premio al Mejor Libro Extranjero; *Los versos satánicos* (1989), distinguida con el Premio Whitbread a la mejor novela; *El último suspiro del moro* (1995); *El suelo bajo sus pies* (1999); *Furia* (2001) y *Shalimar, el payaso* (2005). A ellos se unen los libros de relatos *Oriente, Occidente* (1997) y *Harún y el mar de las historias* (premio Writer's Guild). En 1993 Rushdie obtuvo el premio nacional austríaco de literatura europea. Es profesor honorario de humanidades en el Massachusetts Institute of Technology y miembro de la Royal Society of Literature.

Biblioteca

SALMAN RUSHDIE

Vergüenza

Traducción de
Miguel Sáenz

ⓛ DeBOLSILLO

Título original: *Shame*
Diseño de la portada: Departamento de diseño de Random
    House Mondadori
Ilustración de la portada: "Iluminación de un manuscrito
    Indio" S. XVIII / The British Library, London / © Erich
    Lessing / ALBUM

Primera edición con esta portada: septiembre, 2005

© 1983, Salman Rushdie
© de la traducción: Miguel Sáenz
    Reproducida con autorización de Santillana, S. A.
© 1997, Random House Mondadori, S. A.
    Travessera de Gràcia, 47-49. 08021 Barcelona

Printed in Spain – Impreso en España

ISBN: 84-9793-840-2 (vol. 240/5)
Depósito legal: B. 21.544 - 2005

Fotocomposición: Zero, S. L.

Impreso en Novoprint, S. A.
Energía, 53. Sant Andreu de la Barca (Barcelona)

P 838402

Para Sameen

ÍNDICE

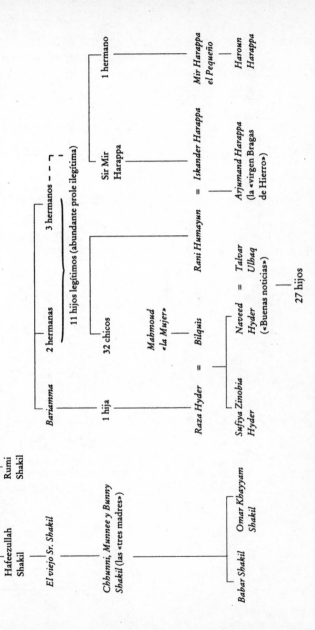

I

EVASIONES
DE LA MADRE PATRIA

1. EL MONTAPLATOS

En la remota ciudad fronteriza de Q.,[1] que, vista desde el aire, a nada se parece tanto como a una pesa gimnástica mal proporcionada, había una vez tres hermanas amables y amantes. Sus nombres... pero sus verdaderos nombres no se usaban nunca, lo mismo que la mejor porcelana de la casa, que fue guardada con llave después de la noche de su tragedia común, en un aparador cuya situación llegó a olvidarse, de forma que el gran servicio de mil piezas de las cerámicas Gardner de la Rusia zarista se convirtió en un mito familiar en cuya realidad casi dejaron de creer... Las tres hermanas, debo decir sin más demora, llevaban el apellido Shakil, y eran conocidas por todos (por orden de edad descendente) como Chhunni, Munnee y Bunny.

Y un día su padre murió.

El viejo señor Shakil, en el momento de su muerte viudo desde hacía dieciocho años, había adquirido la costumbre de referirse a la ciudad en que vivía como «un agujero del infierno». En su último delirio emprendió

---

1. Indudablemente, Quetta, capital del Beluchistán. *(N. del T.)*

un monólogo incesante y en gran parte incomprensible, entre cuyas turbias peregrinaciones los criados de la casa podían distinguir largos pasajes de obscenidades, juramentos y maldiciones, de una ferocidad que hacía hervir el aire violentamente alrededor de su cama. En esa perorata, el viejo recluso amargado recitaba su odio de toda la vida hacia su ciudad natal, ora invocando a los demonios para que destruyeran aquel montón de edificios bajos, de color pardo, «sin orden ni concierto», que había en torno al bazar, ora aniquilando con sus palabras incrustadas de muerte la blanca presunción encalada del distrito del Acantonamiento. Ésos eran los dos orbes de la pesa gimnástica de la ciudad: la ciudad vieja y el Cantt, la primera habitada por la población indígena y colonizada, y la segunda por los colonizadores extranjeros, los *sahibs* «angreses» o británicos. El viejo Shakil aborrecía ambos mundos y, durante muchos años, había permanecido emparedado en su residencia alta, gigantesca y de aspecto de fortaleza, que daba interiormente a un patio cerrado, semejante a un pozo y sin luz. La casa estaba situada junto a un *maidan*[1] abierto, y equidistaba del bazar y del Cantt. A través de una de las pocas ventanas del edificio que daban al exterior, el señor Shakil, en su lecho de muerte, podía mirar fijamente la cúpula de un gran hotel de estilo clásico que se alzaba de las calles intolerables del Acantonamiento como un espejismo, y dentro del cual podían encontrarse escupideras doradas y domesticados monos araña con uniformes de botones de latón y gorros de botones de hotel, y una orquesta de tamaño natural que tocaba todas las noches en un salón de baile lleno de estucos, en medio de un tumulto enérgico de plantas fantásticas, rosas amarillas y magnolias blancas y palmeras de color verde esmeralda, tan altas como los tejados: el hotel Flashman, en pocas palabras,

1. Véase el glosario que figura al final del libro. *(N. del T.)*

16

cuya gran cúpula dorada estaba agrietada ya entonces, pero sin embargo brillaba con el fastidioso orgullo de su breve gloria condenada a la ruina; aquella cúpula bajo la cual los uniformados-y-embotados oficiales «angreses» y los paisanos de frac y las damas llenas de anillos y ojos ansiosos se congregaban todas las noches, reuniéndose aquí, procedentes de sus *bungalows*, para bailar y compartir la ilusión de estar llenos de colorido... cuando en realidad no eran más que blancos o, de hecho, grises, debido a los efectos deletéreos de aquel calor despiadado en sus cutis frágiles y mimados por las nubes, y también a su costumbre de beber oscuros borgoñas en medio de la locura cenital del sol, con una hermosa despreocupación por sus hígados. El viejo oía la música de los imperialistas que salía del hotel dorado, cargada de la alegría de la desesperación, y maldecía a ese hotel de los sueños con una voz fuerte y clara.

—Cerrad esa ventana —gritó—, para que no tenga que morirme oyendo ese alboroto. —Y, cuando Hashmat Bibi, la vieja criada, cerró los postigos, se relajó ligeramente y, haciendo acopio de sus últimas reservas de energía, alteró el rumbo de su retahíla fatal y delirante.

—Venid aprisa. —Hashmat Bibi salió corriendo de la habitación llamando a gritos a las hijas del anciano—, vuestro padre*ji* se está mandando a sí mismo al infierno. —El señor Shakil, habiendo acabado con el mundo exterior, había vuelto la furia de su monólogo de moribundo contra sí mismo, invocando para su alma la condenación eterna—. Dios sabe por qué se ha cabreado —se desesperó Hashmat—, pero se está yendo de una forma muy poco correcta.

La viuda había educado a sus hijas con ayuda de nodrizas parsis, *ayahs* cristianas y una moralidad férrea que era sobre todo musulmana, aunque Chhunni solía decir que se había endurecido al sol. Las tres chicas fueron guardadas en el interior de aquella mansión laberíntica hasta el día de la muerte de su padre; prácticamente sin educar, estuvieron prisioneras en el ala de la *zenana*, donde se divertían mutuamente inventando lenguajes secretos y fantaseando sobre el aspecto que tendría un hombre al desnudarse, imaginando, en sus años prepúberes, extraños órganos genitales, como agujeros en el pecho en los que sus propios pezones encajarían perfectamente, «porque, por lo que sabíamos en aquellos tiempos —se recordarían mutuamente con asombro en época posterior—, se podría haber supuesto que la fertilización se produce a través de los pechos». Esa cautividad interminable forjó entre las tres hermanas un vínculo de intimidad que jamás se rompería por completo. Se pasaban las noches sentadas junto a una ventana, detrás de una celosía, mirando a la cúpula dorada del gran hotel y balanceándose al compás de la enigmática música de baile... y hay rumores de que se exploraban mutuamente los cuerpos con indolencia en la lánguida somnolencia de las tardes y, por la noche, tejían ocultos sortilegios para acelerar el momento de la defunción de su padre. Pero las malas lenguas son capaces de decir cualquier cosa, especialmente de unas mujeres bellas que viven apartadas de los desnudantes ojos de los hombres. Lo que es verdad casi con certeza es que fue en esos años, mucho antes del escándalo del niño, cuando las tres, que suspiraban todas por tener hijos con la abstracta pasión de su virginidad, hicieron su pacto secreto de permanecer trinas, unidas para siempre por la intimidad de su juventud, incluso después de tener hijos: es decir, resolvieron compartir sus niños. No puedo demostrar ni refutar la sucia historia de que ese convenio fue escrito y firmado con la sangre menstrual de aquella aislada trinidad y luego reducido a cenizas, conservándose únicamente en el claustro de sus memorias.

Pero durante veinte años sólo tuvieron un hijo. Se llamaría Omar Khayyam.

Todo esto ocurrió en el siglo XIV. Estoy utilizando el calendario de la Hégira, naturalmente: no os imaginéis que las historias de esta clase ocurren siempre hace mucho tiempo. El tiempo no puede homogeneizarse tan fácilmente como la leche y, en aquellas regiones, hasta hace muy poco, los años mil trescientos y pico estaban en su apogeo.

Cuando Hashmat Bibi les dijo que su padre había llegado a sus últimos momentos, las hermanas fueron a verlo, vestidas con sus ropas de colores más vivos. Lo encontraron con un sofocante ataque de vergüenza, pidiéndole a Dios, entre jadeos de imperioso pesimismo, que lo enviase para toda la eternidad a algún puesto avanzado del Jahannum, a alguna zona fronteriza del infierno. Luego se quedó callado y Chhunni, la mayor de las hijas, le hizo rápidamente la única pregunta de algún interés para las tres jóvenes:

—Padre, ahora seremos muy ricas, ¿verdad?

—Putas —las maldijo el moribundo—, no contéis con ello.

El mar insondable de riqueza en que todo el mundo suponía que navegaba la fortuna de la familia Shakil resultó ser, a la mañana siguiente de su muerte, un árido cráter. El sol ardiente de su incompetencia financiera (que él había sabido ocultar durante decenios tras su imponente fachada patriarcal, su asqueroso mal genio y la presuntuosa altivez que fue el legado más venenoso que dejó a sus hijas), había secado todos los océanos de dinero contante y sonante, de forma que Chhunni, Munnee y Bunny se pasaron todo el luto pagando las deudas por las que sus acreedores no se habían atrevido a apremiar al anciano mientras vivió, pero cuyo pago (más el interés compuesto) se negaban ahora en redondo a retrasar un minuto más. Las chicas surgieron de su secuestro de toda la vida con expresiones de repugnancia de buen tono hacia aquellos buitres que se precipitaban para regalarse con la carroña de la gran imprevisión de su padre; y, como habían sido educadas para pensar que el dinero es uno de los dos temas que está prohibido discutir con extraños, cedieron su fortuna sin molestarse siquiera en leer los documentos que los prestamistas les presentaban. Al terminar todo aquello, las extensas propiedades en torno a Q., que comprendían aproximadamente el ochenta y cinco por ciento de las únicas huertas fértiles y tierras agrícolas ricas de aquella región en gran parte estéril, se habían perdido totalmente; las tres hermanas se quedaron nada más con aquella mansión inmanejablemente infinita, abarrotada de cosas de arriba abajo, y por la que vagaban los escasos sirvientes que se negaban a marcharse, menos por lealtad que por el terror del condenado a cadena perpetua hacia el mundo exterior. Y ellas —como quizá sea costumbre universal de las personas educadas aristocráticamente— reaccionaron a la noticia de su ruina con la decisión de dar una fiesta.

En años posteriores se contaban mutuamente la historia de aquella noche de gala tristemente célebre con un regocijo simple que les devolvía la ilusión de ser jóvenes.

—Hice que imprimieran las invitaciones en el Cantt —comenzaba Chhunni Shakil, sentada junto a sus hermanas en el viejo columpio de madera. Con una risita feliz por el recuerdo de la vieja aventura, continuaba—: ¡Y qué invitaciones! Grabadas en relieve, con letras de oro, en unas tarjetas tan rígidas como si fueran de madera. Eran como escupitajos en un ojo del Destino.

—Y en los ojos cerrados de nuestro padre muerto —añadía Munnee—. A él le hubiera parecido algo completamente desvergonzado, una abominación, la prueba de su fracaso al tratar de imponernos su voluntad.

—Lo mismo que —continuaba Bunny— nuestra ruina demostraba su fracaso en otra esfera.

Al principio les pareció que la vergüenza de su padre moribundo se debía a que conocía su próxima bancarrota. Más tarde, sin embargo, comenzaron a considerar posibilidades menos prosaicas.

—Tal vez —formuló Chhunni como hipótesis— tuviera en su lecho de muerte una visión del futuro.

—Eso está bien —dijeron sus hermanas—, porque entonces habría muerto tan miserablemente como nos hizo vivir a nosotras.

La noticia de la aparición en sociedad de las hermanas Shakil se extendió rápidamente por la ciudad. Y, aquella noche tan esperada, la vieja casa fue invadida por un ejército de genios musicales, cuyos *dumbirs* de tres cuerdas, *sarandas* de siete, flautas de lengüeta y tambores llenaron aquella mansión puritana de música festiva, por primera vez en veinte años; regimientos de panaderos y reposteros y *wallahs* de tentempiés irrumpieron con arsenales de cosas de comer, devastando los mostradores de las tiendas de la ciudad y llenando el interior de la enorme *shamiana* multicolor que habían levantado en el patio central, y cuya tela cuajada de espejuelos reflejaba la gloria de los preparativos. Resultó evidente, sin embargo, que el esnobismo que el padre había metido a sus hijas en la médula había infectado fatalmente la lista de invitados. La mayoría de los burgueses de Q. se sintieron ya mortalmente insultados al verse considerados indignos de la compañía de las tres radiantes damas, cuyas invitaciones de cantos dorados eran la comidilla de la ciudad. Ahora, los delitos de omisión se combinaban con los de comisión, porque se vio que las hermanas habían cometido la incorrección definitiva: las invitaciones, desdeñando las esterillas de las puertas de los próceres indígenas, se habían abierto paso hasta el Acantonamiento «angrés» y el salón de baile de los bailarines *sahibs*. El hogar largo tiempo prohibido siguió vedado para todos salvo unos cuantos nativos; pero, después de la hora del cóctel en el Flashman, una multitud de extranjeros, con uniformes y trajes de baile, visitó a las hermanas. ¡Los imperialistas! —¡los *sahibs* de piel gris y sus enguantadas *begums*!—. Con voces roncas, y resplandecientes de condescendencia, penetraron en aquella *marquee* llena de espejuelos.

—Se sirvió alcohol. —La abuela Chhunni, recordándolo, batía palmas encantada por el horror del recuerdo. Pero ése era el punto en que las reminiscencias cesaban siempre, y las tres damas se volvían extrañamente imprecisas; de forma que soy incapaz de disipar las inversosimilitudes que han proliferado en torno a aquella fiesta con el oscuro paso de los años.

¿Pudo ocurrir realmente que los escasos invitados no blancos —*zamindars* locales y sus esposas, cuya riqueza había sido en otro tiempo insignificante en comparación con los *crores* Shakil— se quedaran de pie juntos, en apretado montón furioso, mirando siniestramente a los retozones *sahibs*? ¿Que todas aquellas personas se fueran simultáneamente al cabo de unos momentos, sin haber partido el pan ni probado la sal, abandonando a las hermanas a las autoridades coloniales? ¿Hasta qué punto resulta probable que las tres hermanas, con los ojos brillantes de antimonio y excitación, se desplazaran en un silencio grave de oficial en oficial, como si estuvieran comparando su estatura, como si comprobaran el lustre de sus mostachos y el ángulo de proyección de sus mandíbulas?... ¿Y luego (sigue diciendo la leyenda), que ellas, las Shakils, dieran una palmada al unísono y ordenaran a los músicos que empezaran a tocar música de baile de estilo occidental, minués, valses, fox-trots, polcas, gavotas, una música que adquiría una calidad fatalmente demoníaca al ser arrancada a los ultrajados instrumentos de los virtuosos?

Durante toda la noche, dicen, el baile continuó. El escándalo de tal suceso hubiera situado en cualquier caso al margen de la sociedad a las recientes huérfanas, pero todavía faltaba lo peor. Poco después de terminar la fiesta, después de haberse marchado los enfurecidos genios y haber sido arrojadas a los perros callejeros las montañas de comida no consumida —porque las hermanas, en su grandeza, no podían permitir que la comida destinada a sus iguales se distribuyera a los pobres—, comenzó a rumorearse en los bazares de Q. que una de las tres muchachas de nariz displicente había quedado, en aquella noche alocada, en estado interesante.

¡Ay vergüenza, vergüenza, vergüenza de amapola!

Pero si las hermanas Shakil se sentían abrumadas por cualquier sentimiento de deshonor, no dieron señales de ello. En cambio, enviaron a Hashmat Bibi, una de las criadas que se habían negado a marcharse, a Q., donde contrató los servicios del hombre más mañoso de la ciudad, un tal Mistri Yakoob Balloch, y compró también el mayor candado de importación que podía encontrarse en el almacén de ferretería Si Dios Quiere. Aquel cerrojo era tan grande y tan pesado que Hashmat Bibi tuvo que hacer que lo llevaran a la casa a lomos de una mula alquilada, cuyo dueño preguntó a la criada:

—¿Para qué quieren ahora tus *begums* ese cerrojomalojo? La invasión se ha producido ya.

Hashmat le contestó, bizqueando para mayor énfasis:

—Que tus nietos se meen en tu fosa común.

El factótum contratado, Mistri Yakoob, estaba tan impresionado por la calma feroz de aquella arpía antediluviana, que trabajó de buena gana bajo su supervisión, sin atreverse a hacer ningún comentario. Ella hizo que construyera un extraño ascensor o montaplatos exterior, suficientemente grande para alojar a tres personas adultas, por medio del cual se podía izar cosas de la calle a los pisos superiores de la casa, o actuar a la inversa, mediante un sistema motorizado de poleas. Hashmat Bibi subrayó la importancia de construir todo el artefacto de tal forma que pudiera ser operado sin necesidad de que los habitantes de la mansión se asomaran a ninguna ventana: no se debía vislumbrar ni un dedo meñique. Luego enumeró los insólitos medios de seguridad que quería que instalara en el estrafalario mecanismo.

—Pon ahí —le ordenó— un resorte que pueda accionarse desde dentro de la casa. Al dispararse, debe hacer que todo el suelo del ascensor se desprenda como si tal. Pon ahí, y ahí, y ahí unos paneles secretos capaces de disparar hojas de estilete de dieciocho pulgadas, afiladas afiladas. Mis señoras tienen que defenderse de los intrusos.

El montaplatos contenía, pues, muchos secretos horribles. Mistri terminó su trabajo sin poner una sola vez los ojos en ninguna de las tres hermanas Shakil, pero cuando murió unas semanas más tarde, agarrándose el estómago y revolcándose en una calleja, mientras escupía sangre en el polvo, se propaló el rumor de que aquellas mujeres desvergonzadas lo habían hecho envenenar para asegurarse de su silencio en relación con el tema de su último y más misterioso encargo. Es justo decir, sin embargo, que los testimonios médicos del caso son muy contrarios a esa versión de los acontecimientos. Yakoob Balloch, que había venido padeciendo desde hacía algún tiempo dolores esporádicos en la región del apéndice, murió casi con seguridad por causas naturales, y sus angustias mortales no fueron causadas por los espectrales venenos de las hermanas supuestamente asesinas, sino por la trivialidad auténticamente fatal de una peritonitis. O algo parecido.

Llegó el día en que se vio a los tres empleados masculinos restantes de las hermanas Shakil empujando, para cerrarlas, las enormes puertas delanteras, de teca y bronce resistentes. Inmediatamente antes de que aquellas puertas de soledad se cerraran sobre las hermanas, para permanecer sin abrirse durante más de medio siglo, la pequeña multitud de ciudadanos curiosos que había fuera pudo ver una carretilla en la que brillaba, apagadamente, el cerrojo descomunal de aquel retiro. Y, cuando las puertas se cerraron, los ruidos del gran cerrojo al ser puesto en su sitio y de la llave al girar anunciaron el comienzo del extraño confinamiento de las escandalosas damas y también de sus criados.

Resultó que, en su última excursión a la ciudad, Hashmat Bibi había dejado cierto número de sobres cerrados, con instrucciones detalladas, en los establecimientos de los principales proveedores de bienes y servicios de la comunidad; de forma que luego, en los días designados y a las horas especificadas, la lavandera, el sastre y el zapatero elegidos, así como los vendedores seleccionados de carnes, fruta, mercería, flores, papelería, verduras, legumbres, libros, bebidas no gaseosas, bebidas gaseosas, revistas extranjeras, periódicos, ungüentos, perfumes, antimonio, tiras de corteza de eucalipto para limpiarse los dientes, especias, almidón, jabones, utensilios de cocina, marcos para cuadros, naipes y cuerdas de instrumentos musicales se presentaban al pie de la última construcción de Mistri Yakoob. Emitían silbidos convenidos, y el montaplatos descendía, zumbando, hasta el nivel de la calle, con instrucciones escritas. De esa forma, las Shakils consiguieron retirarse totalmente y para siempre del mundo, volviendo, por su propia voluntad, a aquella existencia anacorética cuyo fin habían podido celebrar tan brevemente a la muerte de su padre; y tal era la altivez de sus disposiciones que su retiro no pareció un acto de contrición sino de orgullo.

Ahí se plantea una cuestión delicada: ¿cómo pagaban todo aquello?

Con cierta turbación por ellas, y simplemente para mostrar que este autor, que se ha visto obligado ya a dejar muchas preguntas en un estado de ambigüedad sin respuesta, es capaz de dar contestaciones claras cuando resulta absolutamente necesario, revelaré que Hashmat Bibi había dejado un último sobre cerrado a la puerta del establecimiento menos edificante de la ciudad, en el que las escrituras coránicas contra la usura no pintaban nada, y cuyos estantes y cofres gemían bajo el peso de los escombros acumulados de innumerables historias de decadencia... maldito sea. Para ser francos: fue a la casa de empeños. Y él, el prestamista, Chalaak Sahib, sin edad, delgado como un lápiz y de ojos inocentemente abiertos, se presentaba también en el montaplatos (protegido por el manto de la noche, como se le había dicho), para tasar el valor de los objetos que encontraba en él y enviar arriba, al corazón de la casa silenciosa, dinero a tocateja hasta un total del dieciocho coma cinco por ciento aproximadamente del precio de mercado de aquellos tesoros irredimiblemente pignorados. Las tres madres del inminente Omar Khayyam Shakil estaban utilizando el pasado, su único capital remanente, como medio de comprar el futuro.

Pero ¿quién estaba embarazada?

¿Chhunni, la mayor, o Munnee-la-de-en-medio, o la «pequeña» Bunny, la menor de las tres?... Nadie lo descubrió nunca, ni siquiera el niño que nació. Cerraron sus filas de una forma absoluta, y lo hicieron con la atención más meticulosa por los detalles. Imaginaos: hicieron que los criados jurasen lealtad sobre el Libro. Los criados se unieron a ellas en la cautividad que se habían impuesto a sí mismas, y sólo dejaron la casa con los pies por delante, envueltos en sábanas blancas y utilizando, desde luego, la ruta construida por Yakoob Balloch. Durante todo aquel período de embarazo no se llamó a ningún médico a la casa. Y, a medida que el embarazo avanzaba, las hermanas, comprendiendo que los secretos que no se guardan acaban siempre por escaparse, por debajo de una puerta, a través de un agujero de cerradura o de una ventana abierta, hasta que todo el mundo lo sabe todo y nadie sabe cómo... las hermanas, repito, mostraron la solidaridad extraordinariamente apasionada que era su característica más notable al fingir —dos de ellas— toda la serie de síntomas que la tercera tenía que mostrar.

Aunque Chhunni y Bunny se llevaban unos cinco años, fue en esa época cuando las hermanas, al vestirse de forma idéntica y por los efectos incomprensibles de la insólita vida que habían elegido, comenzaron a parecerse tanto entre sí que hasta los criados se equivocaban. Las he descrito como bellezas; pero no eran los tipos de cara redonda y ojos de almendra tan amados por los poetas de ese rincón del bosque, sino mujeres de mentón firme, de constitución sólida y paso decidido, de una fuerza casi opresivamente carismática. Ahora, las tres comenzaron, simultáneamente, a espesarse de talle y de pecho; cuando una se sentía mal por la mañana, las otras dos comenzaban a vomitar con una simpatía tan perfectamente sincronizada que era imposible decir qué estómago se había revuelto primero. De forma idéntica, sus vientres se hinchaban al acercarse el término del embarazo. Naturalmente, es posible que todo eso se lograra con ayuda de artilugios físicos, almohadones y rellenos y hasta vapores que provocasen desvanecimientos; pero mi opinión inconmovible es que tal análisis subestima crasamente el amor que existía entre las hermanas. A pesar de la improbabilidad biológica, estoy dispuesto a jurar que deseaban de tanto corazón compartir la maternidad de su hermana —transformar la vergüenza pública de una concepción fuera del matrimonio en el triunfo privado del niño colectivo que deseaban— que, en pocas palabras, dos embarazos imaginarios acompañaron al auténtico; al mismo tiempo que la simultaneidad de su conducta sugiere el funcionamiento de alguna forma de mentalidad común.

Dormían en la misma habitación. Tenían los mismos antojos —mazapán, pétalos de jazmín, piñones, barro— al mismo tiempo; sus ritmos metabólicos se alteraban paralelamente. Comenzaron a pesar lo mismo, a sentirse agotadas en el mismo momento y a despertarse juntas, cada mañana, como si alguien hubiera hecho sonar una campanilla. Sentían idénticos dolores; en tres úteros, un solo niño y sus dos imágenes espectrales en el espejo daban pataditas y se revolvían con la precisión de un conjunto de baile bien entrenado... al padecer de forma idéntica, las tres —me atrevo a decir— se ganaron plenamente el derecho a ser consideradas madres conjuntas del niño inminente. Y cuando a una —ni siquiera trataré de adivinar su nombre— le llegó el momento, nadie más vio quién había roto aguas; ni de quién era la mano que cerró por dentro la puerta de un dormitorio. No hubo ojos extraños que presenciaran los tres partos, dos imaginarios y uno auténtico; ni el momento en que los globos vacíos se desinflaron, mientras que, entre un tercer par de muslos, como en un callejón, aparecía el hijo ilegítimo; ni en que unas manos levantaron a Omar Khayyam Shakil por los tobillos, lo sostuvieron cabeza abajo y le dieron palmaditas en la espalda.

Nuestro héroe, Omar Khayyam, alentó por primera vez en aquella mansión inverosímil que era demasiado grande para que pudieran contarse sus habitaciones; abrió los ojos; y vio, cabeza abajo y a través de una ventana abierta, las cimas macabras de los Montes Imposibles en el horizonte. Una —¿cuál?— de sus tres madres lo había agarrado por los tobillos y le había metido a golpes su primer aire en los pulmones... hasta que, mirando todavía fijamente las cumbres invertidas, el chico empezó a berrear.

Cuando Hashmat Bibi oyó una llave que giraba en la cerradura y entró tímidamente en la habitación con comida y bebida y sábanas limpias y esponjosas y jabón y toallas, encontró a las tres hermanas sentadas juntas en la espaciosa cama, la misma cama en que su padre había muerto, una enorme cama de caoba, alrededor de cuyas cuatro columnas unas serpientes esculpidas trepaban enroscándose hacia el Edén de brocado del dosel. Todas las hermanas tenían la ruborizada expresión de alegría dilatada que es la auténtica prerrogativa de las madres; el niño pasaba de pecho en pecho, y ninguno de los seis estaba seco.

El joven Omar Khayyam se dio cuenta gradualmente de que algunas irregularidades habían tanto precedido como seguido a su nacimiento. Ya hemos hablado de las preced; en cuanto a las seg:

—Me negué en redondo —le dijo Chhunni, su madre mayor, al cumplir él los siete años— a susurrar el nombre de Dios en tus oídos.

Al cumplir los ocho años, Munnee-la-de-en-medio le confió:

—Ni hablar de afeitarte la cabeza. Tenías un pelo negro-negrísimo tan bonito que nadie te lo iba a cortar delante de mis narices, ¡no señor!

Exactamente un año más tarde, su madre más joven adoptó una expresión seria:

—Por ningún concepto —anunció Bunny— hubiera permitido que te quitaran el prepucio. ¿Qué tontería es ésa? No es una piel de plátano.

Omar Khayyam Shakil entró en la vida sin los beneficios de la mutilación, la barbería o la aprobación divina. Muchos lo habrían considerado una desventaja.

Nacido en un lecho mortuorio, alrededor del cual colgaba (además de unas cortinas y un mosquitero) la imagen espectral de un abuelo que, al morir, se había enviado a sí mismo a la periferia del infierno; habiendo visto lo primero una cadena de montañas patas arriba... Omar Khayyam Shakil se vio afligido, desde sus primeros días, por una sensación de inversión, de un mundo puesto cabeza abajo. Y por algo peor: el miedo de estar viviendo al borde del mundo, tan cerca que podía caerse en cualquier momento. A través de un viejo telescopio, desde las ventanas del piso superior de la casa, Omar Khayyam niño inspeccionaba la vacuidad del paisaje que rodeaba a Q., que lo convenció de que debía de estar cerca del mismísimo Borde de las Cosas, y de que, más allá de los Montes Imposibles del horizonte, debía de encontrarse la gran nada en la que, en sus pesadillas, había comenzado a caer rodando con monótona regularidad. El aspecto más alarmante de esos sueños era la dormida sensación de que sus zambullidas en el vacío eran por alguna razón apropiadas, de que no se merecía otra cosa... se despertaba rodeado de mosquiteros, sudando copiosamente y hasta gritando al comprender que sus sueños lo estaban informando de su propia inutilidad. La noticia no le gustaba.

De modo que fue en aquellos años de semiformación cuando Omar Khayyam tomó la decisión-nunca-revocada de acortar sus horas de sueño, un empeño de toda la vida que hacia el final, cuando su mujer se esfumó, lo había llevado... pero no, no hay que dejar que los finales precedan a los comienzos y a las partes centrales, aunque recientes experimentos científicos hayan demostrado que, dentro de ciertos tipos de sistemas cerrados, bajo una presión intensa, se puede convencer al tiempo para que vaya hacia atrás, de forma que los efectos precedan a sus causas. Ésta es precisamente la clase de anticipación inútil a la que los narradores no deben hacer ningún caso; ¡así termina uno loco!... al punto en que sólo cuarenta minutos por noche, la famosa cabezada, bastaban para refrescarlo. ¡Qué joven era cuando tomó la resolución, sorprendentemente adulta, de escaparse de la desagradable realidad de los sueños a las ilusiones, ligeramente más aceptables, de su vida cotidiana y despierta! «El murcielaguín», lo llamaron sus tres madres tolerantemente cuando supieron de sus revoloteos nocturnos por las inagotables estancias de su casa, con un *chadar* gris oscuro aleteando a sus espaldas, que lo protegía del frío de las noches invernales; sin embargo, si creció para convertirse en caballero encapuchado o embozado chupasangres, en Batman o en Drácula, se lo dejo decidir al lector.

(Su mujer, la hija mayor del general Raza Hyder, padecía también de insomnio; pero la falta de sueño de Omar Khayyam no puede compararse con la de ella, porque mientras la de él era querida, ella, la tonta Sufiya Zinobia, permanecía en la cama apretándose los párpados entre pulgar e índice, como si pudiera extruir la consciencia a través de sus pestañas, como motas de polvo, o lágrimas. Y ardía, se freía, en la misma habitación en que nació su marido y murió su abuelo, junto a aquella cama de serpientes y Paraíso... ¡una plaga de esta Época de desobediencia! Ordeno que esta escena de muerte retroceda inmediatamente hacia los bastidores: *shazam!*)

A la edad de diez años, el joven Omar había empezado ya a sentirse agradecido por la presencia limitadora y protectora de las montañas del horizonte occidental y meridional. Los Montes Imposibles: no encontraréis ese nombre en vuestros atlas, por grande que sea la escala. Sin embargo, los geógrafos tienen sus limitaciones; el joven Omar Khayyam, que se enamoró del telescopio de latón milagrosamente brillante que había descubierto en la desordenada abundancia de cosas que abarrotaban su hogar, supo siempre muy bien que ninguna criatura de silicón ni monstruo gaseoso que habitase las estrellas de la Vía Láctea que fluía cada noche sobre su cabeza habría reconocido nunca el nombre de su hogar en sus manoseados mapas astronómicos. «Teníamos nuestros motivos —dijo durante toda su vida— para dar ese nombre a nuestra cordillera particular.»

Los hombres de las tribus, duros como la piedra y de ojos agudos, que habitaban en aquellas montañas y a los que se podía ver de cuando en cuando en las calles de Q. (cuyos habitantes, más blandos, cruzaban la calle para evitar el hedor montañés y los codos avasalladores y poco ceremoniosos de esos hombres de las tribus) llamaban también a la cordillera «el techo del Paraíso». Las montañas, de hecho toda la región, incluida Q. misma, sufrían terremotos periódicos; era una zona de inestabilidad, y los hombres de las tribus creían que los temblores eran causados por la aparición de ángeles a través de las fisuras de las rocas. Mucho antes de que su propio hermano viera a un hombre alado y de un dorado resplandeciente que lo miraba desde una azotea, Omar Khayyam Shakil había tenido conocimiento de la plausible teoría de que el Paraíso no estaba situado en el cielo sino debajo mismo de sus pies, de forma que los movimientos terrestres eran una prueba del interés de los ángeles por escudriñar los asuntos mundanos. La forma de la cordillera de montañas cambiaba constantemente bajo esa presión angélica. En sus arrugadas laderas de color ocre se elevaba un número infinito de formaciones estratificadas semejantes a columnas, cuyos estratos geológicos estaban tan claramente definidos que aquellas columnas titánicas parecían haber sido levantadas por colosos expertos en albañilería... también aquellos templos soñados divinos se alzaban y caían cuando los ángeles iban y venían.

El Infierno arriba, el Paraíso abajo; me he detenido

en esta descripción del yermo original e inestable de Omar Khayyam para subrayar la tesis de que creció entre dos eternidades gemelas, cuyo orden convencional estaba, según su experiencia, exactamente invertido; de que el ponerse así cabeza abajo tiene efectos más difíciles de medir que los terremotos, porque ¿qué inventor ha patentado un sismógrafo de almas?; y de que, en Omar Khayyam, sin circuncidar, sin susurrar y sin afeitar, su presencia intensificaba la sensación de ser un individuo aparte.

Pero he estado al aire libre bastante tiempo ya, y tengo que quitar a mi narración del sol antes de que se vea afectada por espejismos o insolaciones... Más tarde, al otro extremo de su vida (al parecer, no se puede contener al futuro, que se empeña en filtrarse en el pasado), cuando su nombre apareció en todos los periódicos por el escándalo de los asesinatos sin cabeza, Farah Rodrigues, la hija del funcionario de aduanas, abrió sus labios cerrados con llave y liberó la historia del día en que un Omar Khayyam adolescente, ya entonces un tipo gordo al que le faltaba un botón de la camisa a la altura del ombligo, la acompañó hasta el puesto del padre de ella, en la frontera del país, cuarenta millas al oeste de Q. Ella estaba sentada en un cuchitril ilegal que vendía aguardiente, y hablaba al local en general, con el cacareo de vidrio astillado al que el tiempo y el aire del desierto habían dejado reducida su anterior risa de cristal:

—Increíble, os lo juro —recordó—, apenas habíamos llegado allí en el jeep cuando una nube descendió inmediatamente y se posó en el suelo, todo a lo largo de la frontera, como si no pudiera pasar sin visado, y ese Shakil se asustó tanto que perdió el conocimiento, le dio un mareo y se desmayó, aunque tenía ambos pies en tierra firme.

Incluso en sus días de mayor esplendor, incluso cuando se casó con la hija de Hyder, incluso después de haberse convertido Raza Hyder en presidente, Omar Khayyam Shakil se veía afligido a veces por aquel vértigo improbable, por la sensación de ser una criatura al margen: un hombre periférico. Una vez, en la época de su amistad de borracheras y francachelas con Iskander Harappa, *playboy* millonario, pensador radical, primer ministro y, finalmente, cadáver milagrero, Omar Khayyam, en su trompa, le hizo a Isky una descripción de sí mismo.

—Tienes ante ti —le confió— a un tipo que no es protagonista ni de su propia vida; a un hombre nacido y educado como algo situado fuera de las cosas. La herencia cuenta, ¿no te parece?

—Qué idea más deprimente —le contestó Iskander Harappa.

Omar Khayyam Shakil fue educado nada menos que por tres madres, sin un solo padre a la vista, misterio que se hizo luego más profundo por el nacimiento, cuando Omar tenía ya veinte años, de un hermano menor que, de igual modo, fue reivindicado por sus tres padres femeninos y cuya concepción parecía haber sido no menos inmaculada. Igualmente perturbadora para el joven en desarrollo fue la experiencia de su primer enamoramiento, al perseguir, con resolución contoneante y acalorada, a la figura voluptuosamente inaccesible de una tal Farah la Parsi (de soltera Zoroaster), ocupación llamada por todos los mozos de la localidad, con la excepción solitaria del propio Omar, congénitamente aislado: «correr al Desastre».

Mareado, periférico, cabezabajo, insomne, tontamente enamorado, mirador de musarañas, gordo: ¿qué clase de protagonista es éste?

2. UN COLLAR DE ZAPATOS

Unas semanas después de haber entrado las tropas rusas en Afganistán, volví a casa, para visitar a mis padres y hermanas y presumir con mi primer hijo. Mi familia vive en Defensa, la Cooperativa de Viviendas de los Funcionarios de los Servicios de la Defensa de Pakistán, aunque no es una familia de militares. «Defensa» es un barrio de moda de Karachi; pocos de los militares a los que se permitió comprar tierras en él, a precios bajísimos, pudieron permitirse construir.

Pero tampoco se les dejó vender las parcelas sin edificar. Para comprar el trozo de Defensa de un oficial había que redactar un contrato complicado. En virtud de ese contrato, la tierra seguía siendo propiedad del vendedor, aunque le hubierais pagado todo el precio de mercado y estuvierais invirtiendo ahora una pequeña fortuna en construir en ella vuestra propia casa de acuerdo con vuestros propios criterios. Teóricamente, sólo erais un chico simpático, un benefactor que había decidido dar un hogar al pobre oficial, movido por vuestra caridad sin límites. Pero el contrato obligaba también al vendedor a designar a un tercero que tendría poderes plenipotenciarios sobre la propiedad, una vez terminada la casa. Ese tercero era alguien designado por vosotros y, cuando los obreros de la construcción se iban a casa, se limitaba a entregaros la propiedad. De esa forma, el proceso requería dos actos distintos de buena voluntad. Defensa había sido edificado casi por completo por ese sistema del chico simpático. Ese espíritu de camaradería, de trabajar juntos para alcanzar un fin común, merece cierta atención.

Era un procedimiento elegante. El vendedor se hacía rico, el intermediario se llevaba sus honorarios, vosotros obteníais vuestra casa, y nadie infringía ninguna ley. De forma que, naturalmente, nadie se preguntó nunca cómo había sido que la zona edificable más conveniente de la ciudad hubiera sido asignada de esa forma a los servicios de la Defensa. También esa actitud sigue siendo parte de los cimientos de Defensa: el aire está allí lleno de preguntas sin formular. Pero su olor es suave, y las flores de los muchos jardines en sazón, los árboles que bordean las avenidas y los perfumes que llevan las damas bellas y elegantes de la vecindad dominan por completo a ese otro olor, demasiado abstracto. Los diplomáticos, los hombres de negocios internacionales, los hijos de ex dictadores, las estrellas de la canción, los magnates de los textiles y los grandes jugadores de críquet vienen y van. Hay muchos automóviles nuevos Datsun y Toyota. Y el nombre de «Cooperativa de la Defensa», que podría sonar en algunos oídos como un símbolo (que representara una relación, mutuamente ventajosa, entre la clase dirigente del país y sus fuerzas armadas), no tiene esa resonancia en la ciudad. Es sólo un nombre.

Una noche, poco después de mi llegada, visité a un viejo amigo, poeta. Yo había estado esperando una de nuestras largas conversaciones, para escuchar su opinión sobre los acontecimientos recientes en Pakistán y, naturalmente, sobre Afganistán. Su casa estaba llena de visitantes, como siempre; nadie parecía interesado en hablar de nada salvo del torneo de críquet entre Pakistán y la India. Me senté junto a una mesa con mi amigo y comencé una perezosa partida de ajedrez. Pero quería realmente saber noticias confidenciales sobre todas las cosas y, al cabo de un rato, saqué a relucir el tema que tenía en la cabeza, comenzando por una pregunta sobre la ejecución de Zulfikar Ali Bhutto. Sin embargo, sólo conseguí formular la mitad de mi pregunta; la otra fue a unirse a las muchas preguntas no formuladas de la región, porque sentí una patada sumamente dolorosa en la espinilla y, sin dar ningún grito, cambié a mitad de la frase a los temas deportivos. También hablamos sobre el auge incipiente del vídeo.

La gente entraba, salía, daba la vuelta, se reía. Al cabo de unos cuarenta minutos, mi amigo dijo: «Ya vale.» Yo le pregunté: «¿Quién era?» Me dijo el nombre del delator que se había infiltrado en aquel grupo determinado. Lo trataban cortésmente, sin dejar ver que sabían que estaba allí, porque de otro modo desaparecería, y la próxima vez quizá no supieran quién era el delator. Más tarde, conocí al espía. Era un chico simpático, de charla agradable y expresión sincera, que sin duda alguna estaba encantado de no oír nada sobre lo que valiera la pena informar. Se había llegado a una especie de equilibrio. Una vez más, me sorprendió ver cuántos chicos simpáticos había en Pakistán, y la educación que florecía en aquellos jardines, perfumando el aire.

Desde mi última visita a Karachi, mi amigo el poeta ha pasado muchos meses en la cárcel, por razones sociales. Es decir, conocía a alguien que conocía a alguien que era la mujer de un primo segundo por matrimonio de un tío político de alguien que quizá, o quizá no, había compartido un piso con alguien que estaba pasando fusiles a los guerrilleros del Beluchistán. En Pakistán, si se conoce a gente, se puede ir a todas partes, incluida la cárcel.

Mi amigo se sigue negando aún a hablar de lo que le pasó durante esos meses; pero otras personas me han dicho que estuvo en baja forma mucho tiempo después de salir. Me dijeron que lo habían colgado cabeza abajo de los tobillos y lo habían apaleado, como si fuera un niño recién nacido cuyos pulmones tuvieran que ser obligados a entrar en funcionamiento para que pudiera berrear. Nunca le pregunté si gritó, ni si había cumbres montañosas invertidas visibles a través de la ventana.

Adondequiera que miro, veo algo de que avergonzarme. Pero la vergüenza es como cualquier otra cosa; basta vivir con ella el tiempo suficiente para que se convierta en parte del mobiliario. En Defensa se puede encontrar la vergüenza en todas las casas, ardiendo en un cenicero, colgando enmarcada de la pared, cubriendo una cama. Pero nadie la nota ya. Y todo el mundo es civilizado.

Quizá debiera contar esta historia mi amigo, u otro, la suya; pero ya no escribe poesía. Así que aquí estoy yo, inventando lo que nunca me ocurrió, y notaréis que a mi protagonista lo han colgado ya de los tobillos, y que su nombre es el nombre de un poeta famoso; pero nunca surgieron ni surgirán cuartetos de su pluma.

¡Forastero! ¡Intruso! ¡No tienes derecho a tratar ese tema!... Lo sé: nadie me ha detenido nunca. Ni es probable que lo hagan nunca. *¡Cazador furtivo! ¡Pirata! Rechazamos tu autoridad. Te conocemos, envuelto en tu idioma extranjero como en una bandera: hablando de nosotros con tu lengua bífida, ¿qué puedes decir más que mentiras?* Yo respondo con otras preguntas: ¿hay que considerar la Historia propiedad exclusiva de los participantes? ¿Ante qué tribunales se presentan esas demandas, qué comisiones de límites deslindan los territorios?

¿Pueden hablar sólo los muertos?

Me digo que ésta será una novela de despedida, mis últimas palabras sobre ese Oriente del que, hace muchos años, comencé a separarme. No siempre me creo a mí mismo cuando lo digo. Es parte del mundo al que, me guste o no, todavía estoy unido, aunque sólo sea por bandas elásticas.

Por lo que se refiere a Afganistán: después de volver a Londres, conocí en una cena a un diplomático británico de alto nivel, un especialista por su carrera en «mi» parte del mundo. Me dijo que estaba muy bien que, «después de lo de Afganistán», Occidente apoyase la dictadura del presidente Zia ul-Haq. Yo no hubiera debido perder los estribos, pero los perdí. No sirvió de nada. Luego, cuando nos levantamos de la mesa, su esposa, una señora tranquila y educada que había estado emitiendo sonidos apaciguadores, me dijo:

—Pero dígame, ¿por qué el pueblo de Pakistán no se libra de Zia, ya sabe, de la forma habitual?

La vergüenza, querido lector, no es propiedad exclusiva de Oriente.

El país de esta historia no es Pakistán, o no del todo. Hay dos países, uno real y otro ficticio, que ocupan el mismo espacio, o casi el mismo espacio. Mi historia, mi país ficticio existe, como existo yo, en ligero ángulo con respecto a la realidad. He descubierto que ese descentrado es necesario; pero su utilidad, desde luego, es discutible. Mi tesis es que no escribo sólo sobre Pakistán.

No le he dado al país ningún nombre. Y Q. no es realmente Quetta, en absoluto. Pero no quiero ser rebuscado en una cosa: cuando llegue a la gran ciudad, la llamaré Karachi. Y en ella habrá un Defensa.

La posición de Omar Khayyam como poeta es curiosa. Nunca fue muy popular en su Persia natal; y en Occidente existe en una traducción que es, en realidad, una reelaboración total de sus versos, en muchos casos muy diferente del espíritu (por no hablar del contenido) del original. También yo soy un hombre traducido. He *nacido de través*. Se piensa por lo general que siempre se pierde algo en las traducciones, yo me aferro a la idea —y utilizo, como prueba, el éxito del Fitzgerald-Khayyam— de que también se puede ganar algo.

—El verte a través de mi amado telescopio —le dijo Omar Khayyam Shakil a Farah Zoroaster el día en que le declaró su amor— me dio la fuerza necesaria para romper el poderío de mis madres.

—Mirón —contestó ella—, me cisco en todo eso. Te descendieron los huevos demasiado pronto y estabas salido, eso es todo. No me traspases tus problemas familiares.

Ella tenía dos años más que él, pero no obstante Omar Khayyam tuvo que reconocer que su amada era muy palabrotera...

... Además del nombre del gran poeta, el niño había recibido el apellido de sus madres. Y, como para subrayar lo que querían decir al darle el nombre del inmortal Khayyam, las tres hermanas dieron también un nombre a aquel edificio mal iluminado y lleno de pasillos que era ahora toda la tierra que poseían: llamaron a la casa Nishapur.[1] De ese modo, un segundo Omar creció en un segundo lugar con ese nombre, y alguna que otra vez, mientras crecía, sorprendía una mirada extraña en los seis ojos de sus tres madres, una mirada que parecía decir Date prisa estamos esperando tus poemas. Sin embargo (lo repito) ningún *rubaiyat* salió jamás de su pluma.

Su infancia había sido excepcional desde todos los puntos de vista, porque lo que se aplicaba a madres y

1. Nishapur o Neyshabur es la ciudad natal del poeta persa Omar Khayyam, en la provincia de Khorasan. *(N. del T.)*

criados afectaba por supuesto también a nuestro periférico héroe. Omar Khayyam se pasó doce largos años, los años más decisivos de su desarrollo, atrapado en aquella mansión aislante, en aquel tercer mundo que no era ni material ni espiritual, sino una especie de decrepitud concentrada hecha de los dos tipos más familiares de cosmos, un mundo en el que tropezaría constantemente —además de con una profusión apolillada, llena de telarañas y cubierta de polvo, de objetos que se desmoronaban— con los miasmas persistentes y desvaídos de las ideas desechadas y los sueños olvidados. El gesto bien calculado por el que sus tres madres se habían aislado herméticamente del mundo había creado una zona sofocante, entrópica, en la que, a pesar de toda la descomposición del pasado, nada nuevo parecía poder crecer y de la que escapar rápidamente se convirtió en la más preciada ambición juvenil de Omar Khayyam. Desconocedor, en aquel universo fronterizo horriblemente indeterminado, de la curvatura del tiempo y del espacio, gracias a la cual quien corre más tiempo y con más empeño termina inevitablemente, jadeandoboqueando, con los tendones retorcidos y vociferantes, en la línea de salida, soñaba con escapatorias, dándose cuenta de que, en la claustrofobia de Nishapur, estaba en juego su propia vida. Después de todo, él era algo nuevo en aquel laberinto estéril y corroído por el tiempo.

¿Habéis oído hablar de esos niños-lobo, amamantados —hay que suponer— a los múltiples pechos salvajes de alguna hembra peluda que aúlla a la luna? Salvados de la Manada, muerden en el brazo horriblemente a sus salvadores; envueltos en redes y enjaulados, se les lleva, apestando a carne cruda y materias fecales, a la luz emancipada del mundo, con un cerebro demasiado imperfectamente formado para poder adquirir algo más que los rudimentos más fundamentales de la civilización... También Omar Khayyam se alimentó de dema-

siadas glándulas mamarias; y vagó unos cuatro mil días
por la jungla infestada de cosas que era Nishapur, su sal-
vaje palacio amurallado, su madre patria; hasta que consiguió que se abrieran las fronteras formulando un deseo de cumpleaños que no podía satisfacerse con nada
que pudiera izarse en la máquina de Mistri Balloch.

—Déjate de historias de niño de la selva —se burló
Farah cuando Omar intentó colocarle el rollo—, tú no
eres ningún puñetero hombre-mono, hijito. —Y, desde
el punto de vista educativo, tenía razón; pero negaba
también el salvajismo, el mal que había dentro de él; y él
le demostró, en el propio cuerpo de ella, que estaba
equivocada.

Lo primero es lo primero: durante doce años, él fue
quien mandaba en la casa. Pocas cosas (salvo la libertad) se le negaban. Un mocoso mimado y vulpino;
cuando aullaba, sus madres lo acariciaban... y cuando
comenzaron las pesadillas y comenzó a renunciar al
sueño, se hundió cada vez más profundamente en las
profundidades, aparentemente insondables, de aquel
reino en descomposición. Creedme si os digo que daba
traspiés por corredores hacía tanto tiempo intransita-
dos que sus sandalias se hundían en el polvo hasta los
tobillos; que descubrió escaleras en ruinas vueltas in-
franqueables por terremotos remotos que las habían
hecho alzarse en montañas agudas como dientes y hundirse también, revelando oscuros abismos de miedo...
En el silencio de la noche y los primeros ruidos del
alba, exploraba, más allá de la Historia, lo que parecía la
antigüedad categóricamente arqueológica de Nishapur,
descubriendo en *almirahs*, cuyas puertas de madera se
desintegraban bajo sus dedos vacilantes, las formas imposibles de cerámica neolítica pintada al estilo Kotdiji;[1]

1. Asentamiento del valle del Indo, cerca de Mohenjodaro.
(*N. del T.*)

o bien, en partes de las cocinas cuya existencia ni se sospechaba ya, contemplaba ignorantemente utensilios de bronce de una antigüedad absolutamente fabulosa; o en regiones de aquel palacio colosal abandonadas hacía tiempo por el derrumbamiento de las cañerías, exploraba las complejidades de sistemas de desagüe de ladrillo dejados al descubierto por los terremotos y anticuados desde hacía siglos.

En cierta ocasión se perdió por completo y corrió alocadamente de un lado a otro como un viajero en el tiempo que pierde su cápsula mágica y teme no poder salir nunca de la historia en desintegración de su raza... y se detuvo en seco, contemplando horrorizado una estancia cuyo muro exterior había sido parcialmente demolido por grandes y gruesas raíces de árboles en busca de agua. Quizá tuviera unos diez años cuando echó la primera ojeada a ese mundo exterior sin cadenas. Sólo hubiera tenido que atravesar andando la pared destruida... pero el regalo había caído sobre él sin aviso suficiente y, cogido de improviso por la aterradora promesa de la luz del alba que entraba a raudales por el agujero, puso pies en polvorosa y huyó, y su terror lo condujo otra vez ciegamente a su propia habitación, confortadora y confortable. Más adelante, cuando tuvo tiempo de pensar las cosas, intentó volver sobre sus pasos, armado de un ovillo de cuerda robado; pero, por mucho que lo intentara, jamás encontró otra vez el camino hasta el lugar del laberinto de su infancia en que vivía el minotauro de la prohibida luz del sol.

—A veces encuentro esqueletos —le juró a la incrédula Farah— de hombres y de animales.

E incluso cuando no había huesos, los ocupantes de la casa, muertos hacía tiempo, le seguían los pasos. ¡No de la forma que pensáis...! ¡No había aullidos, ni arrastrar de cadenas!... Pero sí sentimientos incorpóreos, los vapores asfixiantes de esperanzas, miedos y amores antiguos; y finalmente, enloquecido por la opresión fantasma y cargada de antepasados de esos lugares apartados del edificio derruido, Omar Khayyam se vengó (no mucho después del episodio del muro roto) de sus antinaturales entornos. Me estremezco al dejar constancia de su vandalismo: armado de un palo de escoba y de un hacha indebidamente apropiada, lo destrozó todo en aquellos pasillos polvorientos y aquellas alcobas agusanadas, haciendo trizas las vitrinas, derribando divanes salpicados de olvido, pulverizando bibliotecas carcomidas; cristales, cuadros, yelmos oxidados, los restos delgados como el papel de alfombras de seda inestimables fueron destruidos sin posibilidad alguna de reparación.

—¡Tomad, chillaba en medio de los cadáveres de su historia inútil y asesinada, tomad, trastos!... —Y luego (dejando caer culpablemente el hacha y la escoba de barrer), prorrumpió en unas lágrimas ilógicas.

Hay que decir que, incluso en aquellos tiempos, nadie creía las historias del chico acerca de las extensas infinitudes de la casa.

—Hijos únicos —chirriaba Hashmat Bibi—, siempre siempre viven metidos en su propia cabeza.

Y los tres criados se reían también:

—Oyéndote, *baba*, ¡creeríamos que esta casa se ha hecho tan enorme tan enorme, que no hay sitio para nada más en el mundo! —Y las tres madres, sentadas tolerantemente en su columpio favorito, alargaban unas manos que daban palmaditas y zanjaban el asunto:

—Por lo menos tiene una imaginación viva —decía Munnee-la-de-en-medio y la Madre Bunny estaba de acuerdo:

—Es por su nombre poético.

Preocupada por que pudiera ser sonámbulo, Chhunni-ma destacó a un criado para que pusiera su esterilla de dormir a la puerta de la habitación de Omar Khayyam; pero para entonces él había declarado vedadas para siempre las zonas más fantasiosas de Nishapur. Después de haber bajado por las cohortes de la Historia como un lobo (o como un niño-lobo) hacia su redil, Omar Khayyam Shakil se limitó a las regiones transitadas, trilladas, barridas y desempolvadas de la casa.

Algo —concebiblemente el remordimiento— lo condujo al estudio revestido de paneles oscuros de su abuelo, una habitación forrada de libros en la que las tres hermanas no habían entrado nunca desde la muerte del anciano. Aquí descubrió que los aires de gran sabiduría del Sr. Shakil habían sido una farsa, lo mismo que su supuesta perspicacia para los negocios; porque los libros llevaban todos el *ex libris* de cierto coronel Arthur Greenfield, y muchas de sus páginas estaban sin abrir. Era la biblioteca de un caballero, comprada en bloque a ese desconocido coronel, y había permanecido sin usar durante toda su estancia en el hogar de los Shakils. Ahora, Omar Khayyam cayó sobre ella con entusiasmo.

Aquí debo alabar sus dotes autodidácticas. Porque, para cuando dejó Nishapur, había aprendido árabe clásico y persa; y también latín, francés y alemán; todo ello con ayuda de los diccionarios encuadernados en cuero y los textos sin usar de la engañosa vanidad de su abuelo. ¡En qué libros se sumergía el chico! Manuscritos iluminados de poemas de Ghalib; volúmenes de cartas escritas por emperadores mogules a sus hijos; la traducción de Burton de *Alf laylah wa laylah*,[1] y los *Viajes* de Ibn Battuta, y el Qissa o los cuentos de Hatim Tai, el aventurero legendario... sí, sí, veo que tengo que retirar (como le dijo Farah a Omar que retirara) la imagen equívoca del mowgli, del muchacho de la jungla.

El trasvase continuo de artículos desde la residencia hasta la tienda de empeño, a través del montaplatos, sa-

1. *Las mil y una noches. (N. del T.)*

45

caba a la luz, con intervalos regulares, asuntos escondidos. Aquellos aposentos enormes, atiborrados hasta los topes con el legado material de generaciones de antepasados rapazmente adquisitivos, se vaciaban lentamente, de forma que, para cuando Omar Khayyam tuvo diez años y medio, había sitio suficiente para moverse de un lado a otro sin tropezar con los muebles a cada paso. Y, un día, las tres madres enviaron a un criado al estudio para que se llevara de sus vidas un biombo de nogal exquisitamente tallado, en el que estaba representada la mítica montaña circular de Qaf, entera con sus treinta pájaros jugando a Dios encima. Al volar aquel parlamento de pájaros, se le reveló a Omar Khayyam una pequeña estantería atiborrada de volúmenes sobre la teoría y la práctica del hipnotismo: *mantras* sánscritos, compendios del saber de los magos persas, un ejemplar en cuero del *Kalevala* de los finlandeses, un relato de los hipnoexorcismos del padre Gassner de Klosters y un estudio de la teoría del «magnetismo animal» del propio Franz Mesmer; y también (sumamente útiles) cierto número de manuales de impresión barata, del tipo «hágalo usted mismo». Ávidamente, Omar Khayyam comenzó a devorar aquellos libros, que eran los únicos de la biblioteca que no llevaban el nombre del literato coronel; eran el verdadero legado de su abuelo, y lo llevaron a ocuparse durante toda su vida de esa ciencia arcana que, para bien o para mal, tiene un poder tan aterrador.

Los criados de la casa estaban tan poco ocupados como él; las madres se habían vuelto gradualmente muy negligentes en cuestiones como la limpieza o la cocina. Por ello, el trío de criados se convirtió en los primeros y complacientes sujetos de experimentación de Omar Khayyam. Practicando con ayuda de una reluciente moneda de cuatro *anna*, los sometía a su voluntad, descubriendo con cierto orgullo su talento para ese arte:

manteniendo la voz sin esfuerzo en un plano uniforme y monótono, los hacía entrar en trance, enterándose, entre otras cosas, de que los impulsos sexuales que sus madres parecían haber perdido por completo desde su nacimiento no se habían aplacado de igual modo en aquellos hombres. Puestos en trance, confesaban felices los secretos de sus mutuas caricias, y bendecían a la trinidad materna por haber alterado las circunstancias de sus vidas de tal forma que sus verdaderos deseos pudieran revelárseles. El satisfecho amor de tres carriles de los criados compensaba curiosamente el amor igual, pero enteramente platónico, de las tres hermanas entre sí. (Sin embargo, Omar Khayyam seguía creciendo amargado, a pesar de estar rodeado de tantas intimidades y afectos.)

Hashmat Bibi se avino también a «someterse». Omar la hizo imaginarse que flotaba en una blanda nube rosa. «Te estás hundiendo más —salmodiaba mientras ella estaba echada en su esterilla—, cada vez más en la nube. Es bueno estar en la nube; quieres hundirte cada vez más y más.»

Aquellos experimentos tuvieron un trágico efecto secundario. Poco después del duodécimo cumpleaños de Omar, los tres amantes criados, mirando acusadoramente a su joven amo mientras hablaban, informaron a las madres de que, al parecer, Hashmat se había autosugestionado hasta morir; al final de todo se le había oído murmurar: «... más, cada vez más hasta el fondo de la nube rosada». La anciana, después de vislumbrar el noser gracias a los poderes mediadores de la voz del joven hipnotizador, había aflojado por fin la voluntad de hierro con que se había aferrado a la vida durante lo que ella pretendía eran más de ciento veinte años. Las tres madres dejaron de balancearse en su columpio y ordenaron a Omar Khayyam que abandonase el hipnotismo. Pero para entonces el mundo había cambiado. Tengo que retroceder un poco para describir esa alteración.

Lo que se encontró también en aquellas habitaciones que se vaciaban lentamente: el telescopio anteriormente mencionado. Con el cual Omar Khayyam espiaba desde las ventanas del piso alto (las de la planta baja estaban permanentemente cerradas y atrancadas): el mundo visto como un disco brillante, una luna para su deleite. Contemplaba luchas de cometas entre *patangs* de colas de vivos colores, con el bramante negro y sumergido en cristal para hacerlo cortante como una navaja; oía los gritos de los vencedores —«¡Boi-oi-oi! ¡Boi-oi!»— que le llegaban con la brisa arenosa; una vez, una cometa verde y blanca, con el bramante cortado, cayó a través de su ventana abierta. Y cuando, poco antes de su duodécimo cumpleaños, entró paseando en aquella luna ocular la figura incomprensiblemente atractiva de Farah Zoroaster, que en aquella época no tenía más de catorce años pero poseía ya un cuerpo que se movía con la sabiduría física de una mujer, entonces, en ese preciso momento, sintió que la voz se le quebraba en la garganta, mientras que, por debajo de su cinturón, otras cosas se deslizaban también hacia abajo para ocupar sus lugares previstos, con cierta anticipación, en unas bolsas hasta entonces vacías. Su nostalgia del exterior se transformó inmediatamente en un sordo dolor en la entrepierna, un desgarramiento en sus riñones; lo que siguió era tal vez inevitable.

No era libre. Su errante libertad-de-la-casa era sólo la pseudolibertad de un animal en un zoo; y sus madres eran sus guardianes amantes y atentos. Sus tres madres: ¿quién si no había implantado en su corazón la convicción de ser una personalidad marginal, alguien que observaba desde los laterales de su propia vida? Las contempló durante doce años y, sí, hay que decirlo, las odió por estar tan unidas, por la forma en que se sentaban con los brazos entrelazados en su balanceante y chirriante columpio, por su tendencia a recurrir, entre risitas, a los lenguajes secretos de su juventud, por la forma de abrazarse, de juntar sus tres cabezas y hablar susurrando de quiensabequé, de terminar cada una las frases de las otras. Omar Khayyam, emparedado en Nishapur, había sido excluido de la sociedad humana por la extraña resolución de sus madres; y aquello, la trinidad de sus madres, redoblaba su sensación de exclusión, de estar, en medio de los objetos, fuera de las cosas.

Doce años se cobran su peaje. Al principio, el gran orgullo que había inducido a Chhunni, Munnee y Bunny a rechazar a Dios, la memoria de su padre y su puesto en la sociedad les había permitido mantener las normas de conducta que eran casi lo único que su padre les había legado. Se levantaban cada mañana, con una diferencia de segundos, se cepillaban los dientes arriba, abajo y de lado cincuenta veces cada una con palillos de eucalipto, y luego, vestidas de forma idéntica, se aceitaban y peinaban mutuamente el pelo y entretejían flores blancas en los moños negros y enroscados que hacían con sus cabelleras. Hablaban a los criados, y se hablaban entre sí, utilizando la forma cortés del pronombre de segunda persona. La rigidez de su porte y la precisión de sus instrucciones domésticas daban un brillo legitimador a todas sus acciones, incluida (que era, sin duda alguna, de lo que se trataba) la producción de un hijo ilegítimo. Sin embargo, lenta, muy lentamente, se fueron deslizando.

El día de la partida de Omar Khayyam hacia la gran ciudad, su madre mayor le dijo un secreto que fechó el comienzo de la decadencia de las madres. «No queríamos dejar de darte el pecho —confesó—. Ahora ya sabes que no es corriente que un chico de seis años siga aferrado al pezón; pero tú mamaste de media docena, uno por cada año. El día en que cumpliste los seis años renunciamos a ese placer máximo, y desde entonces nada fue lo mismo, comenzamos a olvidar el sentido de las cosas.»

Durante los seis años siguientes, a medida que sus pechos se secaban y encogían, las tres hermanas perdieron aquella firmeza y tiesura de cuerpo a la que habían debido una gran parte de su belleza. Se volvieron fofas, tenían nudos en el pelo, perdieron interés por la cocina, los criados podían hacer cualquier barrabasada. Pero sin embargo ellas decayeron al mismo ritmo y de forma idéntica; los lazos de su identidad permanecieron intactos.

Recordad esto: las hermanas Shakil no habían recibido nunca una educación como es debido, salvo en lo que a modales se refiere; en tanto que su hijo, para cuando cambió la voz, era ya algo parecido a un prodigio autodidacto. Intentó interesar a sus madres en sus estudios; pero, cuando exponía las pruebas más elegantes de los teoremas euclidianos o se extendía elocuentemente acerca de la imagen platónica de la Caverna, ellas rechazaban enseguida aquellas ideas desconocidas.

—Todo eso es chino «angrés» —dijo Chhunni-ma, y las tres madres se encogieron de hombros a un tiempo.

—¿Quién puede entender la sesera de esos chalados? —preguntó Munnee-la-de-en-medio, con tono de rechazo definitivo—. Leen los libros de izquierda a derecha.

La incultura de sus madres acentuó la sensación de Omar Khayyam, incipiente y semiarticulada, de ser algo extraño, tanto porque era un niño dotado cuyas dotes eran devueltas al remitente por sus padres, como porque, a pesar de todos sus estudios, adivinaba que el punto de vista de sus madres lo hacía vacilar. Tenía la sensación de estar perdido dentro de una nube, cuyas cortinas se abrían de vez en cuando para ofrecer seductoras ojeadas del cielo... y a pesar de lo que le murmuraba a Hashmat Bibi, la nebulosidad no le resultaba atractiva al muchacho.

Bueno. Omar Khayyam Shakil tiene casi doce años. Está demasiado gordo, y su órgano generador, de reciente potencia, posee también un repliegue de piel que hubiera debido ser eliminado. Sus madres se están volviendo vagas en lo que se refiere a sus razones para vivir; mientras que él, en cambio, se ha vuelto de la noche a la mañana capaz de grados de agresión anteriormente extraños a su naturaleza complaciente de niño gordo. Sugiero (las he insinuado ya) tres causas: una, el haber visto a Farah, con sus catorce años, en la luna de su lente telescópica; dos, su torpeza en relación con su cambio de voz, que oscila descontrolada entre graznidos y chillidos, mientras un feo nudo se agita en su garganta como un corcho; y no hay que olvidar la número tres, a saber, las mutaciones tradicionales (o no tradicionales) producidas por la bioquímica púber en la personalidad del macho adolescente... ignorantes de esa conjunción de fuerzas diabólicas dentro de su hijo, las tres madres cometen el error de preguntar a Omar Khayyam qué quiere por su cumpleaños.

Él las sorprende con su mal humor:

—Nunca me lo daréis, de modo que, ¿para qué?

Horrorizados aspavientos maternos. Seis manos vuelan hacia tres cabezas, adoptando posiciones de ni-ve-ni-oye-ni-habla. La Madre Chhunni (tapándose con las manos los oídos):

—¿Cómo puede decir eso? ¿Qué dice este chico?

Y Munnee-la-Mediana, atisbando trágicamente entre sus dedos:

—Alguien ha trastornado a nuestro ángel, eso es evidente.

Y Bunny la Niña baja las manos de su posición de no-hablar:

—¡Pide! ¡Sólo tienes que pedir! ¿Qué te podemos negar? ¿Qué es eso tan importante que no vamos a hacer?

Entonces lo suelta a borbotones: berreando.

—Dejarme salir de esta horrible casa. —Y luego, mucho más suavemente, en el doloroso silencio que han hecho nacer sus propias palabras—: Y decirme el nombre de mi padre.

—¡Qué jeta! ¡Qué jeta la del mocete...! —Esto dice Munnee su madre de en-medio; luego sus hermanas la arrastran a una *mêlée* cerrada, con brazos rodeando talles en una postura de obscena unidad que el chico que las mira encuentra muy difícil de tragar.

—¿No os lo había dicho? —con gruñidos y falsetes de dolor—. Entonces, ¿para qué queríais que os lo dijera?

Pero ahora puede observarse un cambio. Sílabas pendencieras salen volando de la *mêlée* materna, porque las peticiones del chico han dividido a las hermanas por primera vez en más de diez años. Están discutiendo, y la discusión es algo oxidado y difícil, una disputa entre mujeres que tratan de recordar las personas que en otro tiempo fueron.

Cuando surgen de los escombros de su identidad en explosión, hacen esfuerzos heroicos para pretender ante Omar, y ante sí mismas, que nada grave ha ocurrido; pero aunque las tres se atienen a la decisión colectiva que se ha tomado, el chico puede ver que esa unanimidad es una máscara que sostienen en su sitio con considerable dificultad.

—Son unas peticiones razonables —es Bunny la Niña la que habla primero—, y una, al menos, debe ser atendida.

Su triunfo aterroriza a Omar Khayyam; el corcho de su garganta pega un salto, casi hasta su lengua. «¿Cualcualcuál?» Lo pregunta temeroso.

Munnee interviene.

—Se encargará una cartera nueva que vendrá en la máquina de Mistri —dice gravemente—, e irás al colegio. No debes alegrarte demasiado —añade— porque, cuando dejes esta casa, te herirán muchos nombres afilados, que la gente te lanzará en la calle como cuchillos.

—Munnee, la adversaria más encarnizada de la libertad de Omar Khayyam, ha afilado su propia lengua en el hierro de su derrota.

Finalmente, su madre mayor dice su parte.

—Vuelve a casa sin haberte pegado con nadie —le aconseja—, o sabremos que han humillado tu orgullo y te han hecho sentir la emoción prohibida de la vergüenza.

—Eso sería un efecto completamente envilecedor —dice Munnee-la-de-en-medio.

Esa palabra: vergüenza. No, tengo que escribirla en su forma original, no en este idioma raro contaminado por conceptos erróneos y por los detritos acumulados del pasado impenitente de sus propietarios, en este «angrés» en el que me veo obligado a escribir, alterando así para siempre lo escrito...

Sharam, ésa es la palabra. Para la que la insignificante *shame* inglesa (vergüenza) es una traducción totalmente insuficiente. Tres letras, *shìn rè mìm* (escritas, naturalmente, de derecha a izquierda); más los acentos *zabar* que indican los sonidos vocálicos breves. Una palabra corta, pero que contiene enciclopedias de matices. No era sólo vergüenza lo que sus madres prohibieron a Omar Khayyam que sintiera, sino también turbación, desconcierto, decoro, modestia, timidez, la sensación de tener un lugar determinado en el mundo, y otros dialectos de emociones para los que el inglés no tiene equivalentes. Por muy decididamente que uno huya de un país, tiene que llevar consigo algún equipaje de mano; y, ¿puede dudarse de que Omar Khayyam (para centrarnos en él), después de habérsele prohibido sentir vergüenza (verb. intr.: *sharmàna*) a una edad temprana, siguió afectado por esa notable prohibición du-

rante sus años posteriores, sí, mucho después de evadirse de la zona de influencia de sus madres?

Lector: no se puede.

¿Qué es lo contrario de la vergüenza? ¿Qué queda
cuando se elimina la *sharam*? Eso es evidente: la desvergüenza.

A causa del orgullo de sus padres y de las circunstancias singulares de su vida, Omar Khayyam Shakil, a la
edad de doce años, desconocía por completo la emoción a la que ahora se le prohibía ceder.

—¿Qué se siente? —preguntó... y sus madres, viendo su perplejidad, intentaron explicaciones.

—Te arde la cara —dijo Bunny-la-más-joven—,
pero te empieza a tiritar el corazón.

—Hace que las mujeres quieran llorar y morirse —dijo Chhunni-ma—, pero a los hombres, los enfurece.

—Salvo que algunas veces —musitó su madre de en
medio con profético rencor—, ocurre lo contrario.

La división de las tres madres en seres distintos se
hizo, en los años que siguieron, cada vez más evidente
de ver. Se peleaban por las más alarmantes naderías,
como quién escribiría las notas que se ponían en el
montaplatos, o si tomarían su té de hierbabuena con
biskuts, a media mañana, en el salón o en el rellano. Era
como si, al enviar a su hijo al circo soleado de la ciudad,
se hubieran expuesto ellas mismas precisamente a
aquello que le negaban la libertad de experimentar;
como si el día en que el mundo puso sus ojos por primera vez en su Omar Khayyam las tres hermanas hubieran sido atravesadas por fin por las flechas prohibidas de la *sharam*. Sus disputas amainaron cuando él se
escapó por segunda vez; pero ellas no volvieron a reunirse realmente hasta que decidieron repetir el acto de
maternidad...

Y hay algo todavía más extraño que contar. Y es esto: cuando se dividieron como consecuencia de los deseos de cumpleaños de Omar Khayyam, llevaban demasiado tiempo siendo indistinguibles para conservar ningún sentido exacto de sus personalidades anteriores y..., bueno, para decirlo de una vez, el resultado fue que se dividieron de forma equivocada, se hicieron un lío, de forma que Bunny, la más joven, echó las canas prematuras y adoptó los aires de reina que hubieran debido ser prerrogativa de la hermana mayor; en tanto que Chhunni parecía convertirse en un alma atormentada e insegura, una hermana de términos medios y vacilaciones; y Munnee adquiría la petulancia histriónica y molesta que es la característica tradicional del menor de cualquier generación, y que nunca deja de ser el privilegio de ese menor, por viejo que se haga. En el caos de su regeneración, unas cabezas equivocadas terminaron reposando sobre cuerpos equivocados; ellas se convirtieron en centauros psicológicos, mujeres-pez, híbridos; y, naturalmente, esa confusa separación de personalidades trajo consigo la consecuencia de que no fueran auténticamente distintas, porque sólo se las podía comprender considerándolas en conjunto.

¿Quién no hubiera querido evadirse de aquellas madres?... En años posteriores, Omar Khayyam recordaría su infancia lo mismo que un amante, abandonado, recuerda a su amada: invariable, incapaz de envejecer, un recuerdo prisionero en el círculo de fuego del corazón. Sólo que recordaba con odio en lugar de con amor; no con llamas sino helada, heladamente. El otro Omar escribió grandes cosas inspiradas en el amor; la historia de nuestro héroe es más pobre, sin duda porque fue adobada con bilis.

... Y sería fácil aducir que desarrolló marcadas tendencias misóginas a una edad temprana... Que todos sus tratos ulteriores con mujeres fueron actos de venganza contra el recuerdo de sus madres... Pero tengo que decir esto en defensa de Omar Khayyam: durante toda su vida, hiciera lo que hiciera, se convirtiera en lo que se convirtiera, cumplió sus deberes filiales y pagó sus deudas. Chalaak Sahib, el prestamista, dejó de hacer visitas al montaplatos; lo que indica la existencia de amor, de un amor de alguna clase... pero Omar Khayyam no es aún adulto. Precisamente ahora acaba de llegar la cartera escolar por medio de la máquina de Mistri; ahora cuelga del hombro de ese rey de las evasiones de doce años; ahora penetra Omar Khayyam en el montaplatos y la cartera empieza a bajar otra vez al suelo. El duodécimo cumpleaños de Omar Khayyam le trajo la libertad en lugar de una tarta; y también, dentro de la cartera, cuadernos forrados de azul, una pizarra, un tablero de madera lavable y algunas plumillas con las que practicar la sinuosa escritura de su lengua materna, tizas, lápices, una regla de madera y un estuche de dibujo, transportador, compases de punta seca y de los otros. Más una cajita de aluminio para asesinar ranas, anestesiándolas. Con sus herramientas de aprender colgadas del hombro, Omar Khayyam dejó a sus madres que, en silencio (y, sin embargo, al unísono) le decían adiós con la mano.

Omar Khayyam Shakil no olvidó nunca el momento en que surgió del montaplatos al polvo de la tierra de nadie que rodeaba a la alta mansión de su infancia, la cual se alzaba como un paria entre el Acantonamiento y la ciudad; ni cuando vio por primera vez al comité de recepción, uno de cuyos miembros llevaba una especie de guirlanda de lo más inesperada.

Cuando la mujer del mejor comerciante de artículos de cuero de Q. recibió el encargo de las hermanas de una cartera escolar, transmitido por el mandadero al que, una vez cada quince días, enviaba al montaplatos de acuerdo con las órdenes permanentes de las Shakils, ella, Zeenat Kabuli, corrió enseguida a casa de su mejor amiga, la viuda Farida Balloch, que vivía con su hermano Bilal. Los tres, que no habían dejado nunca de creer que la muerte callejera de Yakoob Balloch había sido consecuencia directa de haberse mezclado con las anacoréticas hermanas, estuvieron de acuerdo en que el producto de carne-y-sangre del escándalo de hacía mucho debía de estar a punto de surgir a plena luz del día. Se apostaron en el exterior del hogar de las Shakils para aguardar el acontecimiento, pero no sin que Zeenat Kabuli hubiera sacado de la trasera de su tienda un saco de arpillera lleno de zapatos y sandalias y zapatillas viejos y carcomidos sin posible valor para nadie, un calzado aniquilado que sólo había estado esperando una ocasión así, y que ahora ataron para formar el peor de los insultos, es decir, un collar de zapatos.

—Esa guirnalda de zapatos —le juró la viuda Balloch a Zeenat Kabuli—, verás cómo soy capaz de colgársela al chico del cuello, personalmente.

La vigilancia durante una semana de Farida, Zeenat y Bilal atrajo inevitablemente la atención, de forma que, para cuando Omar Khayyam saltó del montaplatos, se les habían unido rateros, otros bobos y guasones, golfillos andrajosos y oficinistas desempleados y lavanderas que se dirigían a los *ghats*. También estaba allí el cartero de la ciudad, Muhammad Ibadalla, que llevaba en la frente el *gatta* o magulladura permanente que revelaba que era un fanático religioso que hundía el entrecejo en su esterilla de rezar por lo menos cinco veces al día, y probablemente también la sexta, de carácter optativo. Ese Ibadalla había conseguido su puesto mediante la maligna influencia de la serpiente barbuda que estaba de pie a su lado, en medio del calor, el santón local, el tristemente célebre Maulana Dawood, que circulaba por la ciudad en una *scooter* regalada por los *sahibs* «angreses», amenazando a los ciudadanos con la condenación. Resultó que ese Ibadalla se había sulfurado por la decisión de las Shakils de no enviar su carta al director del colegio del Cantt por medio de los servicios postales. En lugar de ello, la carta había sido introducida en un sobre que enviaron en el montaplatos a Azra, la florista, con una pequeña propina adicional. Ibadalla había cortejado a esa Azra algún tiempo, pero ella se rió de él:

—No me interesa un tipo que pasa tanto tiempo con la espalda más alta que la cabeza.

De forma que la decisión de las hermanas de confiar a Azra su carta se le antojó al cartero un insulto personal, una forma de socavar su posición social, y también una prueba más de la Impiedad de las Shakils, porque, ¿no se habían aliado, mediante aquel acto infame de correspondencia, con una mujerzuela que hacía chistes sobre la plegaria?

—¡Mirad! —vociferó enérgicamente Ibadalla cuando Omar Khayyam tocó tierra—, ahí está la semilla del Diablo.

Pero entonces ocurrió un desgraciado incidente. Ibadalla, furioso por el asunto de Azra, había hablado primero, incurriendo así en el desagrado de su patrón Maulana Dawood, una pérdida de apoyo divino que echó a perder las posibilidades de futuros ascensos del cartero e intensificó su odio hacia todos los Shakils; porque, naturalmente, Maulana pensaba que le correspondía a él iniciar el ataque contra aquel símbolo pobre, gordo y prematuramente pubescente del pecado en carne mortal. En un intento de reconquistar la iniciativa, Dawood se hincó de rodillas en el polvo a los pies de Omar; hundió extáticamente la frente en la porquería que había junto a los dedos gordos de Omar, y exclamó:

—¡Oh Dios! ¡Oh Señor flagelador! ¡Haz caer sobre esta abominación humana tu ardiente lluvia de fuego! —Etcétera.

Aquel espectáculo grotesco irritó grandemente a los tres que habían hecho la vigilancia original.

—¿De quién era el marido que murió por un montaplatos? —dijo silbando Farida Balloch a su amigo—. ¿De ese vejestorio vociferante? Entonces, ¿quién es la que tendría que hablar?

Su hermano Bilal no se paró a hablar; con la ristra de zapatos en la mano, dio unas zancadas adelante, bramando con una voz estentórea que casi igualaba a la voz legendaria de su tocayo, aquel primer Bilal negro, el almuédano del Profeta:

—¡Arrapiezo! ¡Carne de infamia! ¡Tienes suerte de que no te haga más que esto! ¡Crees que no podría aplastarte como a un mosquito?

Y en el fondo, como ecos roncos, golfillos, lavanderas, oficinistas, entonaron: ¡Semilla del diablo...! ¡Lluvia de fuego...! ¿De quién era el marido...? ¡Como a un mosquito...!

Se iban acercando, Ibadalla y Maulana y los tres «vigilantes» vengadores, mientras Omar permanecía inmóvil como una mangosta hipnotizada por una cobra, pero alrededor de él las cosas se estaban descongelando, los prejuicios de doce años, suspendidos, de la ciudad estaban volviendo a la vida... y Bilal no pudo esperar más, y corrió hacia el muchacho mientras Dawood se prosternaba por decimoséptima vez; la guirnalda de zapatos fue lanzada en dirección a Omar; y precisamente entonces Maulana se enderezó para aullar a Dios, interponiendo su flaco pescuezo entre el calzado insultante y su blanco y, antes de que nadie se diera cuenta, allí estaba el collar fatal, colgando del cuello fortuito del santón.

Omar Khayyam empezó a reírse: tales pueden ser los efectos del miedo. Y los golfillos se rieron con él;

hasta la viuda Balloch tuvo que contener la risa, que se le salió por los ojos en forma de lágrimas. En aquellos tiempos la gente no era tan amante de los siervos de Dios como, según nos dicen, es hoy... Maulana Dawood se levantó con el asesinato escrito en el rostro. Sin embargo, como no era ningún idiota, apartó rápidamente la cara del gigantesco Bilal y alargó sus zarpas hacia Omar Khayyam... que fue salvado por la bendita figura, que se abría paso a codazos entre la multitud, del señor Eduardo Rodrigues, maestro, que, como estaba convenido, llegaba para llevar a clase al nuevo alumno. Y con Rodrigues venía una belleza de tal felicidad que el turulato Khayyam se olvidó inmediatamente del peligro del que tan cerca había estado.

—Ésta es Farah —le dijo Rodrigues—, está dos cursos por encima del tuyo.

La belleza miró a Omar; luego a Maulana con su collar de zapatos que, en su rabia, se había olvidado de quitarse la guirnalda; y entonces echó la cabeza atrás y rugió.

—Dios, *yaar* —le dijo a Omar, comenzando así con una blasfemia despreocupada—. ¿Por qué no te quedas en casa? Ya hay bastantes imbéciles en la ciudad.

3. DESHIELO

Frío, blanco como un frigorífico, se alzaba en medio de céspedes ofensivamente verdes: el Colegio del Acantonamiento. En sus jardines florecían también los árboles, porque los *sahibs* «angreses» habían desviado grandes cantidades de los escasos recursos hídricos de la región hacia las mangueras con las que los jardineros del Cantt se paseaban durante todo el día. Era evidente que aquellos curiosos seres grises de un húmedo mundo septentrional no podían sobrevivir a menos que la hierba y las buganvillas y los tamarindos y las nanjeas crecieran también. En cuanto a los arbolitos humanos criados en el Colegio: tanto blancos (grises) como morenos, iban desde los tres años hasta los diecinueve. Sin embargo, después de los ocho, el número de niños «angreses» disminuía bruscamente, y los niños de los cursos superiores eran casi uniformemente morenos. ¿Qué les pasaba a los chicos de piel clara después de su octavo cumpleaños? ¿Muerte, desaparición, una súbita oleada de melanina en sus cutis?... No, no. Para encontrar la verdadera respuesta habría que realizar amplias investigaciones en los viejos libros de las compañías de navegación y los diarios de damas hace tiempo extinguidas en lo que los colonialistas «angreses» llamaban siempre la madre patria, pero era en realidad un país de tías solteronas y otros parientes femeninos más distantes, a las que se podía encajar a los niños para salvarlos de los peligros de una educación oriental... pero tal investigación no está al alcance del autor, que ha de apartar los ojos sin más demora de esas cuestiones marginales.

Un colegio es un colegio; todo el mundo sabe lo que pasa allí. Omar Khayyam era un niño gordo, de modo que tuvo lo que tienen los niños gordos: bromas, bolitas empapadas de tinta en el cogote, apodos, alguna paliza, nada de especial. Cuando sus compañeros descubrieron que no tenía intención de responder a ninguna burla sobre sus insólitos orígenes, lo dejaron sencillamente en paz, contentándose con alguna rima ocasional en el patio del colegio. Eso le vino muy bien. Nada avergonzado, acostumbrado a la soledad, comenzó a disfrutar de su semiinvisibilidad. Desde su posición al margen de la vida escolar, se complacía indirectamente con las actividades de los que lo rodeaban, celebrando silenciosamente la ascensión o caída de este o aquel emperador del terreno de juegos, o los suspensos de algunos compañeros especialmente intragables: placeres de espectador.

Una vez, por casualidad, estaba en un rincón sombrío de los terrenos, poblados de árboles, cuando observó a dos estudiantes del último curso metiéndose mano enérgicamente tras un arbusto tropical. Contemplando sus caricias, sintió una satisfacción extrañamente cálida, y decidió buscar otras oportunidades de dedicarse a su nuevo pasatiempo. A medida que se hizo mayor y se le permitió quedarse fuera más tarde, se hizo experto en la ocupación que había elegido; la ciudad revelaba sus secretos a sus ojos omnipresentes. A través de ineficaces persianas *chick*, espiaba los acoplamientos del cartero Ibadalla y la viuda Balloch, y también, en otro lugar, con su mejor amiga Zeenat Kabuli, de modo que la ocasión, tristemente célebre, en que el cartero, el comerciante en artículos de cuero y el voceras de Bilal se acometieron con cuchillos en un callejón y terminaron, los tres, muertos a machamartillo, no fue ningún misterio para él; pero era demasiado joven para comprender por qué Zeenat y Farida, que hubieran debido odiarse a muerte como el veneno una vez que se supo todo, se juntaron en cambio y vivieron, después de aquella triple muerte, en inquebrantable amistad y soltería por el resto de sus días.

Para ser claros: lo que comenzó a larga distancia un telescopio, lo continuó Omar Khayyam en primer plano. No tengamos miedo de pronunciar la palabra «mirón» recordando que ya se ha mencionado (en un contexto telescópico) por Farah Zoroaster. Pero ahora que lo hemos llamado mirón, debemos decir también que nunca lo cogieron, a diferencia de aquel tipo audaz de Agra que, según dicen, miró por encima de un alto muro para espiar la construcción del Taj Mahal. Le sacaron los ojos, o eso es lo que dicen; mientras que las pupilas de Omar Khayyam se abrieron de par en par con su voyeurismo, que le reveló la textura infinitamente rica y críptica de la vida humana, así como los agridulces placeres de vivir a través de otros seres.

Tuvo un fracaso total. No hace falta decir que lo que sus madres le habían ocultado durante doce años los chicos del colegio se lo revelaron en doce minutos; es decir, la historia de la fiesta legendaria en la que oficiales mostachudos fueron contemplados, evaluados, y luego... Omar Khayyam Shakil, obedeciendo las órdenes maternas, no se liaba a trompazos cuando le tomaban el pelo con aquella historia familiar. Vivía en una especie de Edén de moralidad, y no hacía caso de los insultos; pero, después de aquello, comenzó a observar a los caballeros «angreses» buscando signos, examinándolos para ver si se parecían de cara a él, esperando la ocasión de abalanzarse sobre alguna expresión o gesto distraídos o involuntarios que pudieran revelar la identidad de su desconocido progenitor masculino. No tuvo éxito. Quizá su padre se había marchado hacía tiempo y vivía, si vivía aún, en algún *bungalow* a la orilla del mar, lamido por las olas de la nostalgia de los horizontes de su pasada gloria, manoseando los escasos artefactos miserables —cuernos de caza de marfil, *kukris*, alguna fotografía de sí mismo en alguna cacería de tigres de algún *maharaja*— que conservaban, en las repisas de sus años de decadencia, los ecos en extinción del pasado, como caracolas que cantasen mares distantes... pero todo esto son especulaciones estériles. Incapaz de localizar un padre, el chico se buscó uno entre el personal disponible, dando el espaldarazo sin reservas al señor Eduardo Rodrigues, maestro, que era a su vez un recién llegado a Q. y había desembarcado garbosamente de un autobús un día, años antes, vestido de blanco, con un blanco sombrero de ala ancha en la cabeza y una jaula de pájaros vacía en la mano.

Y una última cosa sobre las curiosidades de Omar Khayyam: como, naturalmente, sus tres madres habían empezado a vivir también por delegación, no podían evitarlo, en aquellos tiempos en que su resolución se debilitó lo interrogaban ansiosamente, al volver del Mundo Exterior, sobre modas femeninas y todas las minucias de la vida de la ciudad, y sobre si había oído algo acerca de *ellas*; de cuando en cuando se tapaban la cara con sus chales, de forma que era evidente que no podían seguir aislándose de las emociones que habían anatematizado... el espiar el mundo a través de los ojos poco fiables de su hijo (y, naturalmente, él no se lo contaba todo), su propia curiosidad-malsana-por-poderes tuvo el efecto que, clásicamente, se supone que esas cosas deben tener: es decir, debilitó su temple moral. Quizá fuera ésa la razón por la que pudieron pensar en repetir su delito.

El señor Eduardo Rodrigues era tan fino y afilado como su enorme colección de lápices, y nadie sabía su edad. Según el ángulo con que le daba la luz, su cara podía adoptar la apariencia insolente y de ojos vivos de un adolescente, o el aspecto lastimoso de un hombre que se ahogaba en ayeres semiacabados. Siendo un meridional sin explicación, hacía una impresión misteriosa en la ciudad, al haber pasado directamente de la estación de autobuses de su llegada al Colegio del Acantonamiento, en donde, antes de caer la noche, había conseguido convencerlos para que le dieran un puesto docente. «Hay que salirse de lo habitual —era la explicación que daba— si se quiere difundir la Palabra.»

Vivía en una habitación puritana, como huésped de pago de uno de los *sahibs* «angreses» menos acomodados. De sus paredes colgó un crucifijo, y pegó también algunas fotografías baratas, extirpadas de calendarios, de una fragante zona costera en la que las palmeras se balanceaban sobre un fondo de puestas de sol inverosímilmente naranjas, y una catedral barroca, parcialmente cubierta de enredaderas, se alzaba en una ensenada atestada de *dhows* de velas en llamas. Omar Khayyam Shakil y Farah Zoroaster, los únicos estudiantes que penetraron jamás en ese santuario, no vieron signos de nada más personal; parecía como si Eduardo escondiera su pasado de los ardientes rayos del sol del desierto, para evitar que se decolorara. Tan grande era la cegadora vacuidad de la vivienda del maestro, que Omar Khayyam no notó hasta su tercera visita la jaula de pájaros barata que había en lo alto del único armario de la habitación, una jaula en la que la pintura dorada había comenzado hacía tiempo a descascarillarse, y que estaba tan vacía como el día en que llegó a la estación de autobuses. «Como si —susurró Farah despreciativamente— hubiera venido a cazar algún pájaro, y no hubiera podido, el muy estúpido.»

Eduardo y Omar, cada uno a su estilo un marginado en Q., quizá se sintieran mutuamente atraídos por la percepción semiinconsciente de su semejanza; pero actuaron también otras fuerzas. Esas fuerzas pueden reunirse, por razones de comodidad, bajo un solo epígrafe, pero también esta frase se ha pronunciado anteriormente: «correr al desastre».

No había escapado a los cotilleos de la ciudad el hecho de que Eduardo hubiera llegado, con su jaula en la mano y su sombrero de ala ancha en la cabeza, sólo dos meses después de que el funcionario de aduanas Zoroaster hubiera sido enviado a aquellas regiones, sin mujer pero con una hija de ocho años. De forma que no pasó mucho tiempo sin que los *wallahs* de las mulas y los chatarreros y los santones motorizados hubieran descubierto que el destino anterior de aquel Zoroaster había estado en la misma zona de catedrales con enredaderas y playas de cocoteros cuyo recuerdo podía olerse en el traje blanco de Rodrigues y en su nombre portugués. Las lenguas comenzaron a trabajar:

—Entonces, ¿dónde está la mujer de ese *wallah* aduanero? ¿Divorciada, devuelta a su madre, asesinada en un arrebato de pasión? Mirad a esa Farah, no se parece a su padre, ¡ni lo más mínimo!

Pero esas lenguas tenían que admitir también que Farah Zoroaster tampoco se parecía lo más mínimo al maestro, de forma que esa vía se cerró de mala gana, especialmente cuando se hizo evidente que Rodrigues y Zoroaster se llevaban muy cordialmente.

—Entonces, ¿por qué apartan a un funcionario de aduanas, enviándolo hasta este puesto en-el-fin-del-mundo?

Farah tenía una respuesta sencilla:

—El estúpido de mi padre es un tipo que sigue soñando cuando se despierta. Se cree que un día volveremos a donde nunca estuvimos, a esa maldita tierra de Ahuramazda, y esa condenada frontera iraní es lo más cerca que podemos llegar. ¿Os lo podéis imaginar? —aullaba—. Se presentó *voluntario*.

La murmuración es como el agua. Busca en las superficies los puntos débiles hasta que encuentra el modo de pasar; de forma que sólo fue cuestión de tiempo el que las buenas gentes de Q. dieran con la explicación más vergonzosa y escandalosa de todas. «Cielo santo, un hombre adulto enamorado de una niña. Eduardo y Farah... cómo que no puede ser, pasa todos los días, sólo hace unos años hubo aquel otro... sí, tiene que ser eso, esos cristianos están completamente pervertidos, Dios nos guarde, él sigue a su putilla hasta aquí, el culo del mundo, y quién sabe cómo lo anima ella, porque una mujer sabe cómo decirle a un hombre si está de más o no, claro que sí, hasta a los ocho años, esas cosas se llevan en la sangre.»

Ni Eduardo ni Farah daban, con su conducta, la más mínima señal de que esos rumores se basaran en hechos. Es verdad que Eduardo no se casó durante los años en que Farah se iba haciendo mujer; pero también es verdad que a Farah, conocida por «Desastre», la llamaban también «el témpano» a causa de su frialdad bajo cero hacia sus muchos admiradores, una frigidez que se aplicaba también a sus relaciones con Eduardo Rodrigues. «Claro que cuidan las apariencias, ¿qué te crees?»... los cotillas pudieron decir, triunfalmente, que al final los acontecimientos les habían dado la razón.

Omar Khayyam Shakil, a pesar de toda su afición a oír-y-observar, pretendía hacer oídos sordos a todas esas historias; así son los efectos del amor. Pero se le metieron dentro de todas formas, se le metieron bajo la piel y en la sangre y se abrieron paso, como astillitas, hacia su corazón; hasta que también él resultó culpable de las supuestas perversiones cristianas del maestro Rodrigues. Elegid un padre y elegiréis igualmente vuestra herencia. (Pero Sufiya Zinobia tendrá que esperar aún unas páginas.)

He perdido demasiados párrafos en compañía de los cotillas; volvamos a terreno firme: Eduardo Rodrigues, acompañado de forma alimentadora-de-chismorreos por Farah, recoge a Omar Khayyam en su primer día de colegio, hecho que atestigua la influencia residual del apellido Shakil en la ciudad. En los meses que siguieron, Eduardo descubrió la excepcional aptitud del muchacho para aprender, y escribió a sus madres ofreciéndoles sus servicios como profesor particular que podría ayudar a su chico a aprovechar sus posibilidades. Es un hecho probado que sus madres accedieron a la sugerencia del maestro; también que el único otro alumno particular de Eduardo fue Farah Zoroaster, cuyo padre fue eximido de pagar honorarios, porque Eduardo era un profesor auténticamente dedicado; y en tercer lugar que, a medida que los años pasaron, el trío Omar, Eduardo y Farah se convirtió en espectáculo corriente en la ciudad.

Fue Rodrigues, que tenía la facultad de hablar con mayúsculas, quien orientó a Omar hacia la carrera médica. «Para Triunfar en la Vida —le dijo al chico en medio de postales de playas y jaulas de pájaros vacías— hay que Pertenecer a la Esencia. Sí, hazte Esencial, eso es Lo que Hace Falta... y ¿quién es más Indispensable? ¡Toma, pues el tipo que Receta! Quiero decir Consejos, Diagnósticos, Drogas Prohibidas. Hazte Médico; es lo que He Visto en Ti.»

Lo que vio Eduardo en Omar (en mi opinión): las posibilidades de su verdadera y periférica naturaleza. ¿Qué es un médico, después de todo?... Un mirón legitimado, un extraño al que le permitimos meter dedos y hasta manos en donde no permitiríamos a la mayoría de la gente introducir ni la punta de un dedo, que mira atentamente lo que más nos esforzamos en ocultar; alguien-que-se-sienta-a-nuestra cabecera, un intruso al que admitimos en nuestros momentos más íntimos (nacimiento, muerte, etcétera), anónimo, personaje de poca importancia, y sin embargo también, paradójicamente, principal, especialmente en las crisis... sí, sí. Eduardo era un profesor de mucha vista, de eso no hay duda. Y Omar Khayyam, que había elegido a Rodrigues como padre, no pensó ni por un momento en contrariar los deseos de su preceptor. Así es como se organizan las vidas.

Pero no sólo así; también por libros de hojas dobladas descubiertos accidentalmente en casa, y por primeros amores largo tiempo reprimidos... cuando Omar Khayyam tenía dieciséis años, fue arrojado a un gran vórtice de alegría temerosa, porque Farah la Parsi, Desastre Zoroaster, lo invitó un día a visitar el puesto aduanero de su padre.

«... y se desmayó, aunque tenía los dos pies en el suelo». Ya hemos dicho algo de lo que pasó en la frontera: de cómo descendió una nube, y Omar Khayyam, confundiéndola con su pesadilla infantil del vacío del fin del mundo, perdió el conocimiento. Es posible que ese desmayo le diera la idea de lo que hizo ese mismo día, más tarde.

Primero los detalles: ¿cuál fue el tono de la invitación de Farah?... Poco amable, brusco, no-me-importa-si-tú-no. ¿Su motivo, cuál?... Eduardo, que le insistió en privado: «Es un chico solitario, sé amable con él. Vosotros, los que sois listos, deberíais hacer causa común.» (Omar Khayyam era el más listo de los dos;

aunque todavía los distanciaban dos años, había alcanzado a Farah de otras formas, y estaba ahora a su mismo nivel.) ¿Aceptó Omar Khayyam rápidamente?... *Ek dum. Fut-a-fut.* Enseguida, y hasta más deprisa aún.

Los días de la semana, durante el curso, Farah se alojaba en Q. en casa de un mecánico parsi y su mujer, con los que su padre había trabado amistad precisamente con ese fin. Ese mecánico, un Jamshed sin importancia que no merece siquiera una descripción, los condujo hasta la frontera el día de fiesta elegido, en un jeep que estaba reparando. Y, a medida que se acercaban a la frontera, Farah se iba animando mientras Omar se desanimaba...

... Su miedo al Límite aumentaba, irracionalmente, a medida que avanzaban, mientras estaba sentado tras ella, en aquel vehículo sin techo, y el pelo de Farah, suelto y azotado por el viento, aleteaba ante él como un fuego negro. Mientras tanto, el humor de ella mejoraba con el viaje, al rodear una estribación de las montañas, al pasar por un desfiladero en el que los vigilaban los ojos invisibles de los recelosos hombres de las tribus. La desnudez de la frontera le agradaba a Farah, por mucho que se burlase abiertamente de su padre por haber aceptado aquel empleo sin porvenir. Hasta empezó a cantar; revelando que tenía una voz melodiosa.

En la frontera: nubes, desmayo, agua rociada en el rostro, despertar, dónde estoy. Omar Khayyam vuelve en sí para encontrarse con que la nube se ha levantado, de forma que se puede ver que la frontera es un lugar poco impresionante: no hay muro, no hay policía, no hay alambre de espino ni focos, no hay barreras de rayas rojas y blancas, nada más que una serie de postes de hormigón a intervalos de cien pies, unos postes hincados en la tierra dura y estéril. Hay una pequeña caseta de aduanas, y una terminal de ferrocarril que se ha vuelto parda por el óxido; en los carriles, un solo vagón de mercancías olvidado, pardo también por el olvido. «Los trenes no llegan ya —dice Farah—, no lo permite la situación internacional.»

Un funcionario de aduanas depende, para obtener unos ingresos decentes, del tráfico. Las mercancías pasan, él, no sin razón, las confisca, sus propietarios se avienen a razones, se llega a un acuerdo, la familia del aduanero se compra ropa nueva. A nadie le importa ese arreglo; todo el mundo sabe lo mal pagados que están los funcionarios públicos. Las negociaciones se desarrollan de un modo honorable por ambas partes.

Sin embargo, pocos artículos sujetos a arancel pasan por el pequeño edificio de ladrillos que es el centro de poder del señor Zoroaster. Al amparo de la noche, los hombres de las tribus se pasean de acá para allá entre ambos países, a través de postes y de peñas. ¿Quién sabe lo que llevan de allá para acá? Ésa es la tragedia de Zoroaster; y, a pesar de la beca de ella, tiene dificultades para costear una buena educación para su hija. Cómo se consuela: «Pronto, muy pronto se abrirá la línea férrea...» Pero la herrumbre se acumula también sobre esa fe; él mira fijamente, más allá de los postes, a la tierra ancestral de Zarathustra e intenta consolarse con su proximidad, pero, en esos días, hay algo de tenso en su expresión... Farah Zoroaster bate palmas y corretea entre aquellos postes interminables. «Qué divertido, *na*? —grita—. *Tip-taap!*» Omar Khayyam, para que conserve su humor afable, conviene en que el sitio es *tip-top*, estupendo. Zoroaster se encoge de hombros sin amargura y se retira a su oficina con el conductor del jeep, advirtiendo a los jóvenes que no se queden demasiado tiempo al sol.

Quizá se quedaron demasiado tiempo, y eso fue lo que dio valor a Omar Khayyam para declarar su amor:

«Cuando te vi por mi telescopio», etc., pero no hace falta repetir su discurso ni la áspera respuesta de Farah. Rechazado, Omar Khayyam lanza preguntas lastimeras: «¿Por qué? ¿Por qué no? ¿Porque soy gordo?» Y Farah le responde: «Ser gordo no importaría; pero hay algo feo en ti, ¿no sabes?» «¿Feo?» «No me preguntes qué. No lo sé. Algo. En tu personalidad o en alguna parte.»

Silencio entre ambos hasta últimas horas de la tarde. Omar vaga entre los postes siguiendo las huellas de Farah. Se da cuenta de que han atado pedazos de espejo a muchos de los postes, con trozos de cuerda; cuando Farah se acerca a cada fragmento ve pedazos de sí misma reflejados en un espejo, y sonríe con su sonrisa secreta. Omar Khayyam Shakil comprende que su amada es un ser demasiado autosuficiente para sucumbir ante cualquier asalto convencional; ella y sus espejos son gemelos y no necesitan extraños para sentirse completos... y entonces, en la última hora de la tarde, inspirado por el demasiado-sol o el desmayo, tiene su idea. «¿Te han hipnotizado alguna vez?», le pregunta a Farah Zoroaster... Y, por primera vez en la historia, ella lo mira con interés.

Luego, cuando su vientre comenzó a hincharse; cuando un director furioso la llamó a su despacho y la expulsó por arrojar la vergüenza sobre el colegio; cuando fue echada de casa por su padre, que había descubierto de pronto que su vacía caseta de aduanas estaba demasiado llena para alojar a una hija cuya barriga revelaba que se había sometido a otros aranceles inadmisibles; cuando Eduardo Rodrigues se la llevó, mientras ella tiraba y se resistía a su mano firme e inexorable, al capellán del Cantt y se casó con ella a la fuerza; cuando Eduardo, habiéndose reconocido así culpable para que lo vieran todos, fue despedido de su empleo por conducta indecorosa; cuando Farah y Eduardo se fueron a la estación de ferrocarril en una *tonga* conspicua por su ausencia casi total de equipaje (aunque había una jaula de pájaros, todavía vacía, y las lenguas maliciosas dijeron que Eduardo Rodrigues había acabado por coger dos pájaros en vez de uno); cuando se fueron y la ciudad volvió a su insignificancia cenicienta, después del breve resplandor del perverso drama que se había desarrollado en sus calles... Omar Khayyam intentó, inútilmente, consolarse con el hecho de que, como todo hipnotizador sabe, una de las primeras cosas tranquilizadoras en el hipnotismo, una fórmula muchas veces repetida, dice así:

«Harás todo lo que te pida que hagas, pero no te pediré que hagas nada que no estés dispuesto a hacer.»

«Ella estaba dispuesta», se decía a sí mismo. «Por lo tanto, ¿de quién es la culpa? Tiene que haber estado dispuesta, y todo el mundo conoce los riesgos.»

Pero, a pesar de ese nada-que-no-estés-dispuesto-a-hacer; a pesar también de la actuación de Eduardo Rodrigues, que se había mostrado a un tiempo tan resuelto y tan resignado que Omar Khayyam casi se había convencido de que el profesor era realmente el padre —¿por qué no, después de todo? ¡Una mujer que está dispuesta con uno está dispuesta con dos!— a pesar de todo, digo, Omar Khayyam estaba poseído por un demonio que lo hacía temblar en mitad del desayuno y tener calor de noche y frío de día, y llorar a veces sin motivo en la calle o mientras subía en el montaplatos. Los dedos de ese demonio se extendían desde el estómago de Omar Khayyam para agarrar, sin previo aviso, algunas de sus partes internas, desde la nuez hasta el intestino grueso (y también el delgado), de forma que padecía momentos de cuasiestrangulamiento y se pasaba largas horas improductivas en el retrete. El demonio hacía que sus miembros fueran misteriosamente pesados por las mañanas, de forma que, a veces, no podía salir de la cama. Hacía que la lengua se le secara y que le entrechocaran las rodillas. Dirigía sus pies de adolescente hacia tiendas de aguardiente barato. Mientras volvía a casa tambaleándose beodo, para indignación de sus tres madres, se le podía oír diciendo a un grupo bamboleante de compañeros de fatigas: «Lo único bueno en todo este jaleo es que me ha hecho comprender por fin a mis madres. Esto debe de ser lo que quisieron evitar encerrándose y, *baba*, ¿quién no lo haría?» Vomitando el delgado fluido amarillo de su vergüenza mientras bajaba el montaplatos, les juraba a sus compañeros, que se iban quedando dormidos en medio de la porquería: «Yo también, hombre. Tengo que huir también de esto.»

La noche en que Omar Khayyam, con sus dieciocho años y más gordo ya que cincuenta melones, volvió a casa para informar a Chhunni, Munnee y Bunny de que había conseguido una beca para la mejor facultad de medicina de Karachi, las tres hermanas sólo pudieron esconder su pesar ante la partida inminente de Omar Khayyam levantando en torno a ella una gran barrera de objetos, las joyas y pinturas más valiosas de la casa, que reunieron correteando de cuarto en cuarto hasta que, ante su viejo columpio favorito, se alzó un montón de belleza antigua.

—Eso de las becas está muy bien —le dijo su madre más joven—, pero también nosotras podemos dar dinero a nuestro chico si sale a ver mundo.

—¿Qué se creen esos médicos? —preguntó Chhunni con una especie de furia—. ¿Que somos demasiado pobres para pagarte una educación? Que se vayan al diablo con sus limosnas, tu familia tiene dinero en abundancia.

—Dinero antiguo —convino Munnee.

Incapaz de convencerlas de que la decisión de la beca era un honor que no quería rechazar, Omar Khayyam tuvo que marcharse a la estación de ferrocarril con los bolsillos rebosantes de billetes del prestamista. En torno al cuello llevaba una guirnalda de ciento una flores recién cortadas que despedían un aroma que borraba por completo el hedor-en-el-recuerdo del collar de zapatos que, en otra ocasión, erró por tan poco su cuello. El perfume de esa guirnalda era tan intenso que se olvidó de contarles a sus madres el último cotilleo, que era que Zoroaster, el funcionario de aduanas, había caído enfermo bajo el hechizo de aquel desierto sin sobornos, y había empezado a encaramarse, en pelota viva, a lo alto de los postes de hormigón, mientras los pedacitos de espejo le hacían polvo los pies. Con los brazos en cruz y deshijado, Zoroaster apostrofaba al sol, rogándole que bajara a la tierra y sumergiera al planeta en su brillante fuego purificador. Los hombres de las tribus que contaban esta historia en los bazares de Q. opinaban que el fervor del *wallah* de las aduanas era tan grande que, indudablemente, tendría éxito, de forma que valía la pena irse preparando para el fin del mundo.

La última persona con la que habló Omar Khayyam antes de escaparse de aquella ciudad de vergüenza fue un tal Chand Mohammad, que dijo luego: «Ese chaval gordo no parecía tan contento cuando empecé a hablarle y parecía dos veces más enfermo cuando terminé.» Ese Chand Mohammad era vendedor de hielo. Cuando Omar Khayyam, incapaz todavía de deshacerse de la terrible debilidad que lo había acometido desde el incidente de la frontera, izó su obesidad a un vagón de primera, Chand llegó corriendo y le dijo:

—Un día caluroso, *sahib*, hace falta hielo.

Al principio, Shakil, sin aliento y melancólico, le dijo:

—Lárgate y véndeles a otros idiotas tu agua helada.

Pero Chand insistió:

—*Sahib*, esta tarde soplará el *loo* y, si no tienes mi hielo a tus pies, el calor te derretirá el tuétano de los huesos.

Persuadido por este argumento convincente, Omar Khayyam compró una larga tina de lata, de cuatro pies de largo, dieciocho pulgadas de ancho y un pie de alto, en la que había un sólido bloque de hielo, rociado de serrín y arena para prolongarle la vida. Gruñendo mientras la levantaba hasta el vagón, el vendedor de hielo hizo un chiste:

—Así es la vida —dijo—, un bloque de hielo vuelve a la ciudad y otro se pone en marcha en dirección opuesta.

Omar Khayyam se desató las sandalias y puso los pies desnudos sobre el hielo, sintiendo el curativo consuelo de su frialdad. Deshojando un número excesivo de rupias para Chand Mohammad, mientras éste se animaba, le preguntó distraído:

—¿Qué bobadas estás diciendo? ¿Cómo puede volver un bloque de hielo sin fundirse después del viaje? Querrás decir la tina de lata, vacía o llena de agua deshelada.

—Oh no, *sahib*, gran señor —sonrió torcidamente el vendedor de hielo mientras se embolsaba la pasta—, se trata de un bloque de hielo que va a todas partes sin derretirse nunca.

El color desapareció de unas mejillas rollizas. Unos pies regordetes abandonaron el hielo de un salto. Omar Khayyam, mirando a su alrededor temeroso, como si ella pudiera materializarse en cualquier momento, habló en tono tan alterado por la furia que el vendedor de hielo retrocedió, asustado.

—¿Ella? ¿Cuándo? ¿Estás tratando de insultar a...?

Agarró al hombre del hielo por la andrajosa camisa, y el pobre desgraciado no tuvo otro remedio que contárselo todo, revelar que, en aquel mismo tren, unas horas antes, la señora Farah Rodrigues (de soltera Zoroaster) había vuelto desvergonzadamente al escenario de su infamia y se había encaminado directamente al puesto fronterizo de su padre.

—Aunque él la echó a la calle como un cubo de agua sucia, *sahib*, imagínate.

Cuando Farah volvió, no traía ni marido ni hijo. Nadie supo nunca lo que había sido de Eduardo y del niño por el que él lo había sacrificado todo, de modo que, naturalmente, las historias pudieron circular sin temor a ser desmentidas: un aborto, un aborto provocado a pesar de la fe católica de Rodrigues, un niño expuesto en una peña al nacer, un niño ahogado en la cuna, un niño entregado a un orfanato o abandonado en la calle, mientras Farah y Eduardo copulaban como amantes enloquecidos en las playas de las postales o en los laterales de la casa cubierta de vegetación del Dios cristiano, hasta que se cansaron el uno del otro, ella le dio la patada, él (cansado de sus coqueteos lascivos) le dio la patada, los dos se dieron simultáneamente la patada, qué importa quién fuera, ella ha vuelto, de forma que encerrad a vuestros hijos.

Farah Rodrigues, en su orgullo, no hablaba con nadie en Q., salvo para encargar alimentos y provisiones en las tiendas; hasta que, en su edad madura, comenzó a frecuentar antros clandestinos de bebidas, donde recordaría, años más tarde, a Omar Khayyam, cuando el nombre de éste apareció en los periódicos. En sus raras visitas al bazar, hacía sus compras sin mirar a nadie a la cara, deteniéndose sólo para contemplarse en cualquier espejo disponible con franco afecto, lo que para la ciudad era la prueba de que no lamentaba nada. De forma que, ni siquiera cuando se supo que había vuelto para cuidar de su padre loco y ocuparse del puesto aduanero, a fin de que no lo despidieran sus patronos «angreses», ni siquiera entonces se ablandó la actitud de la ciudad; quién sabe a qué se dedican allí, decía la gente, un padre desnudo y una niña-puta, donde mejor están es en el desierto, donde nadie tiene que verlos salvo Dios y el Diablo, que lo saben ya todo.

Y en su tren, con los pies descansando otra vez en un bloque de hielo que se derretía, Omar Khayyam Shakil era transportado al futuro, convencido de que, por fin, había logrado escapar, y el fresco placer de esa idea y del hielo ponía una sonrisa en sus labios, aun cuando soplaba el viento cálido.

Dos años más tarde, sus madres le escribieron para decirle que había tenido un hermano, al que habían llamado Babar, como al primer emperador de los mogoles que marchó sobre los Montes Imposibles y conquistó todos los lugares adonde fue. Después de aquello, las tres hermanas, unificadas una vez más por la maternidad, fueron felices e indistinguibles durante muchos años, dentro de los muros de Nishapur.

Cuando Omar Khayyam leyó la carta, su primera reacción fue silbar suavemente con algo muy parecido a la admiración.

—Las muy brujas —dijo en voz alta— lo han conseguido otra vez.

II
LOS DUELISTAS

4. DETRÁS DEL BIOMBO

Ésta es una novela sobre Sufiya Zinobia, la hija mayor del general Raza Hyder y de su esposa Bilquìs, sobre lo que pasó entre su padre y el presidente Iskander Harappa, en otro tiempo primer ministro, hoy difunto, y sobre su sorprendente matrimonio con un tal Omar Khayyam, médico, gordo y, durante algún tiempo, amigote íntimo de ese mismo Isky Harappa, cuyo cuello tenía el poder milagroso de no ser magullado, ni siquiera por la cuerda del verdugo. O quizá sería más exacto, aunque también más oscuro, decir que Sufiya Zinobia es sobre esta novela.

En cualquier caso, no se puede ni empezar a conocer a una persona sin saber antes algo de sus antecedentes familiares; de forma que tengo que actuar así, explicando cómo fue que Bilquìs creciera asustada del cálido viento de la tarde llamado *loo*.

En la última mañana de su vida, su padre Mahmoud Kemal, conocido por Mahmoud la Mujer, vestido como siempre con un reluciente traje azul de chaqueta y pantalón, jaspeado de brillantes rayas rojas, se miró aprobadoramente en el adornado espejo que se había llevado del vestíbulo de su teatro a causa de su marco irresistible de desnudos querubines disparando dardos y soplando en trompetas doradas, abrazó a su hija de dieciocho años y le anunció: «Ya ves, hija, tu padre se viste bien, como corresponde al administrador principal de un glorioso Imperio.» Y en el desayuno, cuando ella empezó a servirle sumisamente el *khichri* en el plato, rugió con furia amable: «¿Por qué mueves un dedo, hija? Una princesa no sirve a otros. —Bilquìs bajó la cabeza y lo miró con el rabillo izquierdo de los ojos, lo que hizo que su padre aplaudiera ruidosamente—: ¡Qué bien, Billoo! ¡Qué representación más exquisita, te lo juro!»

Es un hecho, extraño-pero-cierto, que la ciudad de idólatras en que esta escena se desarrollaba —llamadla Indraprastha, Puranaqila, incluso Delhi— había sido gobernada a menudo por hombres que creían (como Mahmoud) en Al-lah, El Dios. Sus artefactos cubren la ciudad hasta hoy, antiguos observatorios y torres de la victoria y, desde luego, la gran fortaleza roja, Al-Hambra, la roja, que desempeñará un papel importante en nuestra historia. Y, lo que es más, muchos de esos piadosos gobernantes habían surgido de los orígenes más humildes; hasta los chicos de las escuelas han oído hablar de los Reyes Esclavos... pero, en cualquier caso, lo que importa es que todo eso del gobierno-de-un-Imperio era una broma familiar, porque, desde luego, el dominio de Mahmoud era sólo el Cinema Imperio, un cine de pulgas en el barrio viejo de la ciudad.

«La magnificencia de un cine —le gustaba decir a Mahmoud— se puede deducir del ruido que hacen sus espectadores. Entrad en esos cines de lujo de la ciudad nueva, mirad sus butacas que parecen tronos de terciopelo y los espejos que recubren los vestíbulos, sentid el aire acondicionado y comprenderéis por qué el público está más silencioso que el demonio. Los domestica el esplendor del ambiente, y también el precio de las butacas. Pero en el Imperio de Mahmoud los espectadores de pago arman un jaleo de mil diablos, salvo durante las canciones de éxito. No somos monarcas absolutos, hija, no lo olvides; especialmente en estos días en que la policía se vuelve contra nosotros y se niega a venir y expulsar hasta a los mayores *badmashes*, que pegan unos silbidos que te parten los oídos. No importa. Después de todo, es una cuestión de libertades individuales.»

Sí: era un Imperio de quinta categoría. Pero para Mahmoud era algo bastante importante, un Estado de Rey Esclavo, porque ¿no había comenzado él su carrera en las calles supurantes como uno de esos tipos anónimos que empujan anuncios de cine por toda la ciudad sobre una carretilla, vociferando, «¡Actualmente en pantalla!» y «¡Que se agotan las entradas!»... y no se sentaba ahora en una oficina de director, con su caja de caudales y sus llaves? Ya veis: hasta las bromas familiares corren el riesgo de ser tomadas en serio, y en el carácter del padre y de la hija acechaba una literalidad, una falta de humor que hizo que Bilquìs creciera con la fantasía inexpresada de la realeza hirviéndole lentamente en el rabillo de sus ojos bajos. «Te lo aseguro —apostrofaba al espejo angélico cuando su padre se había ido al trabajo, ¡yo lo controlaría todo o nada! ¡Esos *badmashes*, con sus silbidos pitidos, no se saldrían con la suya si fuera cosa mía!» De esa forma, Bilquìs se inventó una personalidad secreta mucho más imperiosa que la de su padre el emperador. Y en la oscuridad del Imperio, noche tras noche, estudiaba las ilusiones gigantes y trémulas de princesas que bailaban ante el público alborotador, bajo la estatua ecuestre pintada de oro de un caballero medieval con armadura que llevaba un gallardete en el que estaba escrita la palabra sin sentido *Excelsior*. Las ilusiones se nutren de ilusiones, y Bilquìs comenzó a comportarse con la grandeza propia de una emperatriz de sueño, tomando como cumplidos las pullas de los golfillos de las callejas que rodeaban su casa: «¡Tatarará! —la saludaban cuando pasaba majestuosa—. ¡Ten compasión, graciosa señora, Rani de Khansi!» *Khansi-ki-Rani*, la llamaban: la reina de las toses, es decir, del aire expelido, de la enfermedad y del viento cálido.

—Ten cuidado —le advirtió su padre—, las cosas están cambiando en esta ciudad; hasta los motes más cariñosos están cobrando nuevos significados, muy siniestros.

Ésa fue la época inmediatamente anterior a la famosa partición apolillada que cortó en pedazos el viejo país y entregó a Al-Lah unas cuantas tajadas picadas de insectos, algunos polvorientos acres occidentales y unos selváticos pantanos orientales de los que los impíos se libraron gustosos. (El nuevo país de Al-Lah: dos pedazos de tierra separados por mil millas. Un país tan inverosímil que casi podía existir.) Pero no nos dejemos llevar por la pasión y digamos simplemente que los sentimientos estaban tan exacerbados que hasta ir al cine se había convertido en un acto político. Los unicodiosistas iban a estos cines y los restregadores de dioses de piedra a aquéllos, los aficionados al cine habían sufrido ya la partición, antes que aquel viejo país cansado. Los petreodiosistas dirigían el negocio del cine, no hace falta decirlo, y, como eran vegetarianos, hicieron una película muy famosa: *Gai-Wallah*. ¿Habéis oído hablar de ella? Una insólita fantasía sobre un héroe solitario y enmascarado, que vagaba por la llanura indogangética liberando rebaños de ganado vacuno de sus guardianes, salvando del matadero a aquellos animales sagrados, cornudos y ubredotados. La pandilla de los pétreos abarrotaba los cines donde se proyectaba esa película; los unicodiosistas replicaban precipitándose a ver películas del oeste importadas y antivegetarianas, en las que se mataba a las vacas y los buenos se regalaban con sus filetes. Y multitudes de airados entusiastas del cine atacaban los locales de sus enemigos... bueno, era una época que se prestaba a toda clase de locuras, eso es todo.

Mahmoud la Mujer perdió su Imperio por un solo error, derivado de su fatal defecto de personalidad, a saber, la tolerancia. «Ha llegado el momento de superar toda esa insensatez de la partición», le comunicó al espejo una mañana, y ese mismo día contrató un programa doble para su Cinema: Randolph Scott y el Gai-Wallah alternarían en la pantalla.

El día de la inauguración del programa doble de su destrucción, el significado de su apodo cambió para siempre. Lo habían llamado La Mujer los golfillos de la calle porque, al ser viudo, había tenido que ser una madre para Bilquìs desde que su esposa murió cuando la chica tenía dos años escasos. Pero ahora ese nombre cariñoso pasó a significar algo más peligroso, y cuando los chicos hablaban de Mahmoud la Mujer querían decir Mahmoud el Debilucho, el Vergonzoso, el Imbécil. «Mujer —suspiraba él resignadamente hablando con su hija—, ¡qué vocablo! ¿Es que no hay límites para la carga que esa palabra tiene que soportar? ¿Ha habido alguna vez una palabra de espaldas tan anchas y al mismo tiempo tan obscena?»

Cómo se resolvió lo del programa doble: ambos bandos, el de los vegetas y el de los antivegetas, boicotearon el Imperio. Durante cinco, seis, siete días, las películas se proyectaron en un local vacío, en el que el yeso desconchado y los ventiladores de techo que giraban lentamente y los vendedores de garbanzos de los descansos contemplaban filas de butacas indudablemente desvencijadas y, de forma igualmente cierta, desocupadas; ocurría lo mismo en las funciones de las tres-treinta, seis-treinta y nueve-treinta, y ni siquiera la función especial del domingo por la mañana podía inducir a nadie a atravesar aquellas puertas batientes. «Renuncia

—le insistía Bilquìs a su padre—. ¿Qué pretendes? ¿Es que echas de menos tu carretilla?»

Pero entonces una desconocida tozudez se apoderó de Mahmoud la Mujer, que anunció que el programa doble se prolongaría una Segunda Semana Sensacional. Sus propios chicos anunciadores lo abandonaron; nadie estaba dispuesto a vocear aquellos productos ambiguos por las callejas cargadas de electricidad; no había voz que se atreviera a gritar: «¡Se han abierto las taquillas!», o «¡No espere a que sea demasiado tarde!».

Mahmoud y Bilquìs vivían en una casa alta y delgada detrás del Imperio, «exactamente al otro lado de la pantalla», como decía él; y, aquella tarde en que el mundo acabó y comenzó de nuevo, la hija del emperador, que estaba sola en casa con la criada, se quedó de pronto sin respiración por la certeza de que su padre había decidido, con la lógica demente de su romanticismo, continuar con aquel plan disparatado hasta que lo matara. Aterrorizada por un sonido como de alas batientes de ángel, un sonido para el que, después, no pudo encontrar explicación pero que le martilleó en los oídos hasta que le dolió la cabeza, salió corriendo de la casa, deteniéndose sólo para echarse por los hombros el *dupatta* verde de la modestia; y así fue cómo se encontró, recuperando el aliento, ante las pesadas puertas del cine, detrás de las cuales su padre estaba sentado con expresión ceñuda, rodeado de butacas vacías, mirando la función, cuando el cálido viento de fuego del apocalipsis comenzó a soplar.

Los muros del Imperio de su padre se hincharon como un *puri* caliente, mientras aquel viento, como la tos de un gigante enfermo, le abrasaba a ella las cejas (que jamás volvieron a crecer) y le arrancaba la ropa del cuerpo de forma que quedó desnuda como un niño en la calle; pero no se dio cuenta de su desnudez porque el universo estaba acabando y, en la resonante alienación de aquel viento mortal, sus ojos abrasados vieron que todo salía volando, butacas, tacos de entradas, ventiladores, y luego pedazos del cadáver destrozado de su padre y fragmentos carbonizados del futuro. «¡Suicida! —maldijo a Mahmoud la Mujer con todas sus fuerzas, con voz chillona por la bomba—. ¡Tú lo has querido!» Y, al volverse y correr hacia casa, vio que el muro posterior del cine había volado y que, empotrada en el piso más alto de su casa alta y delgada, estaba la estatua de un caballero dorado en cuyo estandarte no tuvo necesidad de leer la palabra, cómicamente desconocida, *Excelsior*.

No me preguntéis quién plantó la bomba; en aquellos días había muchos de esos plantadores, muchos jardineros de la violencia. Hasta es posible que fuera una bomba unicodiosista, sembrada en el Imperio por alguno de los más fanáticos correligionarios de Mahmoud, porque al parecer el reloj llegó al punto cero durante una escena de amor particularmente sugestiva, y ya sabemos lo que los piadosos piensan del amor, o de la ilusión del amor, especialmente cuando hay que pagar entrada para verlo... están En Contra. Lo censuran. El amor corrompe.

Ay Bilquìs. Desnuda y sin cejas bajo el caballero dorado, envuelta en el delirio del viento de fuego, vio cómo su juventud pasaba volando por delante de ella, llevada en alas de la explosión que todavía resonaba en sus oídos. Todos los emigrantes dejan atrás su pasado, aunque algunos intenten meterlo en fardos y cajas... pero en el viaje algo rezuma de los recuerdos atesorados y las viejas fotografías, hasta que ni siquiera sus propietarios pueden reconocerlos, porque es destino de los emigrantes verse despojados de la historia, quedarse desnudos en medio del desprecio de los extraños, en los que pueden ver el rico ropaje, los brocados de la continuidad y las cejas de la pertenencia... en cualquier caso, lo que quiero decir es que el pasado de Bilquìs la abandonó antes de que ella abandonara aquella ciudad; estaba de pie en una calleja, despojada por el suicidio de su padre, y veía desaparecer su pasado En años posteriores la visitaría a veces, como viene de visita un pariente olvidado, pero durante mucho tiempo receló de la historia, era la esposa de un héroe con un gran futuro, de forma que, naturalmente, apartó el pasado, como se rechaza a unos primos pobres que vienen a pedir dinero.

Debió de andar, o correr, a menos que se produjera un milagro y algún poder divino la arrebatara por los aires a aquel viento de su desolación. Al recuperar el sentido, sintió la presión de la piedra roja contra la piel; era de noche, y la piedra estaba fría contra su espalda, en medio del calor oscuro y seco. La gente pasaba por delante de ella en grandes rebaños, una multitud tan grande y tan apremiante que el primer pensamiento de ella fue que la multitud era impulsada por alguna explosión inimaginable: «¡Otra bomba, Dios santo, todas esas personas son arrastradas por su fuerza!» Pero no era una bomba. Comprendió que estaba apoyada en el muro interminable de la roja fortaleza que dominaba la ciudad vieja, mientras los soldados pastoreaban a la multitud a través de sus puertas bostezantes; sus pies comenzaron a moverse, más aprisa que su cerebro, y la llevaron al centro del gentío. Un instante más tarde se vio aplastada por la renovada conciencia de su desnudez, y comenzó a gritar: «¡Dadme una tela!», hasta que vio que nadie la escuchaba, que nadie miraba siquiera el cuerpo de aquella muchacha desnuda, chamuscada, pero todavía hermosa. Sin embargo, se aferraba a sí misma avergonzada, agarrándose a sí misma en aquel mar impetuoso como si fuera una paja; y sentía alrededor de su cuello los restos de un pedazo de muselina. El *dupatta* del pudor se le había pegado al cuerpo, quedándose allí por la sangre coagulada de sus muchos cortes y arañazos, de cuya existencia ni siquiera se había dado cuenta. Agarrando los restos ennegrecidos de la prenda del honor femenino contra sus partes pudendas, penetró en la oscura rojez del fuerte, y oyó el estruendo de sus puertas al cerrarse.

En Delhi, en los días anteriores a la partición, las autoridades reunían a toda clase de musulmanes, para protegerlos, según decían, y los encerraban en la fortaleza roja, lejos de la ira de los restregadores de piedras. Familias enteras quedaban allí precintadas, abuelas, niños pequeños, perversos tíos... incluidos miembros de mi propia familia. Es fácil imaginar que, mientras mis parientes deambulaban por el Fuerte Rojo en el universo paralelo de la historia, quizá tuvieran algún barrunto de la presencia ficticia de Bilquìs Kemal, que pasaba precipitadamente por su lado, llena de cortes y desnuda, como un fantasma... o viceversa. Sí. O viceversa.

La marea de seres humanos llevó a Bilquìs hasta el pabellón grande, bajo y floridamente rectangular que, en otro tiempo fue el salón de audiencias públicas del emperador; y, en aquel *diwan* resonante, abrumada por la humillación de su falta de vestido, se desmayó. En aquella generación, muchas mujeres, señoras corrientes decentes respetables del tipo al que nunca les pasa nada, al que se supone que no les pasa nada salvo matrimonio hijos fallecimiento, tenían esta clase de historias extrañas que contar. Era una época buena para las historias, si se vivía para contarlas.

Poco antes del escandaloso matrimonio de su hija menor, Buenas Noticias Hyder, Bilquìs le contó a la chica la historia de su encuentro con su marido.

—Cuando me desperté —dijo—, era de día y yo estaba envuelta en un capote de oficial. De quién te crees que era, boba, el suyo naturalmente, el de tu padre Raza; qué quieres que te diga, me vio allí echada, con todo el género expuesto en el escaparate, ya sabes, y supongo que a aquel tipo intrépido, simplemente, le gustó lo que se veía. —Buenas Noticias soltó un *haa!* y un *tch tch!*, fingiendo estar escandalizada por el descaro de su madre, y Bilquìs dijo tímidamente—: Esos encuentros no eran raros entonces.

Buenas Noticias respondió sumisamente:

—Bueno, *amma*, que se quedara impresionado no me sorprende lo más mínimo.

Raza, llegando al salón de audiencias públicas, se cuadró ante Bilquìs, que estaba decentemente encapotada; dio un taconazo, saludó y sonrió abiertamente.

—Es normal durante un noviazgo —le dijo a su futura esposa— llevar ropas. Es privilegio del marido quitarlas en su día... pero en nuestro caso será al revés. Tendré que vestirte, de pies a cabeza, como corresponde a una novia ruborosa.

(Buenas Noticias, llena de jugos matrimoniales, suspiró al oírlo. «¡Sus primeras palabras! ¡Dios santo, qué romántico!»)

Lo que le pareció él a la militarmente encapotada Bilquìs: «¡Tan alto! ¡De piel tan clara! ¡Tan orgulloso, como un rey!» No se hicieron fotografías del encuentro, pero hay que hacer concesiones para tener en cuenta el estado mental de ella. Raza Hyder tenía cinco pies y ocho pulgadas: estaréis de acuerdo en que no era un gigante. En cuanto a su piel... indudablemente era más oscura de lo que los adoradores ojos de Bilquìs estaban dispuestos a conceder. ¿Orgulloso, como un rey? Eso es probable. Entonces era sólo capitán; pero resulta, de todas formas, una descripción plausible.

Lo que puede decirse también con justicia de Raza Hyder: que tenía energía suficiente para iluminar una calle; que sus modales eran siempre impecables... incluso cuando fue presidente, recibía a la gente con un aire de tanta humildad (que no es irreconciliable con el orgullo) que muy pocos estaban dispuestos a hablar mal de él luego, y los que lo hacían se sentían, por decirlo así, como si estuvieran traicionando a un amigo; y que llevaba, en la frente, la magulladura ligera pero habitual que hemos observado anteriormente en la frente devota de Ibadalla, el cartero de Q.: el *gatta* señalaba a Raza como hombre religioso.

Un último detalle. Se decía del capitán Hyder que no durmió durante cuatrocientas veinte horas después de haber sido congregados los musulmanes en la fortaleza roja, lo que explicaría las bolsas negras bajo sus ojos. Esas bolsas se harían más negras y más bolsudas a medida que su poder aumentaba, hasta que no necesitó ya llevar gafas de sol como hacían otros jefazos, porque de todas formas parecía como si llevara un par puesto todo el tiempo, incluso en la cama. El futuro general Hyder. ¡Razzoo, Raz-Matazz, el Viejo Razia Redaños en persona! ¿Cómo hubiera podido resistir Bilquìs a alguien así? Fue conquistada a paso ligero.

Durante sus días en el fuerte, el capitán ojeroso visitaba a Bilquìs regularmente, llevándole siempre alguna prenda de ropa o de embellecimiento: blusas, *saris*, sandalias, lápices de cejas para sustituir los pelos perdidos, sostenes y barras de labios la inundaban. Las técnicas de bombardeo de saturación se han ideado para obligar a una rendición rápida... cuando el guardarropa de ella se hizo suficientemente grande para que pudiera quitarse el capote militar, se dejó pasar revista por él en el salón.

—Pensándolo bien —le dijo Bilquìs a Buenas Noticias—, quizá fue entonces cuando dijo eso sobre los vestidos. —Porque recordó lo que ella había contestado: bajando los ojos con aquel estilo de gran actriz que su padre elogió una vez, dijo tristemente: «¿Qué marido podría encontrar yo, sin esperanza de dote? Desde luego no un capitán tan generoso, capaz de vestir a damas desconocidas como a reinas.»

Raza y Bilquìs se prometieron ante los ojos amargos de las multitudes desposeídas; y después los regalos continuaron, dulces y ajorcas, bebidas no alcohólicas y comidas en regla, y también *henna* y anillos. Raza puso a su novia tras un biombo de celosía de piedra, y situó a un joven soldado de infantería de guardia, para que defendiera el territorio de ella. Aislada detrás del biombo de la cólera oscura y debilitada del populacho, Bilquìs soñaba con el día de su boda, protegida de la culpa por aquel viejo sueño de realeza que se había inventado hacía tiempo. «*Tch, tch* —les reprochaba a los refugiados que la miraban furiosos—, la envidia es una cosa horrible.»

Los dardos atravesaban la celosía de piedra: «¡*Ohé*, señora! ¿Dónde te crees que consigue sus ropas estupendas-estupendísimas? ¿En los almacenes de artesanía? ¡Mira los barrizales del río, bajo los muros de la fortaleza, y cuenta los cuerpos desnudos despojados que arrojan cada noche!» Palabras peligrosas, que penetraban por la celosía: ave de rapiña, ramera, puta. Pero Bilquìs apretaba los dientes ante tanta bajeza y se decía a sí misma: «¡Sería de muy mala educación preguntarle a un hombre de dónde ha sacado sus regalos! Esa grosería no la cometeré nunca, no.» Tal sentimiento, que era su respuesta a los sarcasmos de los otros refugiados, nunca salió realmente de sus labios, pero le llenaba la boca, haciéndola hincharse en un pucherito.

No la juzgo. En aquellos tiempos, la gente sobrevivía como podía.

El Ejército sufrió la partición como todo lo demás, y el capitán Hyder fue al oeste, al nuevo y apolillado país de Dios. Hubo una ceremonia de matrimonio, y Bilquìs se sentó luego junto a su nuevo esposo en un transporte de tropas, una mujer nueva, de matrimonio nuevo, que volaba hacia un mundo nuevo y brillante.

—¡Qué cosas vas a hacer allí, Raz! —exclamó—. Qué grandeza, ¿no? ¡Qué fama!

A Raza se le pusieron coloradas las orejas ante la mirada (llena de regocijo) de sus compañeros de aquel Dakota traqueteante y desvencijado; pero pareció complacido de todas formas. Y la profecía de Bilquìs se cumplió, después de todo. Ella, cuya vida había volado por los aires, vaciándola de historia y dejando sólo en su lugar aquel oscuro sueño de majestad, aquella ilusión tan poderosa que exigía penetrar en la esfera de lo-que-era-real... ella, la Bilquìs sin raíces, que anhelaba ahora estabilidad, no-más-explosiones, había percibido en Raza una calidad de piedra sobre la que construir su vida. Era un hombre sólidamente arraigado en un sentido indesviable de sí mismo, y eso lo hacía parecer invencible:

—Un perfecto gigante —lo halagó ella, susurrándole en el oído a fin de no provocar las risitas de los otros oficiales de la cabina— radiante, como un actor de la pantalla.

Me pregunto cuál es la mejor forma de describir a Bilquìs. Como una mujer que fue desnudada por el cambio pero que se envolvió en certidumbres; o como una muchacha que se convirtió en reina, pero perdió la capacidad que tiene cualquier mendiga, es decir, el poder de tener hijos; o bien como una señora cuyo padre fue una Mujer y cuyo hijo resultó ser también chica, y cuyo hombre de hombres, su Razzoo o Raz-Matazz, se vio obligado a su vez, al final, a ponerse el humillante manto negro de la feminidad; o quizá como alguien en las garras secretas del destino... porque ¿no encontró el lazo umbilical que sofocó a su hijo un reflejo, o un mellizo, en otra soga distinta y más terrible?... Pero veo que, después de todo, tengo que volver a mi punto de partida, porque para mí ella es, y será siempre, la Bilquìs que tenía miedo del viento.

En honor a la verdad: a nadie le gusta el *loo*, ese cálido aliento-que-ahoga de la tarde. Bajamos las persianas, colgamos trapos húmedos en las ventanas, intentamos dormir. Pero, a medida que se hacía mayor, el viento despertaba extraños terrores en Bilquìs. Su esposo y sus hijos notaron lo nerviosa e irritable que se ponía por las tardes; y la forma en que se dedicaba a ir de un lado a otro, dando portazos y cerrando puertas con llave, hasta que Raza Hyder protestó por tener que vivir en una casa en la que tenías que pedirle a tu esposa la llave para poder ir al retrete. De la muñeca esbelta de ella colgaba, tintineante, el llavero de diez toneladas de su neurosis. Ella cogió horror a todo traslado, e impuso una prohibición al desplazamiento de los elementos domésticos más insignificantes. Sillas, ceniceros y macetas echaron raíces, inmovilizados por la fuerza de su voluntad temerosa. «Al señor Hyder le gusta que todo esté en su sitio», solía decir, pero la enfermedad de la fijeza era suya. Y había días en que había que tenerla en casa como una verdadera prisionera, porque hubiera sido una vergüenza y un escándalo que cualquier extraño la viera en aquel estado; cuando el *loo* soplaba, ella chillaba como un *hoosh* o un *afrit* o algún demonio de ésos, gritaba para que vinieran los criados de la casa y sujetaran los muebles, a fin de que el viento no se los llevara como el contenido de un Imperio perdido hacía tiempo, y daba voces a sus hijas (cuando estaban presentes) para que se agarraran con fuerza a algo pesado, a algo fijo, a fin de que el viento de fuego no las arrastrara hasta el cielo.

El *loo* es un viento aciago.

Si ésta fuera una novela realista sobre Pakistán, no estaría escribiendo sobre Bilquìs y el viento; estaría hablando de mi hermana menor. Que tiene veintidós años, y estudia ingeniería en Karachi; que no puede sentarse ya sobre su cabello largo, y que (a diferencia de mí) es ciudadana de Pakistán. En mis días buenos, pienso en ella como si fuera Pakistán, y entonces siento mucho cariño por el lugar, y me resulta fácil perdonarle (a él y a ella) su amor a la coca-cola y a los coches importados.

Aunque conozco Pakistán desde hace mucho tiempo, nunca he vivido allí más de seis meses seguidos. Una vez fui sólo para dos semanas. Entre los seis meses y las quincenas ha habido intervalos de distinta duración. He aprendido a conocer Pakistán en lonchas, lo mismo que he aprendido a conocer a mi hermana que crecía. Primero la vi a la edad de cero años (yo, a los catorce, inclinado sobre su cuna mientras ella me chillaba en la cara); luego a los tres, cuatro, seis, siete, diez, catorce, dieciocho y veintiuno. De forma que ha habido nueve hermanas menores que tenía que conocer. Y me he sentido más unido a cada encarnación sucesiva que a la anterior. (Esto se aplica también al país.)

Creo que lo que estoy confesando es que, aunque decida escribir sobre lo de allí, tengo que reflejar ese mundo en fragmentos de espejos rotos, del mismo modo que Farah Zoroaster se vio el rostro en la frontera de postes. Tengo que resignarme a la inevitabilidad de los pedazos que faltan.

¡Pero supongamos que ésta fuera una novela realista! Imaginaos las otras cosas que tendría que incluir. Por ejemplo, el negocio de la instalación ilegal, por los habitantes más ricos de Defensa, de bombas de agua furtivas y subterráneas que roban el agua de las cañerías de sus vecinos... de forma que siempre se puede decir quién es el que chupa más por lo verde de su césped (esos indicios no se limitan al Acantonamiento de Q.)... Y ¿tendría que describir también el Sind Club de Karachi, donde todavía hay un letrero que dice «No se permite el paso de mujeres ni perros»? ¿O analizar la lógica sutil de un programa industrial que construye reactores nucleares pero no es capaz de fabricar un frigorífico? Ay Dios... y los libros de texto de las escuelas que dicen «Inglaterra no es un país agrícola», y el maestro que, una vez, le quitó dos puntos en el ejercicio de geografía a mi hermana menor porque difería en dos pasajes del texto exacto de ese mismo libro... qué difícil, querido lector, podría resultar todo esto.

¡Cuánto material auténtico podría ser obligatorio!... Por ejemplo, en relación con el antiguo vicepresidente que resultó muerto en la Asamblea Nacional cuando los representantes electos le arrojaron el mobiliario; o con el censor de películas que utilizó su lápiz rojo en cada fotograma de la escena de *La noche de los generales* en que el general Peter O'Toole visita una galería artística, y tachó todos los cuadros de señoras desnudas que colgaban de las paredes, de forma que el público se quedaba deslumbrado por el espectáculo surrealista del general Peter paseándose por una galería de rojos borrones danzantes; o con el jefe de televisión que una vez me dijo solemnemente que «cerdo» era una palabra que no podía pronunciarse; o con el número de *Time* (¿o fue *Newsweek*?) que nunca entró en el país porque publicaba un artículo sobre la supuesta cuenta bancaria en Suiza del presidente Ayub Khan; o con los bandidos de las carreteras nacionales a los que se condena por hacer, como empresa privada, lo que el gobierno hace como política pública; o con el genocidio del Beluchistán; o con la reciente concesión preferente de becas estatales, para sufragar estudios de graduados en el extranjero, a miembros del fanático partido Jamaat; o con el intento de declarar el *sari* prenda de vestir obscena; o con las ejecuciones suplementarias —las primeras en veinte años— que se ordenaron simplemente para legitimar la ejecución del señor Zulfikar Ali Bhutto; o con el hecho de que el verdugo de Bhutto desapareció sin dejar rastro, lo mismo que se secuestra todos los días a plena luz a muchos golfillos de la calle; o con el antisemitismo, fenómeno interesante bajo cuya influencia gentes que nunca han visto a un judío denigran a todos los judíos a fin de mantener la solidaridad con los Estados árabes que ofrecen a los trabajadores paquistaníes, en estos tiempos, empleo y las divisas que tanto se necesitan; o con el contrabando, el auge de las exportaciones de heroína, dictadores militares, civiles venales, funcionarios corrompidos, jueces comprados, y periódicos de cuyas historias lo único que se puede decir con seguridad es que son mentira; o con la distribución del presupuesto nacional, con especial referencia a los porcentajes destinados a defensa (descomunales) y a educación (no descomunales). ¡Imaginaos mis dificultades!

A estas alturas, si hubiera estado escribiendo un libro de esa naturaleza, de nada me hubiera servido protestar que estaba escribiendo en sentido universal y no sólo sobre Pakistán. El libro habría sido prohibido, arrojado a la basura, quemado. ¡Tantos esfuerzos para nada! El realismo puede romperle a un escritor el corazón.

Afortunadamente, sin embargo, sólo estoy contando una especie de cuento de hadas moderno, de forma que no hay problema; nadie tiene por qué excitarse, ni tomar nada que diga demasiado en serio. Tampoco habrá que adoptar medidas drásticas.

¡Qué alivio!

Y ahora tengo que dejar de decir sobre qué no estoy escribiendo, porque eso no tiene nada de particular; cualquier historia que uno decide contar es una especie de censura, porque impide contar otros cuentos... Tengo que volver a mi historia de hadas, porque han estado ocurriendo cosas mientras hablaba demasiado.

En el camino de regreso a mi historia, paso junto a Omar Khayyam Shakil, mi héroe en el banquillo de los jugadores, que espera pacientemente que yo llegue al punto en que su futura novia, la pobre Sufiya Zinobia, pueda entrar en la narración, bajando de cabeza por la hilera pélvica. No tendrá que esperar mucho; ella está casi en camino.

Me detendré sólo para observar (porque no resulta inapropiado mencionarlo aquí) que, durante su vida matrimonial, Omar Khayyam tuvo que aceptar sin discusión la afición infantil de Sufiya Zinobia a desplazar el mobiliario. Intensamente excitada por esos actos prohibidos, disponía de otro modo mesas, sillas y lámparas siempre que nadie la miraba, como un juego secreto favorito, al que jugaba con una gravedad aterradoramente obstinada. Omar Khayyam sentía que las protestas le brotaban de los labios, pero se las volvía a tragar, sabiendo que sería inútil decir nada: «Francamente, esposa —tenía ganas de decir—, sólo Dios sabe lo que vas a cambiar con tanto remover remover.»

5. EL MILAGRO QUE-SALIÓ-MAL

Bilquìs está echada, completamente despierta, en la oscuridad de una alcoba cavernosa, con las manos cruzadas sobre los pechos. Cuando duerme sola, sus manos encuentran habitualmente el camino hasta esa posición, aunque sus parientes políticos lo desaprueben. No puede evitarlo, ese abrazarse a sí misma, como si tuviera miedo de perder algo.

Por todas partes a su alrededor, en la oscuridad, los vagos contornos de otras camas, viejos *charpoys* con colchones delgados, en los que yacen otras mujeres bajo sábanas blancas e individuales; un total general de cuarenta hembras, arracimadas en torno a la figura, mayestáticamente diminuta, de la matriarca Bariamma, que ronca vigorosamente. Bilquìs sabe ya lo suficiente sobre ese aposento para estar segura de que la mayoría de las sombras que se revuelven vagamente en la oscuridad no están más dormidas que ella. Hasta los ronquidos de Bariamma podrían ser un engaño. Las mujeres esperan a que los hombres lleguen.

El pomo de la puerta, al girar, golpetea como un tambor. Inmediatamente hay un cambio en la calidad de la noche. Una perversidad deliciosa flota en el aire. Se agita una brisa fresca, como si la entrada del primer hombre hubiera logrado disipar algo del intenso calor meloso de la estación cálida, permitiendo que los ventiladores del techo se muevan algo más eficientemente en la atmósfera espesa. Cuarenta mujeres, una de ellas Bilquìs, se agitan húmedamente bajo sus sábanas... entran más hombres. Recorren de puntillas los caminos de medianoche del dormitorio y las mujeres se han quedado muy quietas, excepto Bariamma. La matriarca ronca con más energía que nunca. Sus ronquidos son sirenas, que señalan el fin de la alarma y dan a los hombres el necesario coraje...

La chica de la cama de al lado de Bilquìs, que es soltera y, por consiguiente, no espera visita esa noche, susurra en la negrura:

—Ahí vienen los cuarenta ladrones.

Y ahora hay ruidos minúsculos en la noche: cuerdas de *charpoy* que ceden ínfimamente bajo el peso añadido de un segundo cuerpo, crujir de ropas, las exhalaciones más pesadas de los maridos invasores. Gradualmente, la oscuridad adquiere una especie de ritmo, que se acelera, alcanza su máximo, amaina. Entonces hay un paso múltiple y acolchado hacia la puerta, varias veces el redoble de tambor del pomo de la puerta al girar, y un último silencio, porque Bariamma, ahora que es educado hacerlo, ha dejado por completo de roncar.

Rani Humayun, que ha hecho una de las mejores capturas de la estación matrimonial y dejará pronto ese dormitorio para casarse con el joven millonario Iskander Harappa, de piel clara, educación extranjera y labios sensualmente abultados, y que, como Bilquìs, tiene dieciocho años, se ha hecho amiga de la nueva esposa de su primo Raza. Bilquìs disfruta (mientras pretende escandalizarse) con las maliciosas reflexiones de Rani sobre el tema de los arreglos de dormitorio de la casa.

—Imagínate, con esa oscuridad —se ríe Rani mientras las dos muelen las especias del día—, ¿quién puede saber si es su verdadero esposo el que ha venido a verla? ¿Y quién se va a quejar? Te digo, Billoo, que esos hombres y señoras casados lo están pasando muy bien con este sistema de familia reunida. Te lo juro, quizá tíos con sobrinas, hermanos con las mujeres de sus hermanos, ¡nunca sabremos quiénes son realmente los papás de los niños!

Bilquìs se ruboriza delicadamente y le tapa la boca a Rani con una mano perfumada de cilantro:

—¡Basta, querida, qué imaginación más pervetorcida!

Pero Rani es inexorable:

—No, Bilquìs, te lo aseguro, tú eres nueva aquí, pero yo me he criado en esta casa y, por los cabellos de nuestra Bariamma, te juro que ese arreglo, que se supone es por razones de decencia, etcétera, es simplemente una excusa para la mayor orgía de la tierra.

Bilquìs no dice (sería de muy mala educación hacerlo) que la minúscula y casi enana Bariamma no sólo no tiene dientes y está ciega, sino que tampoco tiene ya un solo pelo en su vieja cabeza. La matriarca lleva peluca.

¿Dónde estamos, y cuándo?... En una gran casa familiar del barrio viejo de la ciudad costera que, como no tengo opción, tendré que llamar Karachi. Raza Hyder, huérfano como su esposa, la ha llevado (inmediatamente después de bajar del Dakota que los trajo al oeste) al seno de sus relaciones maternales; Bariamma es su abuela por parte de su difunta madre.

—Te quedarás aquí —le dijo él a Bilquìs— hasta que las cosas se calmen y sepamos lo que es y lo que no es.

De forma que, en esos días, Hyder está en un alojamiento temporal de la base militar, mientras su esposa yace entre parientes políticas que fingen dormir y sabe que ningún hombre la visitará a ella durante la noche... Y, sí, veo que he traído mi relato a una segunda mansión infinita, que el lector quizá esté comparando ya con una lejana casa de la ciudad fronteriza de Q.; pero ¡qué contraste más total ofrece esta casa! Porque no es un reducto cerrado; rebosa, verdaderamente rebosa de familiares y personal conexo.

—Todavía viven como en las antiguas aldeas —le advirtió Raza a Bilquìs antes de depositarla en aquella casa en la que se creía que el simple hecho de estar casada no libraba a una mujer de la vergüenza y el deshonor derivados de saber que dormía regularmente con un hombre; que era por lo que Bariamma había tenido, sin discutirla con nadie, la idea de los cuarenta ladrones. Y, naturalmente, todas las mujeres negaban que nada de «ese género» pasase nunca, de forma que, cuando se producían embarazos, era por arte de magia, como si todas las concepciones fueran inmaculadas y todos los nacimientos virginales. La idea de la partenogénesis había sido aceptada en aquella casa para mantener alejados otros conceptos, desagradablemente físicos.

Bilquìs, la muchacha de los sueños de realeza, pensó, pero no lo dijo: «Dios santo. Ignorantes donde los haya. Tipos atrasados, tontos de pueblo, totalmente burdos, y yo atrapada con ellos.» En voz alta, le dijo a Raza mansamente:

—Las viejas tradiciones tienen muchas cosas buenas.

Raza asintió gravemente, manifestando con inocencia su acuerdo; y el corazón de ella se hundió entonces un poco más.

En el imperio de Bariamma, Bilquìs, la recién llegada, el miembro más joven, no iba a ser tratada, desde luego, como una reina.

—Pues no tenemos hijos ni nada —le dijo Raza a Bil-quìs—. En la familia de mi madre hay chicos a barullo.

Perdida en la selva de nuevos parientes, vagando por la jungla sanguínea del hogar matriarcal, Bilquìs consultó el Corán familiar en busca de esos árboles genealógicos, y los encontró allí, en su sitio tradicional, ridículos rompecabezas arbóreos de genealogía, escritos en la parte de atrás del libro santo. Descubrió que, desde la generación de Bariamma, que tuvo dos hermanas, tías abuelas maternas de Raza, las dos viudas, así como tres hermanos —un terrateniente, un manirroto y un tonto de médico—, desde aquella generación, sexualmente equilibrada, sólo habían nacido dos chicas en toda la familia. Una de ellas era la difunta madre de Raza; la otra, Rani Humayun, que no veía el momento de escapar de aquella casa nunca abandonada por sus hijos, que importaban a sus esposas para que vivieran y se reprodujeran en batería, como gallinitas. Por parte de madre, Raza tenía en total once tíos legítimos y, según se creía, por lo menos nueve ilegítimos, progenie del tío abuelo manirroto y mariposón. Además de a Rani, Raza podía nombrar a un total general de treinta y dos primos varones nacidos de matrimonio. (La supuesta descendencia de los tíos bastardos no merecía ser mencionada en el Corán.) De esa enorme reserva de parientes, un porcentaje considerable residía a la sombra pequeña pero omnipotente de Bariamma; el manirroto y el tonto eran solteros, pero cuando el terrateniente venía a pasar una temporada, su esposa ocupaba una de las camas del ala de la *zenana* de Bariamma. En la época de la que hablo, terrateniente y esposa estaban allí; y también ocho de los once tíos legítimos, más sus esposas; y (Bilquìs tenía dificultades para contarlos) unos veintinueve primos varones, y Rani Humayun. Veintiséis esposas de primos llenaban la perversa alcoba, y la propia Bilquìs hacía el número cuarenta, si se incluía a las tres hermanas de la generación más vieja.

A Bilquìs Hyder la cabeza le daba vueltas. Atrapada por un idioma que tenía un nombre muy concreto para todo pariente imaginable, de forma que la perpleja recién llegada no podía refugiarse en designaciones genéricas como «tío», «primo», «tía», sino que era continuamente sorprendida en toda su insultante ignorancia, la lengua de Bilquìs se veía reducida al silencio por el tropel de parientes políticos. Casi nunca hablaba salvo cuando estaba sola con Rani o Raza; y así adquirió la triple reputación de dulce-niña-inocente, buenaza e idiota. Como Raza estaba a menudo ausente durante días seguidos, privándola de la protección y adulación que las otras mujeres recibían cotidianamente de sus maridos, alcanzó también la categoría de pobrecita, lo que su falta de cejas (que ningún talento artístico con el lápiz podía disimular) no contribuía a disminuir. Gracias a ello, recibía una parte algo mayor de lo que le correspondía en las obligaciones domésticas y algo mayor también que la que le correspondía en los cortantes comentarios de Bariamma. Pero también la admiraban, a regañadientes, porque la familia tenía una alta opinión de Raza, y las mujeres admitían que era un hombre bueno que no apaleaba a su esposa. Esta definición de bondad alarmó a Bilquìs, a la que nunca se le había ocurrido que pudieran apalearla, y sacó la conversación con Rani.

—Oh, sí —respondió su prima política—, ¡y qué palos dan todos! ¡Zaraap! ¡Zaraap! A veces da gusto verlo. Pero hay que tener cuidado también. Un hombre bueno se puede estropear, como la carne, si no se conserva frío.

En calidad de pobrecita oficialmente designada, Bilquìs tenía que sentarse igualmente todas las noches a los pies de Bariamma, mientras la anciana señora ciega relataba las historias familiares. Eran asuntos sensacionalistas, que presentaban divorcios, bancarrotas, sequías, falsos amigos, mortalidad infantil, enfermedades de los pechos, hombres segados en la flor de la vida, esperanzas fallidas, belleza perdida, mujeres que se ponían obscenamente gordas, tratos contrabandísticos, poetas aficionados al opio, vírgenes acusadoras, maldiciones, tifoideas, bandidos, homosexualidad, esterilidad, frigidez, violaciones, el alto costo de la alimentación, jugadores, borrachos, asesinos, suicidas y Dios. El recital, suavemente ronroneante, del catálogo de horrores familiares tenía el efecto de desactivarlos de algún modo, haciéndolos seguros y embalsamándolos en el fluido momificante de su propia respetabilidad incontrovertible. El relatar relatos demostraba la capacidad de la familia para sobrevivir a ellos, y seguir aferrada, a pesar de todo, a su honor y su inquebrantable código moral.

—Para ser de la familia —le dijo Bariamma a Bilquìs—, tienes que saber nuestras cosas y contarnos las tuyas.

De forma que Bilquìs se vio obligada, una noche (Raza estaba presente pero no intentó protegerla), a contar el fin de Mahmoud la Mujer y su propia desnudez en las calles de Delhi.

—No te importe —declaró Bariamma aprobadoramente, mientras Bilquìs temblaba por la vergüenza de sus revelaciones—, por lo menos conseguiste conservar tu *dupatta*.

Después de aquello, Bilquìs oyó otra vez a menudo su historia, siempre que se reunían uno o dos de la familia, en los rincones ardientes y lagartijeros del patio o en los tejados iluminados por las estrellas de las noches de verano, en las habitaciones de los niños para asustarlos y hasta en el tocador de Rani, cargada de joyas y pintada de *henna*, la mañana de su boda; porque las historias, esas historias, eran el pegamento que aglutinaba al clan, uniendo a las generaciones en telas de araña de secretos susurrados. La historia de ella cambió, al principio, al ser contada de nuevo, pero finalmente se asentó y, después de ello, nadie, ni narrador ni oyente, hubiera tolerado ninguna desviación del texto santificado y consagrado. Fue entonces cuando Bilquìs supo que se había convertido en miembro de la familia; en la santificación de su relato estaban la iniciación, el parentesco, la sangre.

—El contar historias —le dijo Raza a su esposa— es para nosotros un ritual de sangre.

Pero ni Raza ni Bilquìs podían saber que su historia acababa de comenzar apenas, que sería la saga más sabrosa y sangrienta de todas las sagas sangrientosabrosas, y que, en tiempos venideros, comenzaría siempre por la siguiente frase (que, en opinión de la familia, contenía todas las resonancias adecuadas para abrir la narración): «Fue el día en que el unigénito del futuro presidente Raza Hyder iba a reencarnarse.»

«Sí, sí —aplaudiría la audiencia—, cuéntanos ésa, que es la mejor.»

En aquella estación cálida, las dos naciones de reciente partición anunciaron el comienzo de las hostilidades en la frontera de Cachemira. No hay nada mejor que una guerra en el norte en la estación cálida; oficiales, soldados de infantería y cocineros se alegraban mientras se dirigían hacia la frescura de las colinas. «*Yara*, esto sí que es suerte, *na*?» «Mierda, jodíoporculo, al menos este año no me moriré de ese puñetero calor.» ¡Oh camaradería campechana de los meteorológicamente afortunados! Los *jawans* iban a la guerra con el abandono despreocupado de unos veraneantes. Inevitablemente, moría gente; pero los organizadores de la guerra se habían ocupado de eso también. Los que caían en combate volaban directamente, en primera clase, a los jardines perfumados del Paraíso, para ser servidos por toda la eternidad por cuatro preciosas huríes, no tocadas por hombre ni *djinn*. «¿Qué bendición del Señor —pregunta el Corán— rehusarías?»

La moral del Ejército era alta; pero Rani Humayun estaba muy mustia, porque hubiera sido poco patriótico celebrar un banquete de bodas en tiempo de guerra. Hubo que aplazar la ceremonia, y ella daba patadas de rabia en el suelo. Raza Hyder, sin embargo, se subió satisfecho al jeep camuflado de su huida de la hirviente locura de la ciudad veraniega, y precisamente entonces su esposa le susurró al oído que estaba esperando otra clase de acontecimiento venturoso. (Siguiendo el ejemplo de Bariamma, he hecho la vista gorda, roncando con fuerza, mientras Raza Hyder visitaba el dormitorio de las cuarenta mujeres y hacía posible el milagro.)

Raza soltó un alarido tan triunfal que Bariamma, sentada dentro de casa en su *takht*, se convenció, en la confusión de su ceguera sudorosa, de que su nieto había tenido ya noticias de alguna victoria famosa, de forma que, cuando realmente se recibieron esas noticias, semanas más tarde, respondió sencillamente:

—¿Ahora os enteráis? Yo lo supe hace un mes. —(Esto era antes de que la gente supiera que su bando perdía casi siempre, de forma que los dirigentes nacionales, creciéndose con brillantez ante el desafío, perfeccionaron por lo menos mil y un modos de salvar el honor de la derrota.)

—¡Ya llega! —ensordeció Raza a su esposa, haciendo que los cántaros de barro cayeran de las cabezas de las criadas y asustando a los gansos—. ¿Qué te había dicho, señora? —Se puso la gorra con más garbo en la cabeza, le dio una palmada a su mujer en el estómago con demasiada fuerza, y juntó las palmas de las manos, haciendo gestos de buceador—. ¡Hush! —gritó—. ¡Vum, mujer! ¡Ya llega!

Y se fue estrepitosamente hacia el norte, prometiendo lograr una gran victoria en honor a su próximo hijo, y dejando atrás a una Bilquìs que, inundada por primera vez por los fluidos solipsistas de la maternidad, había olvidado observar las lágrimas que había en los ojos de su marido, aquellas lágrimas que convertían sus bolsas de ojos amoratados en ojeras de terciopelo, aquellas lágrimas que fueron de los primeros indicadores de que el futuro hombre fuerte de la nación era del tipo de los que lloran con demasiada facilidad... en privado, con la frustrada Rani Humayun, Bilquìs cacareó con orgullo:

—No importa esa estupidez de la guerra; lo importante es que voy a hacer un chico para que se case con tu hija aún no nacida.

Extracto de la saga familiar de Raza y Bilquìs, transcrito con las palabras formularias que sería gran sacrilegio alterar:

«Cuando oímos que nuestro Razzoo había lanzado un ataque tan intrépido que no había otro remedio que llamarlo triunfo, comenzamos por no dar crédito a nuestros oídos... porque ya en aquella época hasta los oídos más finos habían adquirido el defecto de hacerse totalmente informales cuando sintonizaban con los boletines de noticias de la radio... en esas ocasiones, todo el mundo oía cosas que era imposible que hubieran ocurrido... Pero luego movimos la cabeza afirmativamente, al comprender que un hombre cuya mujer está a punto de darle un hijo es capaz de todo. Sí, fue el chico nonato el responsable de ella, la única victoria en la historia de nuestras fuerzas armadas... lo que fue la base de la reputación de invencible de Raza, una reputación que pronto se hizo ella misma invencible... de modo que ni siquiera los largos y humillantes años de su decadencia resultaron capaces de destruirla... Volvió convertido en un héroe, después de haber capturado para nuestro país nuevo y santo un valle de montaña tan alto e inaccesible que hasta las cabras tenían dificultades para respirar en él; Raza era tan intrépido, tan tremendo, que todos los auténticos patriotas tuvieron que quedarse boquiabiertos... y no debéis creer a esa propaganda que dice que el enemigo no se molestó en defender ese lugar... la lucha fue feroz como el hielo... ¡y sólo con veinte hombres conquistó el valle! Aquella cuadrilla de gigantes, aquella banda temeraria, y el Viejo Razia Redaños a su cabeza... ¿quién hubiera podido pararlos? ¿Quién hubiera podido ponerse en su camino?

»Para todos los pueblos, hay lugares que significan demasiado. "¡Aansu! —llorábamos con orgullo; sollozábamos con auténtico patriotismo—. ¡Imagináoslo: ha tomado el Aansu-ki-Wadi!" Es verdad: la captura del legendario "valle de lágrimas" nos hizo llorar a todos tan incontrolablemente como, en años posteriores, su conquistador se hizo famoso por lo mismo... Pero, al cabo de cierto tiempo, resultó evidente que nadie sabía qué hacer con aquel lugar en que la saliva se congelaba antes de llegar al suelo; excepto Iskander Harappa, desde luego; que, con los ojos más secos que nunca, fue al Departamento de Organismos Tribales y compró más o menos todo el lote, tirado por el suelo, tirado por la nieve, en dinero contante y a tocateja..., y unos años más tarde había aquí y allá cabañas de esquí, y vuelos aéreos regulares, y jaleos de europeos por las noches que hacían que los habitantes locales de las tribus se desmayaran de vergüenza... Sin embargo, Raz, nuestro gran héroe, ¿recibió algo de todas esas divisas? (En este punto, invariablemente, el narrador se da un golpecito en la frente con la palma de la mano.) No, ¿cómo iba a hacerlo, ese tontorrón del Ejército? Isky siempre llegaba primero. Pero (y ahora el narrador adopta el tono más críptico y amenazador de que es capaz) lo que vale es quedarse el último.»

En este punto debo interrumpir la leyenda. El duelo entre Raza Hyder (ascendido a mayor por su hazaña de Aansu) e Iskander Harappa, que comenzó, pero desde luego no acabó, en Aansu tendrá que esperar todavía un poco; porque ahora ese Viejo Razia Redaños ha vuelto a la ciudad, y otra vez hay paz, y la boda está a punto de celebrarse, lo que convertirá a los dos adversarios mortales en primos políticos: en una *familia*.

Rani Humayun, con los ojos bajos, mira, en un círculo de espejos, a su novio que se acerca a ella; llevado en hombros por un séquito de amigos con turbante, llega sentado en una plancha dorada. Más tarde, cuando ella se haya desmayado bajo el peso de sus joyas; haya sido reanimada por la embarazada Bilquìs que, entonces, perdió ella el conocimiento; le hayan arrojado dinero al regazo sucesivamente todos los miembros de la familia; haya observado a través del velo cómo su viejo y lascivo tío abuelo pellizcaba el trasero a las nuevas parientes de su marido, sabiendo que sus canas impedirían que ellas se quejasen; y finalmente haya levantado el velo que tenía a su lado mientras otra mano levantaba el suyo propio, y haya contemplado larga e intensamente el rostro de Iskander Harappa, cuyo irresistible atractivo sexual debía mucho a la suavidad sin arrugas de sus mejillas de veinticinco años... en torno a las cuales se curvaba un cabello largo que era ya, estrafalariamente, del color de la plata pura, y clareaba en la parte superior, revelando la cúpula dorada de su cráneo... y entre las cuales, también curvados, ella descubrió unos labios cuya aristocrática crueldad era mitigada por su sensual espesor, los labios, pensó, de un *hubshee* negro, idea que le dio un estremecimiento de placer extrañamente pecaminoso... más tarde, cuando había cabalgado con él hasta una alcoba rebosante de viejas espadas y tapices franceses importados y novelas rusas, después de haber bajado aterrorizada de un semental blanco, cuyo sexo, de forma totalmente evidente, presentaba armas, cuando había oído cómo las puertas de su matrimonio se cerraban a sus espaldas en este otro hogar cuya grandiosidad hacía que la casa de Bariamma pareciera una casucha de aldea... entonces, aceitada y desnuda sobre una cama ante la cual estaba de pie el hombre que acababa de convertirla en mujer, contemplando indolentemente su belleza, ella, Rani Harappa, hizo su primer comentario auténtico de mujer casada.

—¿Quién era ese tipo —preguntó—, el gordo, al que se le doblaba el caballo bajo el peso cuando llegó tu cortejo? Debe de ser ese mal sujeto, ese médico o lo que sea, que todo el mundo dice en la ciudad tiene tan mala influencia sobre ti.

Iskander Harappa le dio la espalda y encendió un cigarrillo.

—Métete bien en la cabeza —le oyó decir ella— que tú no vas a escoger ni elegir a mis amigos.

Pero Rani, acometida por una risa irresistible por el influjo de la imagen recordada del orgulloso caballo cediendo y derrumbándose, con las patas extendidas hacia los cuatro puntos cardinales, bajo el peso colosal de Omar Khayyam Shakil... y disfrutando también del suave ardor de sus recientes relaciones... produjo sonidos apaciguadores:

—Sólo quería decir, Isky, que debe de ser un tipo muy desvergonzado para andar paseando toda esa tripa por ahí y demás.

Omar Khayyam a los treinta años: cinco años mayor que Iskander Harappa y más de diez años más viejo que la esposa de Isky, vuelve a entrar en nuestra pequeña historia como personaje de gran reputación como médico y pésima reputación como ser humano, un degenerado del que se dice a menudo que parece carecer totalmente de vergüenza, «ese tipo no sabe lo que significa esa palabra», como si se hubiera descuidado alguna parte esencial de su educación; o quizá sea que ha decidido borrar esa palabra de su vocabulario, para que su explosiva presencia allí, entre los recuerdos de su pasado y sus acciones presentes no lo destrocen como a una vieja maceta. Rani Harappa ha identificado correctamente a su enemigo, y ahora recuerda, estremeciéndose por ciento y una vez desde que ocurrió, el momento, durante la fiesta de su boda, en que un criado le trajo a Iskander Harappa un mensaje telefónico que le informaba de que el primer ministro había sido asesinado. Cuando Iskander Harappa se puso en pie, pidió silencio y transmitió el mensaje a sus horrorizados huéspedes, hubo un embarazoso silencio durante sus buenos treinta segundos, y entonces la voz de Omar Khayyam Shakil, en la que todo el mundo pudo oír el chapoteo del alcohol, exclamó:

—¡Qué cabrón! El muerto al hoyo. ¿Por qué tiene que venir a estropearnos la fiesta?

En aquella época, todo era más pequeño de lo que es hoy; hasta Raza Hyder era sólo mayor. Pero era como la ciudad misma, hacía progresos, crecía deprisa, pero de una forma estúpida, de forma que, cuanto más importantes se hicieron ambos, tanto más feos se volvieron. Tengo que deciros cómo eran las cosas en aquellos primeros días después de la partición: los viejos habitantes de la ciudad, que se habían acostumbrado a vivir en un país más antiguo que el tiempo y, por consiguiente, estaban siendo erosionados lentamente por las fantasmales mareas del pasado, habían recibido una fuerte conmoción con la independencia, cuando se les dijo que pensaran en sí mismos, lo mismo que en su país, como algo nuevo.

Bueno, su imaginación, sencillamente, no estaba a la altura de las circunstancias, tenéis que comprenderlo; de modo que fueron los que realmente eran nuevos, los primos lejanos y medioparientes y perfectos extraños que vinieron del Este a raudales para asentarse en la Tierra de Dios, quienes se hicieron cargo de las cosas e hicieron que funcionaran. La novedad de aquellos tiempos parecía muy inestable; era algo dislocado y sin raíces. Por toda la ciudad (que era entonces, naturalmente, la capital), los constructores hacían trampa con el hormigón de los cimientos de las casas nuevas, la gente —y no sólo los primos ministros— era asesinada a balazos de cuando en cuando, había gaznates que se hacían rebanar en las callejas, bandidos que se convertían en multimillonarios, pero todo eso era de esperar. La historia estaba vieja y oxidada, era una máquina que nadie había enchufado en miles de años, y ahora, de repente, se le pedía que funcionara al máximo rendimiento. A nadie le sorprendía que hubiera accidentes... bueno, había algunas voces que decían, si éste es el país que hemos dedicado a nuestro Dios, qué clase de Dios es ese que permite... pero esas voces eran acalladas antes de que terminaran su pregunta, y recibían una patada en la espinilla bajo la mesa, por su propio bien, porque hay cosas que no se pueden decir. No, más que eso: hay cosas que no se puede permitir que sean ciertas.

En cualquier caso: Raza Hyder había demostrado ya, en la toma de Aansu, las ventajas de la vigorizante afluencia de inmigrantes, de seres nuevos; pero, con vigor o sin él, no pudo impedir que su primogénito fuera estrangulado en el seno materno.

Una vez más (en opinión de su abuela materna), lloró con demasiada facilidad. Precisamente cuando hubiera debido demostrar la rigidez de su labio superior, comenzaba a llorar a lágrima viva, incluso en público. Se veían lágrimas deslizándose por la cera de su bulboso mostacho, y sus negras ojeras brillaban de nuevo como charquitos de aceite. Su mujer Bilquìs, sin embargo, no derramó ni una lágrima.

—Vamos, Raz —consolaba a su marido con palabras heladas con la quebradiza certidumbre de su propia desesperación—, Razzoo, ánimo. Lo conseguiremos la próxima vez.

—Viejo Razia Redaños, un cuerno —se burlaba Bariamma ante todo quisque—. ¿Sabéis que ese nombre se lo inventó él y que obligó a sus soldados a que lo llamaran así, que se lo ordenó? Viejo Depósito de Agua Agujereado, sería un nombre más propio.

Un cordón umbilical se enrolló en torno a un cuello de niño, transformándose en nudo de verdugo (en el que aparecen prefigurados otros nudos), en el sofocante *rumal* de seda de un *thug*; y un niño vino al mundo aquejado por la desgracia irreversible de haber muerto antes de nacer.

—¿Quién sabe por qué hace Dios esas cosas? —le dijo Bariamma, despiadadamente, a su nieto—. Pero nos resignamos, tenemos que resignarnos. Y no derramar lágrimas de niño delante de mujeres.

Sin embargo: el estar totalmente muerto era una desventaja que el muchacho, con valor encomiable, consiguió superar. En cosa de meses, o quizá sólo de semanas, aquel niño trágicamente cadavérico se había «superado» en el colegio y la universidad, había luchado valientemente en la guerra, se había casado con la belleza más rica de la ciudad y había ascendido a un alto cargo gubernamental. Era elegante, popular, apuesto, y el hecho de ser un cadáver no parecía tener más importancia ahora que la que tendría una ligera cojera o un pequeño defecto de pronunciación.

Desde luego, sé perfectamente que el muchacho había perecido en realidad antes de tener tiempo siquiera de recibir un nombre. Sus hazañas ulteriores fueron realizadas totalmente dentro de las aturdidas imaginaciones de Raza y de Bilquìs, donde cobraron un aspecto de tan sólida actualidad que ellos comenzaron a insistir en que se les proporcionara un ser humano que las soportara y las hiciera reales. Obsesionados por los ficticios triunfos de su hijo malogrado, Raza y Bilquìs se acometían mutuamente con entusiasmo, jadeando silenciosamente en el dormitorio de la vista gorda de las mujeres de la familia, al haberse convencido de que un segundo embarazo sería un acto de sustitución, de que Dios (porque Raza, como sabemos, era devoto) había consentido en enviarles gratis una sustitución de los géneros dañados que recibieron en el primer envío, como si Él fuera el gerente de una empresa acreditada de ventas por correo. Bariamma, que lo descubría todo, chasqueó la lengua ruidosamente ante esa bobada de la reencarnación, sabedora de que era algo que ellos habían importado, como un germen, del país de idólatras del que habían salido; pero, curiosamente, nunca fue dura con ellos, comprendiendo que la mente encuentra extraños medios para hacer frente al dolor. De forma que Bariamma tiene que soportar su parte de responsabilidad por lo que siguió, no hubiera debido descuidar su deber simplemente porque era doloroso, y hubiera debido desbaratar, mientras pudo, esa idea de nacer de nuevo, pero la idea arraigó muy deprisa, y entonces fue demasiado tarde, nada que se pudiera ya discutir.

Muchos años después, cuando Iskander Harappa estaba en el banquillo de la sala de tribunal donde estaban juzgando su vida, con el rostro tan gris como el traje importado que llevaba, cortado para él cuando pesaba dos veces más, se burló de Raza con el recuerdo de esa obsesión por la reencarnación.

—¡Ese dirigente que reza seis veces diarias, y hasta por la televisión nacional! —dijo Isky con una voz cuyas melodías de sirena habían sido desafinadas por la cárcel—. Me acuerdo de cuando tuve que recordarle que la idea de los avatares era una herejía. Desde luego, no me escuchó, pero es que Raza Hyder se ha acostumbrado a no escuchar un consejo de amigo. —Y, fuera de la sala, se oyó decir a los miembros más intrépidos del séquito, en proceso de desintegración, de Harappa que el general Hyder se había educado en el Estado enemigo del otro lado de la frontera, después de todo, y había pruebas de la existencia de una bisabuela hindú por parte de padre, de forma que hacía tiempo que esas filosofías impías le habían inficionado la sangre.

Y es cierto que tanto Iskander como Rani trataron de razonar con los Hyders, pero los labios de Bilquìs sólo se estiraron, tensos como un tambor, por su obstinación. En aquella época, Rani Harappa estaba esperando, lo había conseguido como por un resorte y Bilquìs estaba haciendo ya cuestión de principio no hacer lo que la aconsejaba su vieja compañera de dormitorio, para lo cual una razón puede haber sido que a ella, Bilquìs, a pesar de todos los tejemanejes nocturnos, le estaba resultando muy difícil concebir.

Cuando Rani dio a luz una hija, su fracaso al no producir un niño dio a Bilquìs algo de consuelo, pero no mucho, porque otro sueño había mordido el polvo, la fantasía del matrimonio de sus primogénitos. Ahora, naturalmente, la recién nacida señorita Arjumand Harappa era mayor de lo que podría ser nunca un futuro Hyder varón, de forma que no podía pensarse en la alianza. Rani, en realidad, había cumplido su parte del trato; su eficiencia hacía más profunda la tristeza de Bilquìs, oscura como un pozo.

Y, bajo el techo de Bariamma, empezaron a lanzarse comentarios y cuchufletas contra aquella hembra antinatural que no era capaz de producir más que niños muertos. Una noche, cuando Bilquìs se había retirado a la cama, después de haberse lavado las cejas de la cara y recuperado su aspecto de conejo asustado, estaba mirando celosamente la cama vacía en otro tiempo ocupada por Rani Harappa cuando, desde el otro lado, una prima especialmente mala llamada Duniyazad Begum le susurró insultos negros como la noche:

—La desgracia de tu esterilidad, señora, no es sólo tuya. ¿No sabes que la vergüenza es colectiva? La vergüenza de cualquiera de nosotras pesa sobre todas, haciéndonos doblar el espinazo. Ya ves lo que estás haciendo a la familia de tu marido, así pagas a los que te acogieron cuando llegaste sin dinero y fugitiva de ese impío país del otro lado.

Bariamma había apagado las luces —el interruptor principal colgaba de un cordón sobre su cama— y sus ronquidos dominaban la oscuridad de la alcoba de la *zenana*. Pero Bilquìs no se quedó en su cama; se levantó y cayó sobre Duniyazad Begum, que la esperaba ansiosamente, y las dos, con manos enredadas en cabellos y rodillas hundidas en carnosas zonas que cedían, rodaron suavemente al suelo. La pelea se desarrolló en silencio, tal era el poder de la matriarca sobre la noche; pero la noticia se extendió por la habitación en ondas de oscuridad, y las mujeres se incorporaron en sus camas y miraron. Cuando llegaron los hombres, también ellos se convirtieron en espectadores mudos del mortal combate, durante el cual Duniyazad perdió varios puñados de pelo de sus frondosas axilas y Bilquìs se rompió un diente bajo los dedos como zarpas de su adversaria; hasta que entró Raza Hyder en el dormitorio y las separó. Fue en ese momento cuando Bariamma dejó de roncar y encendió la luz, liberando en el aire ilumi-

nado todo el ruido, todos los aplausos y gritos conteni-
dos antes por la oscuridad. Mientras las mujeres se
apresuraban a apuntalar a la matriarca calva y ciega con
gaotakias, Bilquìs, temblando en brazos de su marido,
se negó a seguir viviendo bajo aquel techo que la ca-
lumniaba.

—Esposo, tú lo sabes —arreglándose los jirones
destrozados de su infancia de reina—, yo me eduqué de
otra forma más alta; y si mis hijos no vienen es porque
no puedo hacerlos aquí, en este zoo, como animales o
qué sé yo qué.

—Sí, sí, ya sabemos que te crees demasiado distinguida para nosotras. —Bariamma, hundiéndose en *gaotakias* con ruido sibilante, como de un balón al desinflarse,
tuvo la última palabra—. Pues llévatela, Raza, muchacho
—dijo con su voz de zumbido de avispón—. Y tú, Billoo
Begum *the beguine*. Cuando salgas de esta casa tu vergüenza saldrá contigo, y nuestra querida Duniya, a la que
has atacado por decir la verdad, dormirá más tranquila.
¡Vamos, *mohajir*! ¡Inmigrante! Haz las maletas a toda
velocidad y lárgate a la alcantarilla que prefieras.

Yo también sé algo de todo ese asunto de los inmigrantes. Soy un emigrante de un país (la India) y un recién
llegado en otros dos (Inglaterra, donde vivo, y Pakistán, al que se trasladó mi familia en contra de mi voluntad). Y tengo la teoría de que los resentimientos que en-
gendramos los *mohajirs* tienen algo que ver con nuestra
conquista de la fuerza de la gravedad. Hemos realizado
el acto con el que todos los hombres soñaban antigua-
mente, lo que hacía que envidiaran a los pájaros; es decir, hemos volado.

Estoy comparando la gravedad con la pertenencia.
Los dos fenómenos existen de forma observable: tengo
los pies en el suelo y nunca he estado más furioso que el

día en que mi padre me dijo que había vendido el hogar de mi infancia en Bombay. Pero ninguno de los dos fenómenos se comprende. Conocemos la fuerza de la gravedad, pero no sus orígenes; y para explicar por qué quedamos unidos al lugar de nuestro nacimiento pretendemos ser árboles y hablamos de raíces. Mirad bajo vuestros pies. No encontraréis excrecencias nudosas que atraviesen las suelas. Las raíces, pienso a veces, son un mito conservador, ideado para mantenernos en nuestro sitio.

Los antimitos de la gravedad y de la pertenencia tienen el mismo nombre: volar. *Migración, f., acción y efecto de pasar de un país a otro las personas o las aves.* Huir y volar: las dos son formas de buscar la libertad... y lo extraño de la gravedad, por cierto, es que, aunque no se la comprende, todo el mundo parece encontrar fácil de comprender la noción de su fuerza contraria teórica: la antigravedad. Pero la ciencia moderna no acepta la antipertenencia... imaginaos que la ICI o la Ciba-Geigy o la Pfizer o la Roche o incluso, supongo, la NASA nos vinieran con una píldora antigravitatoria. Las compañías aéreas del mundo se arruinarían de la noche a la mañana, desde luego. Los usuarios de la píldora se despegarían del suelo y flotarían en el aire hasta perderse en las nubes. Habría que diseñar trajes de vuelo impermeables especiales. Y, cuando pasaran los efectos de la píldora, uno, sencillamente, descendería con suavidad otra vez al suelo, pero en un lugar diferente, a causa de las velocidades de los vientos dominantes y de la rotación del planeta. Se podrían hacer viajes internacionales personalizados fabricando píldoras de diferente potencia para viajes diferentes. Habría que fabricar alguna especie de motor elevador direccional, quizá para llevar a la espalda. La producción en masa podría ponerlo al alcance de todos los hogares. Ya veis la relación que hay entre gravedad y «raíces»: la píldora nos convertiría a todos en emigrantes. Flotaríamos elevándonos, utilizaríamos nuestros motores para colocarnos en la latitud adecuada, y dejaríamos que el planeta, al girar, hiciera el resto.

Cuando las personas se despegan de su país nativo se las llama emigrantes. Cuando las naciones hacen lo mismo (Bangladesh), el acto se llama secesión. ¿Qué es lo mejor de los pueblos emigrantes y las naciones escindidas? Yo creo que es su esperanza. Mirad los ojos de esas gentes en las viejas fotografías. La esperanza resplandece, no empañada, a través de los tintes sepia desvaídos. ¿Y qué es lo peor? Es lo vacío del equipaje. Hablo de las maletas invisibles, no de las materiales, quizá de cartón, que contienen unos cuantos recuerdos vaciados de significado: nos hemos despegado de algo más que de un país. Hemos subido flotando desde la historia, desde el recuerdo, desde el Tiempo.

Puede que yo sea una de esas personas. Puede que Pakistán sea uno de esos países.

Sabido es que el término «Pakistán», un acrónimo, fue ideado originalmente en Inglaterra por un grupo de intelectuales musulmanes. P. por los punjabíes, A por los afganos, K por los cachemiros (*kashmiris*), S. por *Sind* y el «tan», según dicen, por el Beluchistán. (Observaréis que no se menciona al Ala Oriental; Bangladesh nunca consiguió poner su nombre en el título, y por ello, en su día, se dio por aludida y se separó de los separatistas. ¡Imaginaos lo que una doble separación puede hacer con la gente...!) De forma que fue una palabra nacida en el exilio que luego fue hacia oriente, fue tras-ladada o tra-ducida y se impuso a la historia; un emigrante que volvía, que se asentaba en un país dividido, formando un palimpsesto sobre el pasado. Un palimpsesto oculta lo que hay debajo. Para construir Pakistán fue necesario encubrir la historia india, negar los siglos indios que yacían inmediatamente debajo del Tiempo Normalizado Paquistaní. Se reescribió el pasado; no se podía hacer otra cosa.

¿Quién dirigió la tarea de reescribir la historia...? Los inmigrantes, los *mohajirs*. ¿En qué idiomas...? En urdu y en inglés, ambas lenguas importadas, aunque una había hecho un viaje menos largo que la otra. Es posible considerar la historia ulterior de Pakistán como un duelo entre dos estratos temporales, el mundo oscurecido abriéndose camino a través de lo-impuesto. El verdadero deseo de todo artista es imponer su visión (la de él o la de ella) al mundo; y Pakistán, el palimpsesto que se deshace y se fragmenta, cada vez más en guerra consigo mismo, puede describirse como el fracaso de una mente soñadora. Quizá los pigmentos utilizados eran equivocados, inestables, como los de Leonardo; o quizá, sencillamente, el lugar había sido *insuficientemente imaginado*, un cuadro lleno de elementos irreconciliables, *saris* de inmigrantes que dejan al descubierto el diafragma frente a modestas *shalwar-kurtas* sindhi autóctonas, urdus frente a punjabíes, el hoy frente al ayer: un milagro que salió mal.

En cuanto a mí: yo también, como todos los emigrantes, soy un forjador de fantasías. Construyo países imaginarios y trato de imponerlos sobre los que existen. También yo me enfrento con el problema de la historia: qué retener, qué tirar por la borda, cómo aferrarme a lo que la memoria insiste en abandonar, cómo afrontar el cambio. Y, para volver a la idea de las «raíces», yo diría que no he conseguido liberarme de ella por completo. A veces me veo como un árbol, incluso, un tanto grandiosamente, como el fresno Yggdrasil, el mítico árbol del mundo de la leyenda nórdica. El fresno Yggdrasil tiene tres raíces. Una se hunde en el estanque del conocimiento junto al Valhalla, al que Odín viene a beber. La segunda se consume lentamente en el fuego inextinguible de Muspellheim, reino de Surtur, dios del fuego. La tercera es roída gradualmente por una horrorosa bestia llamada el Nidhögg. Y cuando el fuego y el monstruo hayan destruido dos de las tres, el fresno caerá, y descenderá la oscuridad. El crepúsculo de los dioses: el sueño de muerte de un árbol.

El país-palimpsesto de mi historia, lo repito, no tiene nombre propio. Kundera, el escritor checo exiliado, escribió una vez: «Un nombre significa continuidad con el pasado, y las personas sin pasado son personas sin nombre.» Pero yo trato de un pasado que se niega a ser suprimido, que libra batalla diariamente con el presente; de modo que quizá sea excesivamente duro por mi parte denegar un título a mi país de hadas.

Hay una historia apócrifa que dice que Napier, después de una campaña con éxito en lo que es hoy el sur del Pakistán, envió a Inglaterra el mensaje culpable y lacónico: «Peccavi.» He pecado (*I have Sind*).[1] Me siento tentado a llamar a mi Pakistán del otro lado del espejo en honor de ese chiste bilingüe (y ficticio, porque nunca se hizo realmente). Que se llame *Peccavistán*.

Fue el día en que el unigénito del futuro general Raza Hyder iba a reencarnarse.

Bilquìs había abandonado la presencia anticonceptiva de Bariamma, trasladándose a una sencilla residencia para oficiales casados y sus esposas, en el recinto de la base militar; y no mucho después de su huida había concebido, tal como había profetizado. «¿Qué te dije? —se regocijaba—, Raza, va a volver, el angelito, ya verás.» Bilquìs atribuía su recuperada fecundidad al hecho de que, por fin, podía hacer ruidos durante sus relaciones sexuales, «para que el angelito, que está esperando

---

1. *I have Sind* significa «tengo a Sind» (Sind es la provincia sudoriental de Pakistán). *I have sinned*, que se pronuncia igual, quiere decir «he pecado». *(N. del T.)*

nacer, sepa lo que pasa y responda en consecuencia», le dijo cariñosamente a su esposo, y la felicidad de la observación le impidió a él responder que no eran sólo ángeles los que podían oír sus apasionados gemidos y alaridos de amor, sino también todos los demás oficiales casados de la base, incluidos su superior inmediato y algunos subalternos, de forma que tenía que aguantar una buena cantidad de bromas en el comedor de oficiales.

Bilquìs comenzó con las contracciones... el re-nacimiento era inminente... Raza Hyder lo esperaba, sentado muy derecho en la antesala del pabellón de maternidad del hospital militar. Y, después de ocho horas de aullar y empujar y reventársele venillas en las mejillas y de utilizar el lenguaje soez que sólo se permite a las señoras utilizar en los partos, por fin, ¡plaf!, lo logró, el milagro de la vida. La hija de Raza Hyder nació a las dos quince de la tarde y, lo que es más, nació tan vivarachamente viva y pataleante como muerto había estado su hermano.

Cuando le dieron a Bilquìs la niña en pañales, aquella señora no pudo dejar de lamentarse, desmayadamente:

—¿Y eso es todo, Dios santo? ¿Tanto soplar y resoplar para echar sólo ese ratoncito?

La heroína de nuestra historia, el milagro que salió mal, Sufiya Zinobia, era el bebé más pequeño que nadie había visto jamás. (Siguió siendo pequeña al crecer, saliendo a su semienana bisabuela paterna, cuyo nombre, Bariamma, Gran Madre, había sido siempre una especie de broma familiar.)

Bilquìs devolvió el fardo sorprendentemente pequeño a la comadrona, que se lo llevó al ansioso padre.

—Una hija, mayor Sahib, y tan hermosa como el día, ¿no le parece a usted?

En la sala de partos, el sudor brotaba a raudales de los poros de la exhausta madre; en la antesala, Raza estaba también callado. Silencio: el viejo lenguaje de la derrota.

¿Derrota? ¡Pero si éste era el Viejo Razia Redaños en persona, conquistador de glaciares, vencedor de prados de escarcha y rebaños de montañas de vellón de hielo! ¿Era tan fácil de abatir el futuro hombre fuerte de la nación? Nada de eso. ¿Provocó el bombazo de la comadrona una rendición sin condiciones? Desde luego que no. Raza comenzó a discutir; y sus palabras avanzaron en oleadas, inexorables como tanques. Los muros del hospital se estremecieron y se batieron en retirada; los caballos se espantaron, desarzonando a sus jinetes, en los campos de polo cercanos.

—¡A menudo se cometen errores! —gritó Raza—. ¡Se sabe de pifias terribles! ¡Toma, si hasta mi quinto primo por matrimonio, al nacer...! ¡Déjese de peros y peroratas, señora, quiero ver al director del hospital!

Y todavía más fuerte:

—¡Los niños no vienen limpios al mundo!

Y, disparadas por sus labios como balas de cañón:

—¡Los órganos genitales! ¡Pueden! ¡Estar! ¡Disimulados!

Raza Hyder rabiando rugiendo. La comadrona se cuadró, saludó; aquello era un hospital militar, no lo olvidéis, y Raza era de graduación superior a la suya, de modo que admitió que sí, que lo que el mayor Sahib decía era posible, indudablemente. Y huyó. La esperanza apareció en los húmedos ojos del padre, y también en las dilatadas pupilas de Bilquìs, que había oído el escándalo, naturalmente. Y ahora fue el bebé, cuya esencia misma estaba en duda, el que se quedó callado y comenzó a meditar.

El director (un brigadier) penetró en el cuarto tembloroso en el que el futuro presidente trataba de afectar a la biología mediante un acto de voluntad sobrehumano. Sus palabras, de peso, decisivas, de graduación superior a las de Raza, asesinaron la esperanza. El hijo nacido muerto volvió a morir, hasta su fantasma quedó extinguido por el discurso fatal del galeno:

—No hay posibilidad de error. Tenga en cuenta que han lavado a la criatura. Antes del trámite de los pañales. La cuestión del sexo es incontrovertible. Permítame que lo felicite. —Pero ¿qué padre dejaría que su hijo, dos veces concebido, fuera ejecutado así, sin luchar? Raza arrancó el pañal; una vez que hubo penetrado hasta el bebé que había dentro, hundió la mano en sus zonas inferiores:

—¡Mire! Dígame usted, señor, ¿qué es esto...?

—Se puede apreciar la configuración esperada, es decir, la hinchazón posnatal, no infrecuente, de la hembra...

—¡Un bulto! —gritó Raza desesperado—. ¿No es eso, doctor, un *bulto* claro e indiscutible?

Pero el brigadier había salido ya de la habitación.

«Y en ese momento —cito otra vez la leyenda familiar— cuando sus padres tuvieron que admitir la inmutabilidad del sexo de ella y someterse a Dios, como quiere la fe; en ese preciso instante el ser sumamente nuevo y soporífico que Raza tenía en brazos comenzó —¡es cierto!— a ruborizarse.»

¡Oh rubescente Sufiya Zinobia!

Es posible que el incidente relatado haya sido un tanto embellecido al ser contado y recontado tantas veces; pero no seré yo quien ponga en duda la veracidad de una tradición oral. Dicen que el bebé se ruborizó al nacer.

Ya entonces, incluso entonces, ella se avergonzaba con demasiada facilidad.

6. ASUNTOS DE HONOR

Hay un dicho que dice que la rana que croa en un pozo se asusta de la voz atronadora de la rana gigante que le responde.

Cuando se descubrieron los grandes campos de gas en el valle de Aguja, en el distrito de Q., la conducta antipatriótica de los inmoderados hombres de las tribus locales se convirtió en motivo de preocupación nacional. Después de que el equipo de ingenieros de perforación, topógrafos y científicos expertos en gas que se envió a Aguja para planificar la construcción de las minas de butano fue atacado por los hombres de las tribus, que violaron a cada miembro del equipo dieciocho coma sesenta y seis veces por término medio (de ellas, trece coma noventa y siete ultrajes fueron por atrás y sólo cuatro coma sesenta y nueve por la boca), antes de rebanar el ciento por ciento de los gaznates de los expertos, el primer ministro del Estado, Aladdin Gichki, pidió ayuda militar. El comandante de las fuerzas designadas para proteger los inestimables recursos de gas no era otro que Raza Hyder, el héroe de la expedición de Aansu-ki-Wadi, ya todo un coronel. Fue un nombramiento popular. «¿Quién podría defender mejor un valle precioso —preguntaba retóricamente *Guerra*,[1] el primer diario de la nación— que el conquistador de otra joya análoga?» El propio Viejo Razia Redaños declaró a un reportero del mismo periódico, en la escalerilla del tren correo del oeste, recién dotado de aire acondicionado:

—Esos bandidos son las ranas en el pozo, señor mío, y, si Dios lo quiere, yo seré el gigante que haga que pierdan los calzoncillos.

En aquella época, su hija Sufiya Zinobia tenía quince meses. Ella, y su esposa Bilquìs, acompañaron al coronel Hyder en su viaje hacia los Montes Imposibles. Y, apenas había salido el tren de la estación, ruidos de una «juerga impía» (la frase es de Raza) comenzaron a filtrarse en su compartimiento. Raza le preguntó al centinela la identidad de sus vecinos.

—Personas muy importantes, señor —fue la respuesta—, algunos ejecutivos y también estrellas de una famosa compañía de bioscopio.

Raza Hyder se encogió de hombros:

—Entonces tendremos que aguantar el jaleo, porque no me rebajaré a discutir con peliculeros. —Al oír esto, Bilquìs apretó los labios en una sonrisa tensa y exangüe, y sus ojos miraron fieramente a través del espejo de la pared que la separaba de los imperios de su pasado.

El vagón era de un nuevo modelo, con un pasillo que comunicaba las puertas de los compartimientos, y unas horas más tarde Bilquìs volvía del lavabo de señoras cuando un joven de labios tan gruesos como los de Iskander Harappa se asomó por el depravado compartimiento de la gente del cine y le hizo ruiditos de besos, susurrándole endechas empapadas en whisky:

---

1. *The Daily Jang*, periódico de Rawalpindi, en urdu. *(N. del T.)*

—Te lo juro, *yaar*, puedes quedarte con tus mercancías extranjeras, la producción nacional es mejor, sin duda alguna. —Bilquìs pudo sentir cómo sus ojos le estrujaban los pechos, pero, por alguna razón inexplicable, no mencionó aquel insulto a su honor cuando volvió al lado de su marido.

El honor de Raza Hyder recibió también una bofetada en aquel viaje o, para ser exactos, a su terminación, porque cuando llegaron a la estación del Cantt en Q. se encontraron con una multitud de proporciones de plaga de langosta que los esperaba en el andén, cantando canciones de moda y tirando flores y agitando pancartas y banderas de bienvenida, y aunque Bilquìs vio que Raza se retorcía el mostacho, sus labios, que sonreían, no se movieron para advertirlo de la evidente verdad, que era que la bienvenida no estaba destinada al coronel sino a la despreciable gentuza del compartimiento de al lado. Hyder descendió del tren con los brazos extendidos y un discurso en el que garantizaba la seguridad de las vitales vetas de gas chorreándole de los labios, y casi fue arrollado por la avalancha de cazadoras de autógrafos y besadores de dobladillos que se precipitaba hacia las recatadas actrices. (Luchando por recuperar el equilibrio, no se dio cuenta de que un joven de labios gruesos agitaba sus dedos como despedida en dirección a Bilquìs.) La herida recibida aquí por su orgullo explica gran parte de lo que sucedió después; con la falta de lógica de los humillados, comenzó por desquitarse con su esposa, que compartía los antecedentes bioscópicos con sus adversarios... con lo que su rabia por la fracasada reencarnación de su unigénito se despertó de nuevo, y atravesó el puente recientemente tendido entre su esposa y los aficionados al cine, hasta que Raza, inconscientemente, comenzó a achacar sus dificultades como progenitor a los superficiales espectadores de los cines de Q.

Los problemas en un matrimonio son como el agua del monzón que se acumula en una azotea. Uno no se da cuenta de que está allí, pero se vuelve cada vez más pesada, hasta que un día, con gran estruendo, el techo entero se le cae a uno en la cabeza... dejando a Sindbad Mengal, el chico de labios de beso que era el hijo menor del presidente de la bioscópica sociedad y había venido para hacerse cargo de las actividades cinemáticas de la región, haciendo promesas de cambios semanales de programa, nuevas salas de cine, y apariciones regulares y en persona de las mayores estrellas y cantantes de *playback*, los Hyders empaquetaron sus propias seguridades de triunfo y se abrieron paso para salir de la estación, a través de la jubilosa multitud.

En el hotel Flashman, los condujo a una suite nupcial que olía sofocantemente a bolas de naftalina un alicaído criado, al que acompañaba el último de los monos domesticados con uniforme de botones y que, en los abismos de su desesperación, no pudo evitar tocarle a Raza Hyder en el brazo y preguntarle:

—Por favor, gran señor, ¿cuándo volverán los *sahibs* «angreses»?

¿Y Rani Harappa?

Adondequiera que mira hay rostros que la observan; por dondequiera que escucha, voces que utilizan un vocabulario de obscenidad tan multicolor que le tiñe las oyentes orejas de los colores del arco iris. Se despierta una mañana, poco después de su llegada, en su nuevo hogar, y se encuentra a chicas del campo revolviendo sus cajones de ropa, sacando y sosteniendo en alto ropa interior importada de encaje, examinando lápices de labios de color rubí.

—¿Qué diablos estáis haciendo?

Las dos chicas, sin avergonzarse, se vuelven para mirarla, sosteniendo todavía prendas, cosméticos, peines.

—Ay, mujer de Isky, no te preocupes, el *ayah* de Isky nos dijo que podíamos mirar. Enceramos los suelos y entonces ella nos dio permiso.

—¡*Ohé*, mujer de Isky, mírate en los suelos que hemos encerado! Más resbaladizos que el culo de un mono, te lo juro...

Rani se incorpora en la cama sobre los codos; su voz ahuyenta el sueño.

—¡Fuera! ¿No os da vergüenza estar aquí? Vamos, marchaos antes de que...

Las chicas se abanican como si hubiera una chimenea encendida en la habitación.

—¡Ay, Dios, qué calor!

—¡Oye, mujer de Isky, refréscate la lengua con agua!

Ella grita:

—¡No seáis insolen...!

Pero ellas la interrumpen:

—Olvídate de eso, señora, en esta casa se hace todavía lo que dice el *ayah* de Isky. —Las muchachas se dirigen, meneando sus descaradas caderas, hacia la puerta. Y se detienen en el umbral para la última flecha—: Mierda, la verdad es que Isky le regala a su mujer buena ropa, lo mejor que hay, de eso no hay duda.

—Es verdad. Pero si el pavo real baila en la selva, nadie puede verle la cola.

—Y decidle al *ayah* de Isky... decidle al aya que quiero ver a mi hija —grita, pero las chicas han cerrado la puerta, y una de ellas chilla desde el otro lado:

—¿A qué vienen tantos humos? La niña vendrá cuando esté lista.

Rani Harappa no llora ya, no le dice ya a su espejo *no*

puede ser verdad ni suspira con nostalgia indebida por el dormitorio de los cuarenta ladrones. Con hija y sin marido, está embarrancada en este corral del universo: Mohenjo, la hacienda rural de Harappa en Sind, que se extiende de horizonte a horizonte, padece escasez crónica de agua y está poblada de monstruos despreciativos y burlones: «Frankensteins, sin paliativo.» No se imagina ya que Iskander no sabe cómo la tratan aquí. «Lo sabe», le dice a su espejo. Su amado esposo, su novio sobre la plancha dorada. «Una mujer se vuelve más fofa después de tener un niño —le confía al espejo—, y a mi Isky le gustan las cosas duras.» Luego se tapa la boca con la mano y corre a puertas y ventanas para asegurarse de que nadie la ha oído.

Más tarde, está sentada con *shalwar* y *kurta* de *crêpe-de-chine* italiana en el porche más fresco, bordando un chal y mirando una nubecita de polvo en el horizonte. No, no puede ser Isky, él está en la ciudad con Shakil, su amigo del alma; sabía que iba a haber problemas, lo supe en el momento en que lo vi, ese barreño de carne de cerdo. Probablemente es sólo uno de esos pequeños remolinos que atraviesan a saltos la maleza.

La tierra de Mohenjo[1] es obstinada. Cuece a sus gentes en el calor hasta que se ponen duras como piedras. Los caballos de los establos son de hierro, el ganado tiene los huesos de diamante. Los pájaros picotean aquí terrones de tierra, escupen, construyen nidos de barro; hay pocos árboles, salvo en los bosquecillos embrujados, donde hasta los caballos de hierro se desbocan... un mochuelo, mientras Rani borda, duerme en un surco del suelo. Sólo se le puede ver la punta del ala.

«Si me asesinaran aquí la noticia no se sabría nunca fuera de la hacienda.» Rani no está segura de si ha

---

1. Mohenjo-Daro y Harappa fueron las capitales de la antigua civilización del valle del Indo. *(N. del T.)*

hablado o no en voz alta. Sus pensamientos, liberados por la soledad, se abren paso a menudo en estos días a través de sus labios inconscientes; y a menudo se contradicen, porque la mismísima idea que se forma en su mente mientras está sentada en la galería de pesado alero es: «Me gusta esta casa.»

Hay galerías a lo largo de las cuatro paredes; un largo pasaje cubierto y con mosquitero comunica la casa con el *bungalow* de la cocina. Uno de los milagros del lugar es que los *chapatis* no se enfrían en su viaje por esa larga senda de suelo de madera hasta el comedor; tampoco los *soufflés* se desinflan. Y óleos y arañas y techos altos y una terraza cubierta de alquitrán en la que una vez, antes de que él la abandonara allí, ella se arrodilló riéndose en el cielo de la mañana de su esposo todavía en el lecho. El hogar familiar de Iskander Harappa. «Por lo menos tengo este pedazo de él, este suelo, el lugar que lo vio nacer. Bilquìs, qué poca vergüenza debo de tener, para conformarme con una parte tan pequeña de mi marido.» Y Bilquìs, hablando por teléfono desde Q.: «A ti te parecerá bien, querida, pero yo no podría aguantarlo, no señor, de todas formas, mi Raza está siempre en el gas, pero no me compadezcas, querida, cuando vuelve a casa puede estar más cansado que el demonio, pero nunca demasiado cansado, ya sabes lo que quiero decir.»

La nube de polvo ha llegado ahora al pueblo de Mir, de modo que es un visitante y no un remolino. Ella intenta contener su excitación. El pueblo lleva el nombre del padre de Iskander, sir Mir Harappa, hoy fallecido pero en otro tiempo armado orgullosamente caballero por las autoridades «angresas» para recompensar servicios prestados. Todos los días limpian su estatua ecuestre de caca de pájaro. El sir Mir de piedra mira con igual altivez el hospital del pueblo y el burdel, como epítome de *zamindar* ilustrado... «Un visitante.» Ella da una palmada, toca la campanilla. Nada. Hasta que, por fin, el *ayah* de Isky, una mujer de huesos pesados y manos blandas y sin callos, trae una jarra de granadina.

—No hace falta que hagas tanto ruido, mujer de Isky, la familia de tu marido sabe cómo recibir.

Detrás del *ayah* está Gulbaba, sordo, medio ciego, y detrás de él un reguero de pistachos caídos que conduce hasta el plato semivacío que tiene en las manos.

—Ay, Dios, tus criados, querida —Bilquìs le brinda sus opiniones a larga distancia—, todos esos carcamales sobrantes de hace quinientos años. Te juro que deberías llevarlos al médico para que les pusiera una inyección sin dolor. ¡Hay que ver lo que aguantas! Ya que eres reina de nombre, deberías conquistarte una reputación de reina.

Ella se balancea en su silla de la galería, con la aguja moviéndose sin prisa, y siente que la presión de los momentos que pasan va exprimiendo de ella, gota a gota, la juventud y la alegría, y entonces los jinetes penetran en el patio y ella reconoce al primo de Iskander, Mir Harappa el Pequeño de la hacienda de Daro, que comienza exactamente mas allá del horizonte septentrional. En esos lugares, los horizontes sirven de vallas de separación.

—Rani Begum —grita Mir el Pequeño desde su caballo—, no me eches la culpa a mí. Échasela a tu marido, al que deberías atar más corto. Perdóname, pero el tío es un verdadero hijo de puta, y me ha sacado de mis casillas.

Una docena de jinetes armados desmontan y empiezan a saquear la casa, mientras Mir hace caracolear y encabritarse a su montura y lanza justificaciones a la mujer de su primo, en medio de la agitación de un frenesí vertiginoso y relinchante que libera su lengua de toda traba.

—¿Qué sabes tú de ese cabestro, señora? Se la chupo a quien sea, pero yo sí lo sé. Ese picha de cerdo homosexual. Pregúntales a los del pueblo cómo su abuelo encerraba a su mujer y se pasaba las noches en el burdel, cómo desapareció una puta cuando su tripa gorda no se pudo explicar ya por lo que comía, y entonces, de pronto, lady Harappa tenía un niño en brazos, aunque todo el mundo sabía que no se la habían tirado en diez años. De tal palo tal astilla, si quieres saber mi opinión, y lo siento si no te gusta. Engendro cabrón de buitres comedores de carroña, capaz de fornicar con su propia hermana. ¿Se cree que puede insultarme en público impunemente? ¿Quién es el mayor, yo o ese comedor de mierda del culo de burros muertos? ¿Quién es el gran propietario, yo o él, con sus seis pulgadas de tierras que no sirven ni para engordar piojos? Tú le dirás quién es el rey de estos contornos. Dile tú quién puede hacer aquí lo que quiere, y que venga a besarme los pies como un asesino violador de su propia abuela, y a pedirme perdón. Ese roedor del pezón izquierdo de un cuervo. Hoy va a saber quién es el que manda.

Saqueadores cortan de marcos dorados cuadros de la escuela de Rubens; sillas Sheraton ven amputadas sus patas. Colocan plata antigua en alforjas viejas y usadas. Garrafas de cristal tallado se astillan contra alfombras de mil nudos. Ella, Rani, continúa con su bordado en medio de la expedición de castigo. Los viejos criados, el *ayah*, Gulbaba, las chicas enceradoras, mozos y aldeanos del pueblo de Mir están de pie mirando, o en cuclillas y escuchando. Mir el Pequeño, orgullosa figura ecuestre, avatar en halcón de la estatua de la aldea, no se calla hasta que sus hombres han vuelto a montar en los caballos.

—El honor de un hombre está en sus mujeres —vocifera—. De modo que cuando me robó esa puta me robó mi honor, díselo a ese advenedizo bebedor de pis. Dile lo que hizo la rana del pozo, y lo que le contestó la rana gigante. Dile que tome nota y que tiene la suerte de que yo sea un hombre apacible. Hubiera podido recuperar mi honor quitándole el suyo. Señora, podría hacer contigo cualquier cosa, cualquier cosa, y ¿quién se atrevería a decirme que no? Aquí es mi ley, la ley de Mir, la que manda. *Salaam aleikum*.

El polvo de los jinetes al marcharse se posa en la superficie de la granadina sin tocar, y luego se hunde para formar un espeso sedimento en el fondo de la jarra.

—No puedo decírselo aún —le dice Rani a Bilquìs por teléfono—. Me avergüenzo demasiado.

—Ay, Rani, qué problemas tienes, —Bilquìs se compadece por la línea telefónica del Ejército—. ¿Cómo que no sabes? Aquí estoy yo, muerta de asco como tú, y hasta en esta nulidad de ciudad sé lo que dice todo Karachi. Querida, ¿quién no ha visto cómo tu Isky y ese médico gordo corretean por ahí, espectáculos de danzas del vientre, piscinas de hoteles internacionales adonde van las mujeres blancas desnudas, por qué te crees que te tiene donde estás? Alcohol, juego, opio, quién sabe qué. Esas mujeres con sus hojas de higuera impermeables. Perdóname, querida, pero alguien tiene que decírtelo. Peleas de gallos, peleas de osos, peleas de serpientes y mangostas, ese Shakil lo amaña todo como un chulo o lo que sea. ¿Y cuántas mujeres? Ay *baba*. Les echa mano a los muslos bajo las mesas de los banquetes. Dicen que los dos van al barrio de mala fama con cámaras de cine. Desde luego, es evidente lo que pretende ese Shakil, ese don nadie donde los haya se está dando la gran vida en bandeja, a lo mejor a algunas de esas mujeres les gusta que se las pasen, migajas de la mesa del rico, ya entiendes lo que quiero decir. En cualquier caso, lo que importa, querida, es que tu Isky le birló a su primo la putilla francesa más sabrosa delante de sus mismas narices, en algún importante acontecimiento cultural, siento decírtelo pero lo sabía toda la ciudad, fue tan divertido ver cómo

Mir se quedaba allí mientras Isky se iba con la fulana, ay Dios, no sé cómo no te hinchas de llorar. Bueno, no hay que excitarse, francamente tienes que saber quién es tu amiga y quién envenena tu nombre a tus espaldas. Tendrías que oírme por teléfono, querida, cómo te defiendo, como una tigresa, no tienes idea, encanto, ahí sentada y tratando a patadas a tus antiguallas de Gulbabas y demás.

Encuentra al *ayah* cloqueando desconsolada en medio de las ruinas del comedor.

—Se ha pasado —dice el *ayah*—. Mi Isky, ese niño malo. Fastidiando siempre, siempre a su primo. Se ha pasado. El muy gamberro.

Por dondequiera que mira hay rostros que la observan; por dondequiera que escucha, voces. La observan mientras, ruborizándose por la humillación que ello le causa, llama a Iskander para darle la noticia. (Ha necesitado tres días para atreverse.) Iskander Harappa no dice más que cuatro palabras.

—La vida es larga.

Raza Hyder se llevó a sus soldados del gas del valle de Aguja, después de una semana en la que sus actividades alarmaron tanto a la ciudad que el primer ministro del Estado, Gichki, le ordenó a Raza que se pusiera en marcha a toda velocidad, antes de que las reservas de vírgenes disponibles para los solteros de Q. mermaran hasta un punto en que la estabilidad moral de la región estaría en peligro. Acompañando a los soldados iban muchos arquitectos, ingenieros y trabajadores de la construcción, todos ellos en un estado de pánico de mearse en los pantalones, porque, por razones de seguridad, ninguno había sido informado de la suerte corrida por la avanzadilla hasta que llegaron a Q., donde inmediatamente escucharon versiones espléndidamente detalladas de aquella historia, de todos los *paanwallahs* de las esquinas. El personal de la construcción sollozaba dentro de furgonetas cerradas; los soldados, haciendo guardia, se burlaban: «¡Cobardes! ¡Niñas! ¡Mujerzuelas!» Raza, en su jeep portaestandarte, no oía nada de eso. No podía apartar sus pensamientos de los sucesos del día anterior, en que lo visitó en el hotel un gnomo obsequioso cuyos vestidos flojos olían poderosamente a gases de escape de *scooter*: Maulana Dawood, el antiguo santón, de cuyo cuello delgado como el de un pollo colgó en otro tiempo un collar de zapatos.

—Señor, gran señor, cuando contemplo tu ceño de héroe me siento edificado. —El *gatta*, el devoto moretón de la frente de Raza, no pasaba inadvertido.

—Oh no, hombre sapientísimo, soy yo quien se siente a la vez humillado y ensalzado por tu visita. —Raza Hyder estaba dispuesto a continuar en esa vena por lo menos once minutos, y se sintió un poco decepcionado cuando el santo hombre asintió y dijo bruscamente:

—Bueno, pues al asunto. Tú conoces a ese Gichki, claro. No se puede confiar en él.

—¿No?

—Decididamente no. Es un individuo de lo más corrompido. Pero tus archivos te lo dirán.

—Permíteme beneficiarme de la sabiduría de un hombre que lo conoce de cerca...

—Como todos los politicastros de ahora. Ningún temor de Dios y grandes negocios de contrabando. Pero esto te estará aburriendo; el Ejército está de vuelta de esos asuntos.

—Sigue, por favor.

—Artefactos diabólicos extranjeros, señor. Nada menos. Cosas del diablo del exterior.

De lo que se acusaba a Gichki de introducir ilegalmente en el país puro de Dios: frigoríficos, máquinas de coser de pedal, música popular norteamericana grabada a 78 revoluciones por minuto, fotonovelas que inflamaban las pasiones de las vírgenes locales, aparatos de aire acondicionado para uso doméstico, cafeteras de filtro, porcelana traslúcida, faldas, gafas de sol alemanas, concentrados de cola, juguetes de plástico, cigarrillos franceses, anticonceptivos, vehículos de motor libres de impuestos, cabezas de biela, alfombras de Axminster,[1] rifles de repetición, perfumes pecaminosos, sostenes, bragas de rayón, maquinaria agrícola, libros, lápices con contera de goma y neumáticos de bicicleta sin cámara. El funcionario de aduanas del puesto fronterizo estaba loco y su desvergonzada hija estaba dispuesta a hacer la vista gorda a cambio de gratificaciones regulares. Como consecuencia, todos esos artículos del infierno podían llegar a plena luz, por la carretera nacional, y abrirse camino hasta los mercados de gitanos, incluso en la capital.

—El Ejército —dijo Dawood con voz que había bajado hasta convertirse en un susurro— no debe limitarse a acabar con los salvajes de las tribus. En el nombre de Dios, señor.

—Señor, explícate.

—Señor, me explicaré. La plegaria es la espada de la fe. Por la misma razón, ¿no es una espada fiel, esgrimida por Dios, una forma de santa plegaria?

Los ojos del coronel Hyder se volvieron opacos. Se volvió para mirar por la ventana hacia una enorme casa silenciosa. Desde una ventana alta de la casa, un chico enfocaba con sus gemelos el hotel. Raza se volvió otra vez hacia el Maulana.

—Dices que es Gichki.

—Aquí es Gichki. Pero en todas partes pasa lo mismo. ¡Ministros!

1. Tipo de alfombra de mechones fabricado originalmente en esa ciudad inglesa. (N. del T.)

—Sí —dijo Hyder distraídamente—, son ministros, es verdad.

—Pues ya he dicho lo que tenía que decir y me despido, humillándome ante ti por el privilegio de este encuentro. Dios es grande.

—Que Dios te guíe.

Raza se dirigió a los campos de gas amenazados, con la conversación anterior en los oídos de la mente; y, en los ojos de esa mente, con la imagen de un chiquillo con gemelos, solo en una ventana alta. Un chico que era el hijo de alguien: una gota apareció en la mejilla del Viejo Razia Redaños y el viento se la llevó.

—Se ha ido por tres meses como mínimo —suspiró Bilquìs en el teléfono—. ¿Qué puedo hacer? Soy joven, y no puedo estar sentada todo el día como un búfalo en el barro. Gracias a Dios puedo ir al cine. —Todas las noches, dejando a su hija al cuidado de un *ayah* de contratación local, Bilquìs iba al cine recién estrenado, llamado Mengal Mahal. Sin embargo, Q. era una ciudad pequeña; los ojos ven cosas, incluso en la oscuridad… pero sobre este tema volveré más adelante, porque no puedo esquivar por más tiempo la historia de mi pobre heroína.

Dos meses después de que Raza Hyder se fuera al desierto a librar batalla contra los *dacoits* de los campos de gas, su única hija Sufiya Zinobia contrajo una encefalitis que la convirtió en idiota. Se oyó a Bilquìs, que se arrancaba el cabello y el *sari* con igual pasión, proferir una frase misteriosa: «Es un castigo», exclamó junto a la cama de su hija. Desesperando de los médicos militares y civiles, acudió a un *hakim* local, que preparó un costoso líquido destilado de raíces de cactus, polvo de marfil y plumas de papagayo, el cual salvó la vida de la niña pero (como el hechicero había advertido) produjo el efecto de retrasarla para el resto de sus días, porque los desgraciados efectos secundarios de una poción tan llena de elementos de longevidad eran retardar el paso del tiempo dentro del cuerpo de cualquiera al que se le administrase. Para el día del regreso de Raza, de permiso, Sufiya Zinobia se había librado de la fiebre, pero Bilquìs estaba convencida de poder discernir ya en su hija de dos-años-aún-no-cumplidos los efectos de una desaceleración que sería irreversible. «Y si se ha producido ese efecto», temía, «¿quién sabe qué otros habrá? ¿Quién podría decirlo?»

En las garras de un sentimiento de culpa tan agudo que hasta la enfermedad de su única hija parecía insuficiente para explicarlo, un sentimiento de culpa en el que, si yo tuviera una lengua que se agitara escandalosamente, diría que había también algo de mengálico, algo que tenía que ver con sesiones de cine y jóvenes de labios gruesos, Bilquìs Hyder se pasó la noche anterior al regreso de Raza dando vueltas sin dormir por la suite nupcial del hotel Flashman, y quizá deba observarse que una de sus manos, actuando, al parecer, con voluntad propia, acariciaba continuamente la región que rodeaba su ombligo. A las 4 horas en punto consiguió una conferencia con Rani Harappa en Mohenjo y le hizo las siguientes observaciones, poco juiciosas:

—Rani, es un castigo, ¿qué otra cosa si no? Él quería un hijo héroe; yo le he dado en cambio una hembra idiota. Ésa es la verdad, perdóname, no puedo evitarlo. Rani, ¡es una simple, una mentecata! Sin nada en la azotea. Con paja en lugar de calabaza entre las dos orejas. Con el tarro vacío. ¿Qué se puede hacer? Querida, no se puede hacer nada. ¡Esa cabeza de chorlito, esa ratita! Tengo que aceptarla: ella es mi vergüenza.

Cuando Raza Hyder volvió a Q., el chico estaba otra vez en la ventana de la gran casa solitaria. Uno de los guías locales, en respuesta a la pregunta del coronel, le dijo a Raza que la casa era propiedad de tres brujas locas y pecadoras, que jamás salían pero se las arreglaban para tener niños de todas formas. El chico de la ventana era su segundo hijo: como brujas que eran, pretendían compartir entre ellas su progenie.

—Pero se dice, señor, que en esa casa hay más riquezas que en el tesoro de Alejandro Magno.

Hyder replicó con algo que sonaba como desprecio:

—Vaya. Pero, si el pavo baila en la selva, ¿quién puede verle la cola?

Sin embargo, no apartó los ojos del chico de la ventana hasta que el jeep llegó al hotel, donde encontró a su mujer aguardándolo, con el cabello suelto y la cara limpia de cejas, de forma que era la encarnación misma de la tragedia, y entonces oyó lo que ella se había sentido demasiado avergonzada para comunicarle. La enfermedad de su hija y la visión del chiquillo de los gemelos se combinaron en el ánimo de Hyder con la amargura de sus noventa días en el desierto, y le hicieron salir vociferando de la suite nupcial, estallando en una rabia tan terrible que, por su propia seguridad personal, hubo que encontrar una válvula de escape tan pronto como fue posible. Hyder ordenó a un coche del Estado Mayor que lo llevara a la residencia del primer ministro Gichki, en el Acantonamiento, y, sin ceremonias, informó al ministro de que, aunque los trabajos de construcción en Aguja estaban muy avanzados, la amenaza de las tribus no podría eliminarse a menos que se le autorizara a él, Hyder, a tomar medidas de castigo draconianas.

—Con la ayuda de Dios estamos defendiendo el lugar, pero ahora hay que dejarse de andar por las ramas. Señor, debéis poner la Ley en mis manos. Carta blanca. Hay ciertos momentos en que la Ley civil tiene que inclinarse ante la necesidad militar. La violencia es el lenguaje de esos salvajes; pero la Ley nos obliga a hablar en la desacreditada lengua mujeril del mínimo de fuerza. No sirve de nada, señor. Y no puedo garantizar resultados. —Y cuando Gichki respondió que por ningún concepto podían ser despreciadas las leyes del Estado por las fuerzas armadas:

—¡No habrá atrocidades en esos montes, señor! ¡Ni torturas, ni gente colgada de los pies, no mientras yo sea primer ministro!...

Raza, en un tono descortésmente alto que se escapó por las puertas y ventanas del despacho de Gichki, aterrorizando a los criados de fuera porque procedía de los labios de alguien habitualmente tan educado, le hizo al primer ministro una advertencia:

—El Ejército vigila en estos tiempos, Gichki Sahib. Por todo el país, los ojos de honrados soldados ven lo que ven, y no nos gusta, no señor. El pueblo se agita, señor. Y si se aparta de los políticos, ¿adónde se volverá buscando pureza?

Raza Hyder, en su cólera, dejó a Gichki —pequeño, de pelo cortado a lo *zeppelin*, con cara aplastada de chino— formulando la respuesta que-nunca-pronunciaría; y encontró a Maulana Dawood que lo esperaba junto al coche del Estado Mayor. El soldado y el santón se fueron sentados en el asiento trasero, y sus palabras quedaron protegidas del conductor por una lámina de cristal. Pero parece probable que, tras esa pantalla, un nombre pasara de la lengua santa al oído marcial: un nombre con insinuaciones de escándalo. ¿Le habló Maulana Dawood a Hyder de los encuentros entre Bilquìs y su Sindbad? Sólo digo que parece probable. Todo el mundo es inocente mientras no se demuestre que es culpable es una regla excelente.

Aquella noche, el ejecutivo cinematográfico Sindbad Mengal salió como siempre de su oficina en el Mengal Mahal, por la puerta de atrás, entrando en una oscura calleja que había detrás de la pantalla de cine. Silbaba una

143

melodía triste, la melodía de un hombre que no puede reunirse con su amada aunque hay luna llena. A pesar de la soledad de la canción, iba vestido de punta en blanco, como era su costumbre: con su brillante atuendo europeo, campera y pantalones de dril, estaba radiante en la calleja, y la luz lunar de la melancolía rebotaba en el aceite de su pelo. Es probable que no llegara a notar siquiera que las sombras de la calleja habían empezado a acercársele; el cuchillo, que la luna habría iluminado, fue conservado evidentemente en su funda hasta el último instante. Lo sabemos porque Sindbad Mengal no dejó de silbar hasta que el cuchillo le penetró en las tripas, y entonces otra persona empezó a silbar la misma canción, por si acaso alguien pasaba y sentía curiosidad. Una mano tapó la boca de Sindbad mientras el cuchillo trabajaba. En los días siguientes, la ausencia de Mengal de su oficina llamó inevitablemente la atención, pero hasta que varios espectadores se quejaron del deterioro de la calidad del sonido estereofónico no inspeccionó un ingeniero los altavoces que había tras la pantalla, descubriendo segmentos de la camisa blanca y los pantalones de dril de Sindbad Mengal escondidos en ellos. Las prendas cortadas a cuchillo contenían todavía los pedazos correspondientes del cuerpo del director del cine. Le habían cortado los órganos genitales, introduciéndoselos en el recto. La cabeza no se encontró nunca, ni se llevó al asesino ante los tribunales.

La vida no siempre es larga.

Aquella noche Raza copuló con Bilquìs con una rudeza que ella quiso atribuir a los meses pasados en el desierto. El nombre de Mengal nunca se mencionó entre ellos, ni siquiera cuando la ciudad zumbaba con la historia del asesinato, y poco después Raza volvió al valle de Aguja. Bilquìs dejó de ir al cine y, aunque en ese período conservó su compostura de reina, parecía como si estuviese de pie en un saliente que se desmoronara sobre un abismo, porque se hizo propensa a los ataques de vértigo. Una vez, cuando cogió a su deteriorada hija para jugar al tradicional juego del aguador, echándose a Sufiya Zinobia a la espalda y pretendiendo que era un odre, se cayó al suelo bajo la encantada niña antes de haber terminado de verterla. Poco después llamó a Rani Harappa para anunciarle que estaba embarazada. Mientras estaba comunicando esa información, el párpado del ojo izquierdo, inexplicablemente, comenzó a nictitarle.

Un picor en la palma de la mano significa dinero en perspectiva. Unos zapatos cruzados en el suelo significan un viaje; unos zapatos vueltos del revés anuncian una tragedia. Tijeras que cortan en el vacío significan una disputa familiar. Y un ojo izquierdo que parpadea significa que pronto habrá malas noticias.

«En mi próximo permiso —le escribió Raza a Bilquìs— iré a Karachi. Tengo obligaciones familiares, y además el mariscal Aurangzeb da una recepción. No se puede rehusar una invitación de un comandante en jefe. En tu estado, sin embargo, será mejor que descanses. Sería desconsiderado por mi parte pedirte que me acompañaras en ese viaje no obligatorio y fatigoso.»

La educación puede ser una trampa, y Bilquìs cayó en la red de la cortesía de su esposo. «Como tú quieras», le escribió en contestación, y lo que le hizo escribir eso no fue por completo un sentimiento de culpabilidad, sino también algo intraducible, una ley que la obligaba a fingir que las palabras de Raza no querían decir más de lo que decían. Esa ley se llama *takallouf*. Para conocer a una sociedad, echad una ojeada a sus palabras intraducibles. *Takallouf* es miembro de esa secta de conceptos oscura y universal que se niega a atravesar las fronteras lingüísticas: designa una forma de formalismo inhibidor, una restricción social tan extrema que hace imposible que la víctima exprese lo que realmente quiere decir, una especie de ironía forzada que insiste, por razones de buena educación, en ser tomada literalmente. Cuando el *takallouf* se interpone entre marido y mujer, cuidado.

Raza fue solo a la capital... y ahora que una palabra intraducible ha puesto a Hyder y Harappa, sin la traba de sus esposas, muy cerca de un nuevo encuentro, ha llegado el momento de analizar la situación, porque nuestros dos duelistas se encontrarán pronto librando batalla. Incluso ahora, la causa de su primer altercado está haciendo que una criada le aceite y trence el cabello. Ella, Atiyah Aurangzeb, para sus íntimos «Clavelitos», está considerando, fríamente, la velada que ha decidido organizar en nombre de su casi senil marido, el desmoronado mariscal Aurangzeb, jefe del Estado Mayor Conjunto. Clavelitos Aurangzeb tiene treinta y tantos años, varios más que Raza e Iskander, pero eso no disminuye su atractivo; las mujeres maduras tienen, como es sabido, su propio encanto. Atrapada en un matrimonio con un viejo chocho, Clavelitos busca sus placeres donde los encuentra.

Entretanto, hay dos esposas abandonadas en sus exilios separados, cada una de ellas con una hija que hubiera debido ser un hijo (hay que decir más cosas de la joven Arjumand Harappa; no hay duda de que escribiré más sobre la pobre e idiota Sufiya Zinobia). Se han esbozado dos enfoques diferentes del asunto de la venganza. Y mientras Iskander Harappa se asocia con un gordo barreno de carne de cerdo llamado Omar Khayyam Shakil, con fines de libertinaje, etc. se diría que Raza Hyder ha caído bajo el influjo de una eminencia gris, que le susurra secretos austeros en los asientos de atrás de limusinas del Ejército. Cines, hijos de brujas, moretones en la frente, ranas y pavos reales han contribuido a crear una atmósfera en la que el hedor del honor lo impregna todo.

Sí, ya es hora de que los combatientes salgan a la palestra.

Lo cierto es que Clavelitos Aurangzeb golpeó a Raza Hyder exactamente entre los dos ojos. Él la deseaba tanto que el moretón de la frente le dolía, pero la perdió ante Iskander Harappa, allí mismo, en la recepción del mariscal, mientras el viejo soldado dormitaba en su sillón, relegado a un rincón de la brillante multitud, pero, incluso en ese estado de cornudo soñoliento y chocho, sin derramar ni una gota del vaso rebosante de whisky con soda que agarraba con mano dormida.

En aquella ocasión fatídica comenzó un duelo que continuaría al menos hasta que ambos protagonistas murieron, si no más. El premio inicial fue el cuerpo de la mujer del mariscal, pero luego pasó a cosas más altas. Sin embargo, lo primero es lo primero: y el cuerpo de Clavelitos, excitantemente expuesto, con un *sari* verde peligrosamente bajo sobre las caderas, al estilo de las mujeres del Ala Oriental; con pendientes de plata y diamantes en forma de media-luna-y-estrella, que le colgaban relucientes de los perforados lóbulos; y llevando sobre los hombros, irresistiblemente vulnerables, un ligero chal cuyo fabuloso trabajo sólo podía ser obra de los legendarios bordadores de Aansu, porque, en medio de sus arabescos minúsculos, había representadas con hilos de oro mil y una historias, tan vívidamente que parecía que diminutos jinetes galopasen de veras por su clavícula, mientras unos pájaros pequeñitos parecían volar, volar verdaderamente, bajando por el gracioso meridiano de su espina dorsal... un cuerpo así merece que uno se detenga en él.

Y deteniéndose en él, cuando Raza consiguió abrirse paso a través de los torbellinos y remolinos de los caballeretes y mujeres celosas que rodeaban a Clavelitos Aurangzeb, estaba el semiborracho Iskander Harappa, *playboy* número uno de la ciudad, al que aquella visión de ensueño sonreía con un calor que hizo helarse el espeso sudor de excitación del encerado bigote de Raza, mientras aquel degenerado tristemente célebre, tan mal hablado que podía hacer avergonzarse hasta a su primo Mir, le contaba a la diosa chistes verdes.

Raza Hyder estaba tieso, en violenta posición de firmes, con el vestido de su deseo rígido por el almidón del *takallouf*... y entonces Isky dio un hipido:

—¡Mira quién está aquí! ¡Nuestro héroe de la puñeta, el *tilyar*! —Clavelitos se rió disimuladamente, mientras Iskander adoptaba una actitud profesoral, ajustándose unos quevedos invisibles—: El *tilyar*, señora, como probablemente sabe, es un pajarito migratorio y flaco que sólo vale para pegarle un tiro. —Ondas de risa se extendieron a través de los arremolinados caballeretes. Clavelitos, aniquilando a Raza con una mirada, murmuró:

—Encantada.

Y Raza se encontró respondiendo con una ceremoniosidad ampulosa y desastrosamente torpe:

—El gusto es mío, señora, y he de decir que, en mi opinión y con la gracia de Dios, la sangre nueva será la clave del éxito de nuestro gran país nuevo.

Pero Clavelitos Aurangzeb fingió sofocar una carcajada.

—Se la chupo a quien sea, *tilyar* —vociferó alegremente Iskander Harappa—, esto es una fiesta, *yaar*, nada de joder con discursos, por amor de Dios. —La rabia enterrada bajo los nuevos modales de Hyder estaba a punto de rebosar, pero era impotente contra aquella sofisticación que permitía la grosería y la blasfemia y podía asesinar el deseo de un hombre y su orgullo con una risita ingeniosa.

—Primo —trató de decir catastróficamente—, yo no soy más que un soldado.

Pero entonces su anfitriona dejó de fingir no reírse de él, se ajustó el chal sobre los hombros, puso una mano en el brazo de Iskander Harappa y le dijo:

—Llévame al jardín, Isky. El aire acondicionado resulta aquí demasiado frío, pero fuera se está bien y hace calor.

—¡Pues vamos al calor, rápido! —exclamó Harappa galantemente, poniendo su vaso en la mano de Raza para que se lo guardara—. Por ti, Clavelitos, entraré en los hornos del infierno, si necesitas protección cuando llegues. Mi abstemio pariente Raza no es menos valiente —añadió por encima del hombro al irse—, pero él no va al infierno por las damas sino a buscar gas.

Contemplando desde los laterales cómo Iskander Harappa se llevaba a su presa al crepúsculo sofocante y almizclado del jardín estaba la fláccida figura himaláyica de nuestro periférico héroe Omar Khayyam Shakil, médico.

No os forméis una opinión demasiado mala de Atiyah Aurangzeb. Siguió siéndole fiel a Iskander Harappa incluso después de volverse él formal y prescindir de sus servicios, y se retiró sin una queja a la estoica tragedia de su vida privada, hasta el día de su muerte, en el que, después de pegar fuego a un viejo chal bordado, se partió el corazón con un cuchillo de cocina de nueve pulgadas. Y también Isky le fue fiel a su modo. Desde el momento en que ella se convirtió en su amante, dejó de dormir por completo con su mujer Rani, asegurándose así de que ella no tuviera más hijos y de que él fuera el último de su estirpe, idea que, como le dijo a Omar Khayyam Shakil, no carecía de cierto atractivo.

(Aquí tendría que explicar el asunto de las hijas-que-hubieran-debido-ser-hijos. Sufiya Zinobia fue el «milagro que salió mal», porque su padre había querido un chico; pero ése no era el problema de Arjumand Harappa. Arjumand, la famosa «virgen Bragas de Hierro» lamentaba su sexo femenino por razones que nada tenían que ver con sus padres. «Este cuerpo de mujer —le dijo a su padre el día en que se convirtió en mujer hecha y derecha— no le trae a una más que niños, pellizcos y vergüenza.»)

Iskander volvió a aparecer, viniendo del jardín, cuando Raza se disponía a marcharse, e intentó hacer las paces. Con una ceremoniosidad que igualaba a la de Raza, le dijo:

—Mi querido amigo, antes de volver a Aguja tienes que venir a Mohenjo; Rani se alegraría tanto. Pobre chica, me gustaría que disfrutase de esta vida de ciudad... e insisto en que lleves también a tu Billoo. Que las señoras se despachen a gusto mientras nosotros cazamos *tilyars* el día entero. ¿Qué me dices?

Y el *takallouf* obligó a Raza Hyder a responder:

—Gracias, lo haré.

El día anterior a que dictaran su sentencia de muerte, se permitió a Iskander Harappa hablar por teléfono con su hija durante un minuto exacto. Las últimas palabras que le dirigió en privado tenían el sabor acre de la nostalgia desesperada de aquellos tiempos encogidos en la distancia: «Arjumand, amor, hubiera tenido que dar la batalla a ese Hyder porculizador de búfalos cuando se me puso a tiro. Dejé la cosa sin acabar, y ése fue mi mayor error.»

Hasta en su período de *playboy*, Iskander, de cuando en cuando, sentía remordimientos por su esposa secuestrada. En esos momentos reunía a unos cuantos amigotes, los metía a empujones en coches de tipo ranchera y llevaba un convoy de alegría urbana a su finca rural. Clavelitos Aurangzeb brillaba por su ausencia; y Rani era reina por un día.

Cuando Raza Hyder aceptó la invitación de Isky para Mohenjo, los dos fueron juntos en un coche, seguidos por otros cinco vehículos que contenían una amplia reserva de whisky, *starlets*, hijos de magnates de la industria textil, diplomáticos europeos, sifones y esposas. Se encontraron con Bilquìs, Sufiya Zinobia y el *ayah* en la estación privada de ferrocarril que sir Mir Harappa construyó en la línea principal de la capital a Q. Y, durante un día, no ocurrió absolutamente nada malo.

Después de la muerte de Isky Harappa, Rani y Arjumand Harappa estuvieron encerradas en Mohenjo durante varios años y, para llenar los silencios, la madre le habló a la hija del asunto del chal.

—Empecé a bordarlo antes de saber que estaba compartiendo a mi marido con la mujer de Mir el Pequeño, pero resultó ser una premonición completa de otra mujer.

Para entonces, Arjumand Harappa había llegado ya a la fase en que se negaba a oír nada malo acerca de su padre. Contestó bruscamente:

—Por Alah, madre, no sabes más que quejarte del presidente. Si él no te quería, debiste de hacer algo para merecerlo.

Rani Harappa se encogió de hombros.

—El presidente Iskander Harappa, tu padre, al que siempre quise —respondió—, era el campeón mundial de la desvergüenza; un granuja internacional y un hijoputa de primera. Mira, hija, yo recuerdo aquellos tiempos, recuerdo a Raza Hyder cuando no era un diablo con cuernos y rabo, y también a Isky, antes de que se convirtiera en santo.

La cosa mala que ocurrió en Mohenjo cuando los Hyders estaban allí fue iniciada por un hombre gordo que había bebido demasiado. Ocurrió en la segunda noche de aquella visita, en aquella misma galería en la que Rani Harappa había seguido bordando mientras los hombres de Mir el Pequeño saqueaban la casa... una incursión cuyos efectos podían verse todavía, en los marcos de cuadro vacíos con fragmentos de lienzo adheridos a las esquinas, en los sofás a los que se les salía el relleno por el cuero desgarrado, en el descabalado surtido de cubiertos en la mesa del comedor y los letreros obscenos del vestíbulo, que todavía podían descifrarse bajo las capas de cal. La ruina parcial de la casa de Mohenjo daba a los huéspedes la sensación de celebrar una fiesta en medio de un desastre, y les hacía esperar más jaleo, de forma que la risa clara de Zehra, la *starlet*, tenía un toque de histeria y todos los hombres bebían demasiado aprisa. Y durante todo el tiempo Rani Harappa estuvo sentada en su mecedora, trabajando en su chal y dejando la organización de Mohenjo al *ayah*, que le hacía fiestas a Iskander como si él tuviera tres años, o fuera una deidad, o ambas cosas. Y finalmente el jaleo se produjo, y como era el destino de Omar Khayyam Shakil influir, desde su puesto en la periferia, en los grandes acontecimientos cuyos protagonistas eran otros pero que, colectivamente, constituían su propia vida, fue él quien dijo, con la lengua suelta por la neurótica forma de beber de aquella velada, que la señora Bilquìs Hyder era una mujer de suerte, y que Iskander le había hecho un favor birlándole Clavelitos Aurangzeb a Raza en sus mismas narices. «Si no hubiera sido por Isky, quizá la Begum de nuestro héroe hubiera tenido que consolarse con niños, porque no habría tenido ningún hombre que llevarse a la cama.» Shakil había hablado demasiado fuerte, para llamar la atención de la *starlet* Zehra, que estaba más interesada en las miradas superradiantes que le estaba echando un tal Akbar Junejo, jugador y productor de cine muy conocido; cuando Zehra se alejó sin molestarse en dar excusas, Shakil se enfrentó con el espectáculo de una Bilquìs de ojos muy abiertos, que acababa de salir a la galería después de llevar a su hija a la cama y en la que el embarazo se manifestaba demasiado pronto... de forma que ¿quién sabe si no fue ésa la razón de la actitud de Bilquìs, si no estaba intentando simplemente trasladar su propia culpa a los hombros de su marido, cuya probidad era ahora también tema de maledicencia...? En cualquier caso, lo que ocurrió fue esto: cuando a los huéspedes les resultó evidente que las palabras de Omar Khayyam habían sido oídas y comprendidas por la mujer que estaba echando chispas en la galería de la tarde, se hizo el silencio y una calma que redujo la fiesta a un cuadro terrorífico, y en esa calma Bilquìs Hyder gritó el nombre de su marido.

No hay que olvidar que era una mujer a la que el *dupatta* del honor femenino se le quedó colgando cuando el resto de las ropas le fue arrebatado del cuerpo. Raza Hyder e Iskander Harappa se miraron fijamente en silencio, mientras Bilquìs apuntaba con un dedo índice de larga uña al corazón de Omar Khayyam Shakil.

—¿Has oído a ese hombre, esposo? ¿Has oído la vergüenza que está arrojando sobre mí?

¡Oh el silencio, el mutismo, como una nube que oscurecía el horizonte! Hasta los mochuelos se abstuvieron de chillar.

Raza Hyder se cuadró, porque, una vez que se ha sacado de su sueño al *afrit* del honor, no se va hasta quedar satisfecho.

—Iskander —dijo Raza—, no pelearé contigo en tu casa. —Entonces hizo algo extraño y absurdo. Salió de la galería, entró en los establos y volvió con una estaca de madera, un mazo y un pedazo de cuerda fuerte y resistente. Clavó la estaca en el suelo, duro como la piedra; y luego el coronel Hyder, futuro presidente, se ató por un tobillo y tiró el mazo.

»Aquí estoy —gritó—; que quien calumnia mi honor salga a vérselas conmigo. —Y allí se estuvo, durante toda la noche; porque Omar Khayyam Shakil se apresuró a entrar en la casa, para desmayarse de alcohol y de susto.

Hyder daba vueltas como un toro, con la cuerda como radio tendida entre su tobillo y la estaca. La noche se espesó; los huéspedes, desconcertados, se encaminaron a la cama. Pero Isky Harappa se quedó en la galería, sabiendo que, aunque la tontería había sido del gordo, la verdadera disputa era entre el coronel y él. La *starlet* Zehra, al dirigirse hacia una cama de la que sería imperdonablemente lenguaraz por mi parte insinuar que estaba ya ocupada —de modo que no diré nada sobre el tema—, le advirtió a su anfitrión:

—Que no se te ocurra hacer ninguna bobada, Isky, encanto, ¿me oyes? Ni pensar en salir. Es un soldado, míralo, parece un tanque, te mataría seguro. Déjale que se le pase, ¿de acuerdo?

Pero Rani Harappa no le dio a su marido ningún consejo. («Sabes, Arjumand —le dijo a su hija, años más tarde—. Me acuerdo de cuando tu padre era demasiado apocado para tomarse sus medicinas como un hombre.»)

Cómo terminó: mal, como tenía que terminar. Poco antes del alba. Tenéis que comprenderlo: Raza había estado toda la noche en vela, pateando el círculo de su orgullo, con los ojos rojos de rabia y de fatiga. Unos ojos rojos no ven bien... y la luz era mala... y, en cualquier caso, ¿quién ve venir a un criado...? lo que quiero decir es que el viejo Gulbaba se despertó temprano y atravesó el patio con una *lotah* de latón, para hacer sus abluciones antes de rezar sus plegarias; y, al ver al coronel Hyder atado a una estaca, se acercó silenciosamente a él para preguntarle, señor, ¿qué haces ahí, no sería mejor que entraras a...? Los viejos criados se toman libertades. Es el privilegio de los años. Pero Raza, ensordecido por el sueño, sólo escuchó pasos, una voz; sintió un golpecito en la espalda; se dio la vuelta; y, con un golpe terrible, abatió a Gulbaba como una ramita. La violencia liberó algo dentro del anciano; llamémoslo vida porque, antes de un mes, el viejo Gul había muerto, con una expresión de confusión en el rostro, como un hombre que sabe que ha extraviado algo importante y no consigue recordar qué es.

A raíz de ese golpe asesino, Bilquìs se aplacó, y surgió de la sombra de la casa para persuadir a Raza de que se soltara del poste. «La pobre niña, Raza, que no vea esto.» Y cuando Raza volvió a la galería, Iskander Harappa, también sin dormir y sin afeitar, le abrió los brazos, y Raza, con elegancia considerable estrechó a Isky, hombro con hombro, dejando, según dicen, que sus cuellos se encontraran.

Cuando Rani Harappa salió de su tocador al día siguiente para despedir a su marido, Iskander se puso pálido al ver el chal que ella se había echado por los hombros, un chal terminado, trabajado tan delicadamente como cualquier prenda hecha por las bordadoras de Aansu, una obra maestra entre cuyos minúsculos arabescos había representadas mil y una historias, tan ingeniosamente que parecía que jinetes galopasen por su clavícula, mientras unos pájaros pequeñitos volaban por el suave meridiano de su espina dorsal. «Adiós, Iskander —le dijo ella—, y no te olvides de que el amor de algunas mujeres no es ciego.»

Bien, bien, amistad es una palabra inexacta para lo que había entre Raza e Iskander, pero durante mucho tiempo después del incidente de la estaca fue la palabra que ambos usaron. A veces resulta difícil encontrar la palabra exacta.

Ella ha querido siempre ser reina, pero ahora que Raza Hyder es, por fin, una especie de príncipe, la ambición se le ha agriado en los labios. Ha nacido un segundo bebé, seis semanas antes de tiempo, pero Raza no ha pronunciado una palabra de sospecha. Otra hija, pero tampoco se ha quejado de ello, diciendo sólo que lo correcto es que el primero sea chico y el segundo chica, de forma que no hay que culpar a la recién llegada del error de su hermana mayor. Han llamado a la niña Naveed, es decir, Buenas Noticias, y es un bebé modelo. Pero la madre ha quedado lesionada por ese nacimiento. Algo se le ha desgarrado por dentro, y la opinión de los médicos es que no debe tener más hijos. Raza Hyder no tendrá jamás un hijo. Ha hablado, sólo una vez, del chico de los gemelos de la ventana de la casa de las brujas, pero también ese tema ha quedado cerrado. Se está retirando de su mujer, por los pasillos de la mente, cerrando las puertas tras él. Sindbad Mengal, Mohenjo, amor: todas esas puertas están cerradas. Ella duerme sola, de forma que sus viejos miedos la tienen a su merced, y es en esos tiempos cuando empieza a temer al viento cálido de la tarde que tan ferozmente sopla desde su pasado.

Se ha declarado la ley marcial. Raza ha detenido a Gichki, el primer ministro, y ha sido nombrado administrador de la región. Se ha trasladado a la residencia del ministro, con su esposa y sus hijas, abandonando a sus propios recuerdos aquel hotel resquebrajado en el que el último mono adiestrado se dedica a vagar apáticamente en medio de las palmeras moribundas del comedor, mientras unos músicos envejecidos rascan sus carcomidos violines para un público de mesas vacías. Ella no ve mucho a Raza en esos tiempos. Él tiene trabajo. El gasoducto avanza satisfactoriamente, y ahora que Gichki no estorba se ha inaugurado un programa de escarmiento de los hombres de las tribus detenidos. Ella teme que los cuerpos de los ahorcados hagan que los ciudadanos de Q. se vuelvan contra su marido, pero no se lo dice. Él está siguiendo una política dura, y Maulana Dawood le da todos los consejos que necesita.

La última vez que visité Pakistán me contaron este chiste. Dios bajó a Pakistán para ver cómo iban las cosas. Le preguntó al general Ayub Khan por qué andaba todo manga por hombro. Ayub respondió: «Son esos civiles corrompidos e inútiles. Líbrate de ellos y déjame el resto a mí.» De forma que Dios eliminó a los politicastros. Al cabo de cierto tiempo, Él volvió; las cosas iban todavía peor que antes. Esta vez, Él le pidió a Yahya Khan una explicación. Yahya le echó la culpa de las dificultades a Ayub, sus hijos y sus gorrones. «Haz lo que hace falta —suplicó Yahya— y limpiaré todo esto como es debido.» De forma que los rayos divinos aniquilaron a Ayub. En Su tercera visita, Él se encontró con una catástrofe, de forma que convino con Zulfikar Ali Bhutto en que debía volver la democracia. Convirtió a Yahya en cucaracha y lo barrió bajo la alfombra; sin embargo, unos años más tarde, se dio cuenta de que la situación seguía siendo bastante horrible. Fue a ver al general Zia y le ofreció el poder supremo: con una condición. «Lo que tú quieras, Dios —le respondió el general—. Di lo que sea.» De forma que Dios le dijo: «Respóndeme a una pregunta y te aplastaré a Bhutto como a un *chapati*.» Zia dijo: «Venga.» De forma que

Dios le susurró al oído: «Mira, no hago más que hacer cosas por este país, y lo que no entiendo es: ¿por qué la gente parece no amarme ya?»

Parece evidente que el presidente de Pakistán consiguió dar a Dios una respuesta satisfactoria. Me pregunto cuál pudo ser.

III

VERGÜENZA, BUENAS NOTICIAS Y LA VIRGEN

7. SONROJO

No hace tanto tiempo, en el East End londinense, un padre paquistaní asesinó a su único hijo, una hija, porque, al tener relaciones sexuales con un muchacho blanco, había arrojado tal deshonra sobre su familia que sólo su sangre podía lavar la mancha. La tragedia se vio aumentada por el inmenso y evidente amor del padre por su hija sacrificada, y por la acosada resistencia de sus amigos y parientes («todos asiáticos», para utilizar la equívoca expresión de estos tiempos difíciles) a condenar sus actos. Afligidos, dijeron ante los micrófonos de radio y las cámaras de televisión que comprendían el punto de vista de aquel hombre, y siguieron apoyándolo incluso cuando se supo que, en realidad, la chica nunca había «llegado hasta el final» con su amigo. La historia me horrorizó cuando la oí, me horrorizó de una forma bastante evidente. Hacía poco que yo mismo me había convertido en padre y, por consiguiente, era capaz de estimar qué fuerza tan colosal hace falta para que un hombre hunda un cuchillo en su propia carne y sangre. Pero todavía más horroroso fue darme cuenta de que, como los amigos, etc. entrevistados, también yo comprendía al asesino. La noticia no me parecía extraña. Los que nos hemos criado con una dieta de honor y de vergüenza podemos entender todavía lo que debe parecer impensable a personas que viven después de la muerte de Dios y de la tragedia: que un hombre sacrifique lo que más ama en el altar implacable de su orgullo. (Y no sólo un hombre. Después he oído hablar de un caso en que una mujer cometió un crimen idéntico por idénticas razones.) Entre la vergüenza y la desvergüenza está el eje alrededor del cual giramos; las condiciones meteorológicas en esos dos polos son de lo más extremado y brutal. Desvergüenza, vergüenza: las raíces de la violencia.

Mi Sufiya Zinobia nació del cadáver de esa niña asesinada, aunque ella (no temáis) no será sacrificada por Raza Hyder. Queriendo escribir sobre la vergüenza, me persiguió primero el espectro imaginado de ese cuerpo muerto, degollado como un pollo *halal*, echado en la noche londinense sobre un paso de cebra, atravesado como un fardo en el negro y blanco, negro y blanco, mientras centelleaba sobre él un faro intermitente, naranja, no-naranja, naranja. Pensé que el crimen se había cometido allí, públicamente, ritualmente, a la vista de todas las ventanas. Y ni una sola boca se abrió para protestar. Y cuando la policía llamó a las puertas, ¿qué ayuda podía esperar? La inescrutabilidad de un rostro «asiático» ante los ojos de un enemigo. Al parecer, hasta los insomnes, en sus ventanas, cerraron los párpados y no vieron nada. Y el padre se fue con su nombre lavado con sangre y con su dolor.

Llegué hasta a dar a la niña muerta un nombre: Anahita Muhammad, conocida por Anna. En mi imaginación, hablaba con acento del este londinense pero llevaba vaqueros, azules castaños rosas por alguna resistencia atávica a enseñar las piernas. Sin duda, comprendía el idioma que sus padres hablaban en casa, pero se negaba obstinadamente a soltar una palabra en él. Anna Muhammad: bulliciosa, sin duda atractiva, un poco demasiado peligrosamente atractiva a sus dieciséis. La Meca significaba para ella salas de baile, bolas plateadas que daban vueltas, luces estroboscópicas, juventud. Me bailaba tras los ojos, cambiando de carácter cada vez que la vislumbraba: ora inocente, ora puta, luego otra cosa y otra más. Pero finalmente se me escapó, se convirtió en fantasma, y comprendí que, para escribir sobre ella, sobre la vergüenza, tendría que volver al Oriente, para que la idea pudiera respirar su aire favorito. Anna, deportada, repatriada a un país que nunca había visto, atrapó una encefalitis y se convirtió en una especie de idiota.

¿Por qué le hice eso?... O quizá la fiebre fue una mentira, un producto de la imaginación de Bilquìs Hyder, destinado a ocultar las lesiones causadas por golpes repetidos en la cabeza: el odio puede convertir un milagro-que-sale-mal en un lisiado sin brazos ni piernas. Y esa poción *hakimi* resulta muy poco convincente. Qué difícil es descubrir la verdad, especialmente cuando se tiene que ver el mundo en tajadas; las instantáneas ocultan tanto como revelan.

Todas las historias están habitadas por los fantasmas de las historias que hubieran podido ser. Anna Muhammad vaga por este libro; ahora nunca escribiré sobre ella. Y también hay otros fantasmas aquí, imágenes más antiguas y hoy ectoplasmáticas, que conectan la vergüenza con la violencia. Esos fantasmas, como Anna, habitan en un país que no tiene nada de fantasmal: no en el espectral «Peccavistán» sino en el Londres Propiamente Dicho. Mencionaré dos: una muchacha atacada en un metro tardío por un grupo de adolescentes es el primero. La chica, «asiática» también; los chicos, blancos como era de prever. Después, recordando la paliza, ella no se siente furiosa sino avergonzada. No quiere hablar de lo que ocurrió, no presenta una denuncia formal, confía en que la historia no trascenderá: es una reacción típica, y la chica no es una chica sino muchas. Mirando ciudades humeantes en mi pantalla de televisión, veo grupos de jóvenes que corren por las calles, ardiéndoles la frente de vergüenza, que incendian tiendas, escudos policiacos, automóviles. Me recuerdan a mi chica anónima. Humillad a la gente el tiempo suficiente y la furia estallará en ella. Después, al examinar los escombros de su rabia, parecen perplejos, desconcertados, jóvenes. ¿Esto lo hemos hecho nosotros? ¿Nosotros? Pero si sólo somos chicos corrientes, buena gente, no sabíamos que pudiéramos... y luego, lentamente, empiezan a sentirse orgullosos, orgullosos de su fuerza, de haber aprendido a devolver los golpes. E imaginaos lo que habría ocurrido si esa furia se hubiera podido desatar en esa chica en el metro... cómo habría azotado a los chicos blancos hasta matarlos casi, rompiéndoles brazos piernas narices cojones, sin que supieran de dónde venía la violencia, sin comprender cómo ella, una figura tan menuda, podía tener una fuerza tan tremenda. Y ellos, ¿qué habrían hecho ellos? ¿Cómo decirle a la policía que les había dado una paliza una simple chica, sólo una débil mujer contra todos ellos? ¿Cómo mirar a la cara a sus compañeros? Me regocija la idea: es algo seductor, sedoso, esa violencia, sí que lo es.

Nunca di nombre a esa otra chica. Pero también ella está ahora dentro de mi Sufiya Zinobia, y la reconoceréis cuando aparezca.

El último fantasma que hay dentro de mi heroína es masculino, un chico de un recorte de periódico. Es posible que hayáis leído algo sobre él o, por lo menos, sobre su prototipo: lo encontraron ardiendo en un lugar de estacionamiento, con la piel en llamas. Ardió hasta morir, y los expertos que examinaron su cuerpo y el lugar del accidente tuvieron que admitir lo que parecía imposible: a saber, que el chico se había encendido simplemente por sí solo, sin rociarse de petróleo ni aplicar ninguna llama exterior. Somos energía; somos fuego; somos luz. Al encontrar la clave, al penetrar en esa verdad, el muchacho comenzó a arder.

Basta. Diez años han pasado en mi historia mientras yo estaba viendo fantasmas... Pero una última palabra sobre el tema: la primera vez que me senté a pensar sobre Anahita Muhammad, recordé la última frase de *El proceso* de Franz Kafka, la frase en que matan a cuchilladas a Joseph K. Mi Anna, como el Joseph de Kafka, murió a cuchillo. Sufiya Zinobia Hyder no; pero esa frase, el fantasma de un epígrafe, planea aún sobre su historia:

«—¡Como un perro! —dijo: fue como si quisiera que la vergüenza de aquello le sobreviviera.»

Para el año en que los Hyders regresaron de Q., la capital había crecido, Karachi había engordado, de forma que quienes habían vivido allí desde el principio no podían reconocer ya a la esbelta ciudad adolescente de su juventud en aquella metrópolis que parecía una vieja prostituta obesa. Los grandes pliegues carnosos de su expansión interminable se habían tragado las primitivas marismas salinas, y a todo lo largo del arenal habían brotado, como furúnculos, las casas de veraneo de los ricos, pintadas de colores chillones. Las calles estaban llenas de rostros oscurecidos de jóvenes a los que había atraído aquella dama pintada, con sus encantos exuberantes, sólo para descubrir que su precio era demasiado alto para que ellos pudieran pagarlo; había algo de puritano y violento en sus frentes y daba miedo caminar en el calor en medio de sus desilusiones. La noche guardaba contrabandistas, que iban a la costa en *rickshaws* motorizadas; y el Ejército, desde luego, estaba en el poder.

Raza Hyder bajó del tren del oeste envuelto en rumores. Era el período que siguió inmediatamente a la desaparición del ex primer ministro Aladdin Gichki, a quien por fin habían liberado de su cautividad por falta de pruebas tangibles contra él; vivió tranquilamente con su mujer y su perro durante varias semanas, hasta el día en que fue a pasear a su alsaciano y no volvió, a pesar de que sus últimas palabras a Begum Gichki habían sido: «Dile al cocinero que haga una docena de albóndigas más para cenar, hoy estoy muerto de hambre.» Las albóndigas, de la una a la doce, humearon expectantes en una fuente, pero algo le debió de quitar a Gichki el apetito, porque jamás se las comió. Posiblemente no pudo resistir las punzadas del hambre y se comió en cambio al alsaciano, porque tampoco encontraron nunca al perro, ni un pelo de su cola. El misterio Gichki solía aparecer en las conversaciones, y el nombre de Hyder surgía a menudo en esas cháchares, quizá porque el odio recíproco entre Gichki y el santón Maulana Dawood era muy conocido, y la amistad íntima de Dawood con Hyder no era tampoco ningún secreto. Historias extrañas volvían a filtrarse hasta Karachi desde Q. y flotaban en el aire urbano y acondicionado.

La versión oficial del mandato de Hyder en el oeste era que había sido un éxito sin paliativos, y que su carrera seguía su rumbo ascendente. Las fechorías de los *dacoits* habían terminado, las mezquitas estaban llenas, los órganos del Estado habían sido purgados de gichkismo, de la enfermedad de la corrupción, y el separatismo estaba frito. El Viejo Razia Redaños era ahora brigadier... pero, como le gustaba a Iskander Harappa decirle a Omar Khayyam Shakil cuando la pareja tenía unas copas: «Se la chupo a quien sea, *yaar*, pero todo el mundo sabe que esos de las tribus andan haciendo el bestia por allí porque Hyder no hizo más que colgar de los cojones a inocentes.» Había también cuchicheos sobre problemas matrimoniales en el hogar de los Hyders. Hasta Rani Harappa, en su exilio, oía rumores sobre disensiones, sobre la niña idiota a la que su madre llamaba su «Vergüenza» y trataba a patadas, y sobre la lesión interna que hacía imposibles los hijos y estaba llevando a Bilquìs, por oscuros corredores, hacia un derrumbamiento nervioso; pero ella, Rani, no sabía cómo hablarle a Bilquìs de esas cosas, y el auricular del teléfono se quedaba en su gancho sin ser molestado.

No se hablaba de algunas cosas. Nadie mencionaba a un muchacho de labios gruesos llamado Sindbad Mengal, ni especulaba sobre el parentesco de la menor de los Hyders... El brigadier Raza Hyder fue llevado directamente desde la guarnición al sanctasanctórum del presidente, el mariscal de campo Mohammad A., en donde, según algunos informes, fue cariñosamente abrazado y pellizcado amistosamente en los carrillos, mientras otros insinuaban que la onda de aire colérico que salió por los agujeros de la cerradura de aquella estancia fue tan ardiente que Raza Hyder, en posición de firmes ante su indignado presidente, debió de quedar bastante chamuscado. Lo cierto es que surgió de la presencia presidencial como ministro nacional de Educación, Información y Turismo, mientras que otro trepaba a un tren que se dirigía al oeste para hacerse cargo del gobierno de Q. Y que las cejas de Raza Hyder resultaron intactas.

También intacta: la alianza entre Raza y Maulana Dawood, quien había acompañado a los Hyders a Karachi y que, una vez instalado en la residencia oficial del nuevo ministro, se distinguió enseguida por lanzar una vociferante campaña pública contra el consumo de camarones y centollos, los cuales, al alimentarse de desechos, eran tan impuros como cualquier cerdo, y que, aunque comprensiblemente inencontrables en la remota Q., eran a un tiempo abundantes y populares en aquella capital situada a orillas del mar. El Maulana se sintió profundamente afrentado al encontrar aquellos monstruos blindados de las profundidades a disposición de todos en los mercados del pescado, y logró obtener el apoyo de los santones urbanos, que no supieron cómo oponerse. Los pescadores de la ciudad vieron que las ventas de crustáceos comenzaban a disminuir alarmantemente, y por consiguiente tuvieron que depender más que nunca de los ingresos que obtenían pasando artículos de contrabando. El alcohol y los cigarrillos ilegales sustituyeron a los centollos en las bodegas de muchos *dhows*. Sin embargo, ni el alcohol ni los cigarrillos llegaban hasta la residencia de Hyder. Dawood hacía incursiones sin previo aviso en las habitaciones de los criados para asegurarse de que Dios estaba a cargo de todo. «Hasta una ciudad de monstruosidades que corretean —le aseguró a Raza Hyder— puede ser purificada con ayuda del Altísimo.»

Tres años después del regreso de Raza Hyder a Q. resultó evidente que su estrella había estado declinando secretamente, porque los rumores de Q. (Mengal, Gichki, los hombres de las tribus colgados de los cojones) nunca se apagaron por completo; de modo que, cuando la capital fue trasladada de Karachi y llevada al norte, al aire limpio de las montañas, e instalada en horrendos edificios nuevos especialmente construidos con ese fin, Raza Hyder se quedó sin moverse de la costa. El Ministerio de Educación, Información y Turismo se fue al norte con el resto de la administración; pero Raza Hyder (para ser francos) fue puesto de patitas en la calle. Se le restituyó al servicio militar, y se le dio el cargo sin futuro del mando de la Academia Militar. Le permitieron conservar la casa, pero Maulana Dawood le dijo: «¿Qué importa que tengas aún esas paredes de mármol? Te han convertido en un cangrejo en una concha de mármol. *Na-pak*: impuro.»

Hemos dado un salto demasiado grande hacia adelante: ha llegado el momento de poner fin a nuestros comentarios sobre rumores y crustáceos. Sufiya Zinobia, la idiota, se está sonrojando.

Le hice eso, creo, para hacerla pura. No podía imaginar otra forma de crear pureza en lo que se supone es el País de los Puros... y los idiotas son, por definición, inocentes. ¿Una utilización demasiado romántica de una deficiencia mental? Quizá; pero es demasiado tarde para esas dudas. Sufiya Zinobia ha crecido, su mente más lentamente que su cuerpo, y a causa de esa lentitud sigue siendo, para mí, algo limpio (*pak*), en medio de un mundo sucio. Mirad cómo, al crecer, acaricia un guijarro que tiene en la mano, incapaz de decir por qué la bondad parece residir dentro de esa piedra plana y suave; cómo resplandece de placer cuando escucha palabras amables, aunque casi siempre vayan dirigidas a otra persona... Bilquìs derramaba todo su afecto en su hija menor, Naveed. Buenas Noticias —el apodo se le había quedado, como una mueca en el viento— estaba empapada en él, un monzón de amor, mientras Sufiya Zinobia, la carga de sus padres, la vergüenza de su madre, estaba seca como el desierto. Gruñidos, insultos, hasta los golpes enfurecidos de la exasperación llovían en cambio sobre ella; pero esas lluvias no traen humedad. Su alma se secaba por falta de afecto, pero sin embargo, cuando tenía el amor cerca, conseguía resplandecer feliz, sólo por estar próxima a algo tan precioso.

También se sonrojaba. Recordaréis que se sonrojó al nacer. Diez años más tarde, sus padres seguían perplejos por aquellos rubores, por aquellos sonrojos de gasolina incendiada. La temerosa incandescencia de Sufiya Zinobia, al parecer, se había intensificado en los años desérticos de Q. Cuando los Hyders hicieron la obligada visita de cortesía a Bariamma y su tribu, la anciana señora se inclinó para besar a las niñas y se alarmó al darse cuenta de que se había quemado ligeramente los labios por la súbita oleada de calor de las mejillas de Sufiya Zinobia; la quemadura fue suficientemente seria para requerir la aplicación dos veces al día, durante una semana, de pomada de labios. Ese mal comportamiento de los mecanismos termostáticos de la niña provocó en su madre lo que parecía una cólera bien entrenada: «¡Esa imbécil! —gritó Bilquìs ante los ojos divertidos de Duniyazad Begum y el resto—. ¡Ni la miréis! ¿Qué es eso? ¡En cuanto cualquiera se fija en ella o le dice dos palabras se pone colorada, colorada como un pimiento! Te lo juro. ¿Qué niña normal se pone como una remolacha, tan al rojo que la ropa le huele a chamusquina? Pero qué se le va a hacer, salió mal y eso es todo, a mal tiempo buena cara.» La decepción de los Hyders por su hija mayor se había endurecido también bajo los rayos del mediodía del desierto, convirtiéndose en algo tan despiadado como aquel sol que freía las sombras.

El achaque era muy real. La señorita Shahbanou, el *ayah* parsi que contrató Bilquìs al volver a Karachi, se quejó el primer día de que, al bañar a Sufiya Zinobia, el agua le había escaldado las manos, al haberse puesto casi a punto de hervir por una roja llamarada de turbación que recorrió a la deteriorada niña desde la raíz del pelo hasta la punta de los curvados dedos de sus pies.

Para decirlo claramente: Sufiya Zinobia Hyder se sonrojaba incontrolablemente siempre que otros notaban su presencia en el mundo. Pero también, según creo, se sonrojaba por el mundo.

Dejadme expresar mi sospecha: la encefalitis que hizo a Sufiya Zinobia preternaturalmente recepticia para todas las cosas que flotan por el éter le permitía absorber, como una esponja, un montón de sentimientos no sentidos.

¿Adónde pensáis que van?... Quiero decir las emociones que habría habido que sentir, pero no se sintieron... como el pesar por una palabra dura, el remordimiento por un delito, la turbación, el decoro, la vergüenza... Imaginad que la vergüenza es un líquido, pongamos que una bebida dulce gaseosa y pudridora de los dientes almacenada en una máquina expendedora. Empujáis el botón pertinente y un vaso hace plaf bajo un chorro de pis del líquido. ¿Cómo se empuja el botón? Está tirado. Decid una mentira, dormid con un chico blanco, naced con el sexo equivocado. Allá va la emoción burbujeante y bebéis hasta hartaros... pero ¡cuántos seres humanos se niegan a seguir esas sencillas instrucciones! Se hacen cosas vergonzosas: mentiras, vida desordenada, falta de respeto a nuestros mayores, falta de amor a la bandera nacional, votaciones incorrectas en las elecciones, comer demasiado, relaciones sexuales extramaritales, novelas autobiográficas, trampas en las cartas, maltratos de mujeres, suspensos en los exámenes, contrabando, tirar la meta de uno en el momento decisivo de un partido internacional de criquet: y se hacen *desvergonzadamente*. Entonces, ¿qué ocurre con toda esa vergüenza no sentida? ¿Qué pasa con los vasos de gaseosa no bebidos? Pensad otra vez en la máquina expendedora. Se aprieta el botón; ¡pero entonces viene una mano desvergonzada y tira el vaso! El que aprieta el botón no bebe lo que encargó; y el líquido de la vergüenza se derrama, formando un lago espumoso en el suelo.

Pero estamos hablando de una máquina expendedora abstracta, totalmente etérea; de manera que es al éter adonde va la vergüenza no sentida del mundo. Desde allí, según mi teoría, es trasegada por unos cuantos desgraciados, porteros de lo invisible, cuyas almas son los cubos en que las fregonas escurren lo-derramado. Esos cubos los guardamos en armarios especiales. Y no tenemos una alta opinión de ellos, aunque limpien nuestras aguas sucias.

Pues bien: Sufiya, la retrasada, se sonrojaba. Su madre les decía a los parientes congregados: «Lo hace para llamar la atención. Ay, no sabéis lo que es esto, el jaleo, la angustia, ¿y para qué? Para nada. Porque sí. Doy gracias a Dios por mi Buenas Noticias.» Pero mentecata o no mentecata, Sufiya Zinobia —al sonrojarse rabiosamente cada vez que su madre miraba a su padre de través— revelaba a los ojos vigilantes de la familia que algo se estaba alzando entre aquellos dos. Sí. Los idiotas pueden darse cuenta de esas cosas, eso es todo.

El sonrojo es de combustión lenta. Pero es también otra cosa: un *acontecimiento psicosomático*. Cito: «Un súbito cierre de las anastomosis arteriovenosas del rostro inunda los capilares de sangre, que produce la característica intensificación del color. Las personas que no creen en los acontecimientos psicosomáticos ni creen que la mente pueda influir en el cuerpo por vía nerviosa directa deberían reflexionar en el sonrojo, que puede producirse en las personas de gran sensibilidad incluso por el recuerdo de alguna situación embarazosa en la que se hayan encontrado... lo que constituye el ejemplo más claro que podría imaginarse del dominio del espíritu sobre la materia.»

Como los autores de las palabras citadas, nuestro héroe, Omar Khayyam Shakil, ejerce la medicina. Además, le interesa la acción del espíritu sobre la materia: en el comportamiento de las personas hipnotizadas, por ejemplo; en las arrebatadas automutilaciones de los fanáticos chiitas, a los que Iskander Harappa, despectivamente, califica de «chiinches»; en el sonrojo. De modo que no pasará mucho tiempo sin que Sufiya Zinobia y Omar Khayyam, paciente y médico, futuros marido y mujer, se encuentren. Como tienen que encontrarse; porque lo que tengo que contar es —sólo puede describirse como— una historia de amor.

Un relato de lo que ocurrió aquel año, el cuadragésimo de la vida de Isky Harappa y de Raza Hyder, debería empezar probablemente por el momento en que Iskander supo que su primo Mir el Pequeño se había congraciado con el presidente A. y estaba a punto de ser nombrado para un alto cargo. Saltó limpiamente de la cama al saber la noticia, pero Clavelitos Aurangzeb, la dueña de la cama y fuente de la información, no se movió, aunque sabía que se había desencadenado sobre ella una crisis, y que su cuerpo de cuarenta y tres años, que Iskander había revelado al saltar de la cama sin soltar la sábana, no irradiaba ya aquella especie de luz capaz de apartar las mentes de los hombres de cualquier cosa que los preocupara. «Mierda sobre la tumba de mi madre —vociferó Iskander Harappa—, primero hacen ministro a Hyder y ahora a él. La vida se pone seria cuando un hombre llega a los cuarenta.»

«Las cosas están empezando a desvanecerse», pensó Clavelitos Aurangzeb mientras, echada, se fumaba once cigarrillos consecutivos en tanto que Iskander caminaba majestuosamente por el cuarto, envuelto en la sábana. Ella encendió su duodécimo cigarrillo cuando Isky, distraídamente, dejó caer la sábana. Entonces lo contempló en su desnudez original, mientras él, silenciosamente, rompía sus lazos con el presente y se volvía hacia el futuro. Clavelitos era viuda; el viejo mariscal Aurangzeb había estirado la pata al fin, y ahora sus veladas no eran unos asuntos tan esenciales y el cotilleo de la ciudad había empezado a llegarle con retraso. «Los antiguos griegos —dijo Iskander sin venir a cuento, haciendo que Clavelitos derramara la ceniza de la punta de su cigarrillo—, en los juegos olímpicos, no consignaban los nombres de los finalistas.» Luego se vistió rápidamente, pero con el dandismo meticuloso que a ella siempre le había gustado, y la dejó para siempre; aquella frase fue la única explicación que ella tuvo jamás. Pero en los años de su aislamiento encontró la solución, supo que la Historia había estado esperando que Iskander Harappa se fijara en Ella, y un hombre que llama la atención de la Historia queda unido a una amante de la que nunca se escapará. La Historia es una selección natural. Versiones mutantes del pasado luchan por el predominio; surgen nuevas especies de hechos, y las viejas verdades antediluvianas se dirigen al paredón, con los ojos vendados y fumando su último cigarrillo. Sólo sobreviven las mutaciones de los fuertes. Los débiles, los anónimos, los derrotados dejan pocas huellas: modelos de cultivo, hierros de hacha, leyendas populares, cántaros rotos, túmulos funerarios, el recuerdo descolorido de la belleza de su juventud. La Historia sólo ama a los que la dominan: es una relación de esclavitud mutua. No hay sitio en ella para las Clavelitos; ni, en opinión de Isky, para los que eran como Omar Khayyam Shakil.

Los Alejandros redivivos, los futuros campeones olímpicos, deben someterse a las más severas rutinas de entrenamiento. De forma que, después de dejar a Clavelitos Aurangzeb, Isky Harappa juró también abstenerse de cualquier otra cosa que pudiera corroer su espíritu. Su hija Arjumand recordaría siempre que fue entonces cuando renunció al póquer descubierto, el *chemin de fer*, las veladas de ruleta particulares, los amaños de carreras de caballos, la cocina francesa, el opio y los somníferos; cuando dejó su costumbre de buscar, bajo mesas de banquete cargadas de plata, los tobillos excitados y las complacientes rodillas de las bellezas mundanas, y cuando dejó de visitar a las putas a las que le había gustado filmar con una cámara Paillard Bolex de ocho milímetros, mientras celebraban, individualmente o en tríos, en su propia persona o en la de Omar Khayyam, sus almizcleños y lánguidos ritos. Fue el comienzo de aquella carrera política legendaria que culminaría con su victoria sobre la propia muerte. Esos primeros triunfos, al ser simplemente victorias sobre sí mismo, eran necesariamente pequeños. Borró de su vocabulario público y urbano su repertorio enciclopédico de juramentos rurales, groseramente lozanos, unas imprecaciones capaces de hacer que vasos de cristal tallado llenos hasta el borde se desprendieran de manos masculinas y se hicieran trizas antes de llegar al suelo. (Pero cuando iba de campaña electoral a las aldeas hacía que el aire se pusiera verde otra vez de obscenidades, conociendo el poder para ganar votos que tiene el lenguaje grosero.) Sofocó para siempre la risita aguda de su poco fiable personalidad de *playboy* y la sustituyó por una carcajada generosa, con ganas, digna de un hombre de Estado. Y dejó de tontear con las criadas de su casa de la ciudad.

¿Hubo algún hombre que sacrificara más por su pueblo? Renunció a las peleas de gallos, las peleas de osos, los combates de serpientes-y-mangostas; y además a las discotecas y a sus veladas mensuales en casa del jefe de la censura cinematográfica, donde solía ver recopilaciones especiales de los trozos más sabrosos amputados de las películas extranjeras importadas.

Decidió también renunciar a Omar Khayyam Shakil. «Cuando ese degenerado venga —le ordenó Iskander al portero—, echa a semejante *badmash* a la calle para que rebote sobre su culo gordo.» Luego se retiró a su blanquidorada alcoba rococó, en el fresco centro de su mansión en Defensa, un edificio de hormigón armado revestido de piedra, que parecía un radiograma de la Telefunken, de pisos en desnivel, y se dedicó a la meditación.

Pero durante mucho tiempo, sorprendentemente, Omar Khayyam no vino de visita ni telefoneó a su viejo amigo. Pasaron cuarenta días antes de que el médico se diera cuenta del cambio que se había producido en su mundo despreocupado y desvergonzado...

¿Quién está sentada a los pies de su padre mientras, en otro lugar, Clavelitos Aurangzeb envejece en una casa vacía? Arjumand Harappa: con sus trece años y una expresión de enorme satisfacción en el rostro, se sienta con las piernas cruzadas en el suelo de trocitos de mármol de una alcoba rococó, viendo cómo Isky termina el proceso de rehacerse a sí mismo; Arjumand, que no ha adquirido todavía el apodo tristemente célebre (la virgen Bragas de Hierro) que la acompañaría la mayor parte de su vida. Siempre ha sabido, con la precocidad de sus años, que hay otro hombre dentro de su padre, creciendo, esperando, y ahora, por fin, saliendo afuera, mientras el viejo Iskander, desechado, cae al suelo crujiendo, como una piel de serpiente arrugada en un duro diamante de luz solar. De forma que ¡cuánto disfruta con su transformación, al tener por fin el padre que ella merece!

—He sido yo —le dice a Iskander—, lo deseaba tanto que por fin lo comprendiste.

Harappa le sonríe a su hija, le acaricia el pelo.

—A veces ocurre.

—Y se acabó el tío-Omar —añade Arjumand—. Esa basura se ha ido con viento fresco.

Arjumand Harappa, la virgen Bragas de Hierro, se dejará llevar siempre por lo extremo. A los trece años ya tiene el don de aborrecer; y también el de adular. A quién odia: a Shakil, ese mono gordo que se sentaba en las espaldas de su padre, hundiéndolo en el fango; y también a su propia madre, Rani, en su Mohenjo de mochuelos amadrigados, la personificación de la derrota.

Arjumand ha convencido a su padre para que la deje vivir e ir al colegio en la ciudad; y hacia ese padre siente una reverencia rayana en la idolatría. Ahora que su adoración está teniendo por fin un objeto digno de ella, Arjumand no puede contener su alegría.

«¡Qué no serás capaz de hacer! —exclama—. ¡Ya verás!»

La masa ausente de Omar Khayyam se lleva consigo las sombras del pasado.

Iskander, en posición supina en su cama blanquidorada y sumido en delirantes ensoñaciones, dice con súbita claridad:

—Éste es un mundo de hombres, Arjumand. Tienes que sobreponerte a tu sexo a medida que crezcas. No es un lugar en que se pueda ser mujer.

La pesarosa nostalgia de esas frases señala los últimos estertores del amor de Iskander por Clavelitos Aurangzeb, pero su hija las toma al pie de la letra, y cuando sus pechos comiencen a hincharse se los atará apretadamente con vendas de lino, con tanta fuerza que se sonrojará de dolor. Llegará a disfrutar de la guerra contra su propio cuerpo, de la lenta victoria provisional sobre una carne blanda y despreciada... pero dejémoslos aquí, padre e hija, ella levantando ya en su corazón el divino mito alejandrino de Harappa, al que sólo podrá dar rienda suelta tras la muerte de él, y él imaginando, en las deliberaciones de su nueva pureza, las estrategias de su triunfo futuro, de sus galanteos con su época.

¿Dónde está Omar Khayyam Shakil? ¿Qué se ha hecho de nuestro periférico héroe? También él ha envejecido; como Clavelitos, está ahora a mitad de los cuarenta. Los años lo han tratado bien, plateándole el cabello y la perilla. Recordemos que fue en su época un estudiante brillante, y que la brillantez científica no se empaña;

puede que sea un libertino y un calavera, pero es también el primero en el mejor hospital de la ciudad, y un inmunólogo de renombre internacional no pequeño. En el tiempo transcurrido desde que lo vimos por última vez, ha asistido a seminarios en Norteamérica, publicado estudios sobre la posibilidad de que se produzcan acontecimientos psicosomáticos dentro del sistema inmunológico humano, se ha convertido en un tipo importante. Todavía es gordo y feo, pero ahora se viste con cierta distinción; se le han pegado algunos de los hábitos elegantes de Isky. Omar Khayyam se viste de gris: trajes, sombreros, corbatas grises, zapatos de ante gris, calzoncillos de seda gris, como si esperase que lo amortiguado del color suavizara el efecto chillón de su fisonomía. Lleva un regalo de su amigo Iskander: un bastón de estoque con puño de plata, del valle de Aansu, doce pulgadas de acero bruñido escondidas en nogal intrincadamente tallado.

Para entonces está durmiendo dos horas y media escasas por noche, pero el sueño de caerse por el fin del mundo lo aflige todavía de cuando en cuando. A veces lo tiene cuando está despierto, porque la gente que duerme demasiado poco puede encontrar las fronteras entre los mundos de la vigilia y el sueño difíciles de guardar. Las cosas se deslizan entre los postes no custodiados, eludiendo el puesto de aduanas... en esas ocasiones lo asalta un vértigo horrible, como si estuviera en la cima de una montaña que se derrumbara, y entonces se apoya con fuerza en su bastón de hoja oculta, para no caerse. Hay que decir que sus éxitos profesionales y su amistad con Iskander Harappa han tenido el efecto de disminuir la frecuencia de esos mareos, manteniendo los pies de nuestro héroe en el suelo con algo más de firmeza. Pero todavía le vienen los vahídos, de vez en cuando, para recordarle lo cerca que está, y estará siempre, de ese borde.

¿Pero adónde ha ido? ¿Por qué no llama por teléfono, viene de visita, rebota sobre su trasero...? Lo descubro en Q., en la casa fortaleza de sus tres madres, y enseguida sé que ha ocurrido un desastre, porque ninguna otra cosa podría haber llevado otra vez a Omar Khayyam a su país natal. No ha visitado Nishapur desde el día en que se fue con los pies en un refrescante bloque de hielo; ha enviado cheques bancarios en su lugar. Su dinero ha pagado por su ausencia... pero hay otros precios también. Y ninguna escapatoria es definitiva. Su decidido apartamiento del pasado se mezcla con el insomnio voluntario de sus noches: el efecto combinado consiste en vidriar su sentido moral, en transformarlo a él en una especie de zombi ético, de forma que el acto mismo de distanciarse lo ayuda a obedecer el viejo mandato de sus madres: el tipo no siente vergüenza.

Conserva sus ojos mesmerizantes, su voz sin emoción de hipnotizador. Desde hace ya muchos años, Iskander Harappa ha acompañado a esos ojos, a esa voz, al hotel Intercontinental y ha hecho que trabajaran para él. La desmesurada fealdad de Omar Khayyam, combinada con sus ojos-y-voz, lo hace atractivo para las mujeres blancas de cierta clase. Sucumben a sus coquetos ofrecimientos de hipnosis, a sus tácitas promesas de los misterios de Oriente; se las lleva a una suite alquilada del hotel y las somete a su influjo. Liberadas de unas inhibiciones indudablemente escasas, ellas ofrecen a Isky y Omar unas relaciones sexuales muy cargadas. Shakil defiende su propia conducta: «Es imposible persuadir a un sujeto de que haga nada que no quiera hacer.» Iskander Harappa, sin embargo, nunca se ha molestado en dar excusas... también eso es parte de aquello a lo que Isky —todavía sin que lo sepa Omar Khayyam— ha renunciado. En aras de la Historia.

Omar Khayyam está en Nishapur porque su hermano, Babar, ha muerto. El hermano al que nunca vio, muerto antes de cumplir los veintitrés años, y todo lo que queda de él es un montón de cuadernos sucios, que Omar Khayyam se llevará al volver a Karachi después de los cuarenta días de luto. Un hermano reducido a palabras raídas y garrapateadas. A Babar lo han matado a tiros y la orden de disparar la dio... pero, no, primero los cuadernos.

Cuando bajaron su cuerpo desde los Montes Imposibles, oliendo a descomposición y a cabra, devolvieron a su familia los cuadernos que encontraron en sus bolsillos con muchas páginas arrancadas. Entre los restos raídos de aquellos volúmenes brutalmente tratados se podía descifrar una serie de poemas de amor dedicados a una famosa cantante de *playback* a la que él, Babar Shakil, no podía haber conocido. Y entremezclado con las expresiones de métrica irregular de aquel amor abstracto, en el que los cantos a la espiritualidad de la voz de ella se mezclaban mal con versos libres de una sensualidad claramente pornográfica, se podía encontrar un relato de su estancia en otro infierno anterior, una relación del tormento de haber sido el hermano menor de Omar Khayyam.

La sombra de su hermano mayor había vagado por todos los rincones de Nishapur. Sus tres madres, que ahora vivían de los giros del médico y no tenían ya relaciones con el prestamista, habían conspirado, en su gratitud, para hacer de la infancia de Babar un viaje inmóvil a través de un santuario inalterado cuyos muros estaban impregnados de aplausos para el glorioso y ausente hijo mayor. Y como Omar Khayyam tenía muchos más años que él y había huido hacía tiempo de aquel polvoriento lugar provinciano en cuyas calles, ahora, obreros borrachos de los campos de gas se peleaban sin orden ni concierto con mineros del carbón, la bauxita, el ónix, el cobre y el cromo, cuando no estaban de servicio, y sobre cuyas azoteas presidía la cúpula agrietada del hotel Flashman con tristeza cada vez mayor, el chico menor, Babar, tenía la sensación de haber sido oprimido y abandonado a la vez por un segundo padre; y en aquel hogar de mujeres atrofiadas por el ayer celebró su vigésimo cumpleaños llevando las papeletas de examen y medallas de oro y recortes de periódico y viejos libros de texto y carpetas de cartas y bates de críquet y, en pocas palabras, todos los recuerdos de su ilustre hermano a la oscuridad protegida del recinto central, y prendiendo fuego a todo el montón antes de que sus tres madres pudieran detenerlo. Dando la espalda al poco glorioso espectáculo de las viejas brujas escarbando entre las cenizas calientes para salvar esquinas chamuscadas de fotografías y medallones que el fuego había trasmutado de oro en plomo, Babar se abrió camino hasta las calles de Q., utilizando el montaplatos, con sus pensamientos de cumpleaños retardados por las incertidumbres sobre el futuro. Vagaba sin rumbo, rumiando lo limitado de sus posibilidades, cuando empezó el terremoto.

Al principio lo confundió con un estremecimiento de su propio cuerpo, pero un golpe en la mejilla, infligido por una astilla diminuta de penetrante agudeza, despejó las nieblas de ensimismamiento de los ojos del futuro poeta. «Están lloviendo cristales», pensó con sorpresa, parpadeando en medio de las callejas del bazar de los ladrones, al que le habían llevado sus pies sin darse cuenta, callejas de pequeños tenderetes, en los que su supuesto estremecimiento interior estaba haciendo un buen desaguisado: los melones estallaban a sus pies, zapatillas puntiagudas caían de estantes temblorosos, piedras preciosas y brocados y loza y peines rodaban en confuso montón a las callejas espolvoreadas de cristales. Allí estaba él, estúpidamente, en medio de aquel chaparrón vítreo de ventanas rotas, incapaz de librarse de la sensación de que había impuesto sus agitaciones privadas al mundo circundante, y resistiendo al impulso demencial de agarrar a alguien, quien fuera, en aquella multitud arremolinada y en pánico de rateros, vendedores y tenderos, para disculparse por el trastorno que había causado.

«Aquel terremoto —escribió Babar Shakil en su cuaderno— liberó algo dentro de mí. Fue un temblor pequeño, pero quizá puso algo también en su sitio.»

Cuando el mundo se quedó quieto otra vez, se dirigió hacia un tugurio de aguardiente barato, abriéndose camino entre los fragmentos de cristal y pasando por delante de los alaridos, igualmente cortantes, de su propietario; y al entrar (decían los cuadernos) vio con el rabillo del ojo izquierdo a un hombre alado y relucientemente dorado que lo miraba desde una azotea; pero cuando torció la cabeza para mirar, el ángel ya no estaba. Más tarde, cuando él estaba en las montañas con los guerrilleros separatistas de las tribus, le contaron la historia de los ángeles y los terremotos y el Paraíso subterráneo; la creencia de que los ángeles dorados estaban de su parte daba a los guerrilleros una certeza inquebrantable en la justicia de su causa, y les hacía fácil morir por ella. «El separatismo —escribió Babar— es la creencia en que eres capaz de escapar de las garras del infierno.»

Babar Shakil se pasó su cumpleaños emborrachándose en aquel cuchitril de botellas rotas, y sacándose de la boca, más de una vez, largas esquirlas de cristal, de forma que, al final de la velada, tenía la barbilla veteada de sangre; pero el líquido, al salpicar, desinfectó los cortes reduciendo al mínimo el riesgo de tétanos. En la aguardentería: hombres de las tribus, una puta de ojos divergentes, chistosos ambulantes con tambores y trompetas. Los chistes se hicieron más ruidosos a medida que la noche avanzaba, y aquella mezcla de humor y alcohol fue un cóctel que dio a Babar una resaca de proporciones tan colosales que nunca se recuperó de ella.

¡Y qué chistes! Procacidades del tipo ji-ji-qué-dices-hombre-te-van-a-oír: ... Oye, *yaar*, tú sabes que, cuando circuncidan a los niños, el circuncidador dice unas palabras sagradas. ... Síí, hombre, lo sé. ... Entonces, ¿sabes lo que dijo al dar el tajo al Viejo Razia Redaños? ... No sé, ¿qué dijo, qué dijo? ... Sólo una palabra, *yaar*, ¡una palabra y lo echaron! ... Ay Dios, debió de ser una palabra muy fea, vamos, di. ... Lo que dijo, señor, fue: «ahivá».

Babar Shakil, con un peligroso velo de aguardiente. La comedia le penetra en la sangre, produciendo una mutación permanente. ... Eh, señor mío, ya sabe lo que dicen de nosotros, los hombres de las tribus, demasiado poco patriotismo y demasiado instinto sexual, bueno, pues es verdad, ¿quiere saber por qué? ... Sí ... Vamos con el patriotismo. Primero, el gobierno se lleva nuestro arroz para los soldados del Ejército, deberíamos estar orgullosos, *na*, pero sólo nos quejamos de que no nos queda nada para nosotros. Segundo, el gobierno explota nuestros minerales y la economía recibe un empujón, pero nosotros sólo piamos que aquí nadie ve un céntimo. Tercero, el gas de Aguja cubre ahora el sesenta por ciento de las necesidades nacionales, pero todavía no estamos contentos, gimiendo todo el tiempo que por estos pagos no hay gas en las casas. Qué gente más poco patriótica, hay que reconocerlo. Pero por fortuna nuestro gobierno nos sigue amando, y nos ama tanto que ha hecho de nuestro instinto sexual la máxima prioridad del país. ... ¿Cómo es eso? ... Está clarísimo: este gobierno está dispuesto a seguir jodiéndonos hasta el día del Juicio.

... Ay, qué bueno, *yaar*, qué bueno.

Al día siguiente Babar se fue de casa antes del amanecer para unirse a los guerrilleros, y su familia no volvió a verlo vivo. De los cofres sin fondo de Nishapur cogió un viejo fusil y las cajas de munición correspondientes, algunos libros y uno de los medallones académicos de Omar Khayyam, trasmutado en bajo metal por el fuego; sin duda para recordarse a sí mismo las causas de su propio acto de separatismo, los orígenes de un odio que había sido suficientemente poderoso para causar un terremoto. En su escondrijo de los Montes Imposibles, Babar se dejó la barba, estudió la compleja estructura de los clanes de las montañas, escribió poemas, descansó entre los ataques a los puestos militares avanzados y las líneas férreas y los depósitos de agua y, con el tiempo, gracias a las exigencias de su existencia desarreglada, pudo examinar en sus cuadernos las ventajas comparativas de copular con ovejas y con cabras. Había guerrilleros que preferían la pasividad de las ovejas; para otros, el carácter más retozón de las cabras resultaba irresistible. Muchos de los compañeros de Babar llegaron a enamorarse de sus amantes de cuatro patas, y aunque todos eran hombres con la cabeza a precio, arriesgaban la vida en los bazares de Q. para comprar regalos a sus amadas: adquirían peines para el vellón, y también cintas y campanillas para sus encantadoras cabritas, que jamás se dignaron expresarles su gratitud. El espíritu de Babar (aunque no su cuerpo) estaba por encima de esas cosas; derramaba su reserva de pasión no gastada en la imagen mental de una cantante popular cuyos rasgos no conoció hasta el día de su muerte, porque sólo la había oído cantar en un transistor crepitante.

Los guerrilleros le dieron a Babar un apodo del que estaba desmesuradamente orgulloso: le llamaban «el emperador», en recuerdo de aquel otro Babar cuyo trono fue usurpado, que se fue al monte con un ejército andrajoso y que acabó fundando la famosa dinastía de monarcas cuyo apellido se usa aún como título honorífico dado a los magnates del cine. Babar, el Mogol de los Montes Imposibles... dos días antes de que Raza Hyder se fuera de Q., una expedición mandada por última vez por el gran comandante en persona fue la que disparó la bala que abatió a Babar.

Pero no importó, porque él había estado demasiado tiempo con los ángeles; en lo alto de aquellos montes cambiantes y traicioneros, los había contemplado, con su pecho de oro y sus alas doradas. Los arcángeles revoloteaban sobre su cabeza mientras hacía su guardia en un amenazador saliente de rocas. Sí, es posible que hasta el propio Jibreel se cirniera benevolente sobre él como un helicóptero dorado, mientras él violaba a alguna oveja. Y, poco después de su muerte, los guerrilleros se dieron cuenta de que la piel de su barbudo camarada había empezado a despedir una luz amarilla; en sus espaldas podían verse los pequeños brotes de nuevas alas. Era una transformación conocida para los habitantes de los Montes Imposibles. «No estarás aquí mucho tiempo —le dijeron a Babar con rastros de envidia en la voz—, Emperador, te vas a ir; se acabaron para ti las jodiendas lanosas.» El proceso de angelización de Babar debía de estar a punto de terminarse en el momento de su muerte, cuando su unidad guerrillera atacó un tren de mercancías aparentemente averiado, cayendo así en la trampa de Raza Hyder, porque aunque dieciocho balas atravesaron su cuerpo, que resultaba un blanco fácil porque brillaba amarillo en la noche a través de su ropa, le resultó fácil salir de esa piel y remontarse luminoso y alado hacia la eternidad de las montañas, donde se alzó una gran nube de serafines mientras el mundo se estremecía y rugía, y donde, con música de gloriosas flautas de lengüeta y celestiales *sarandas* de siete cuerdas y *dumbirs* de tres, fue acogido en el seno elíseo de la tierra. Se dice que su cuerpo, cuando lo bajaron, era tan insustancial y ligero como una piel de serpiente abandonada, como esas que dejan tras sí las cobras y los *playboys* cuando mudan; y él se había ido, ido para siempre, el muy imbécil.

Naturalmente, su muerte no se describía en ningún cuaderno; fue algo que se representó en las afligidas imaginaciones de sus tres madres, porque, como le dijeron a Omar mientras le contaban la historia de la transformación de su hijo en ángel: «Tenemos derecho a regalarle una buena muerte, una muerte con la que podamos vivir los vivos.» Ante el choque de la tragedia, Chhunni, Munnee y Bunny comenzaron a desmoronarse interiormente, convirtiéndose en simples fachadas, en seres tan insustanciales como el despojado cadáver de su hijo. (Pero al final se recuperaron.)

El cuerpo se lo devolvieron unas semanas después de haberlo perforado dieciocho balas. También recibieron una carta en papel oficial. «Sólo el recuerdo del antiguo prestigio de su apellido las protege de las consecuencias de la gran infamia de su hijo. Estimamos que incumbe a las familias de esos pistoleros una gran responsabilidad.» La carta la había firmado, antes de su marcha, el ex gobernador, Raza Hyder en persona; quien, por lo tanto, debió de saber que había tramado la muerte del muchacho al que había visto, años antes, mirándolo con unos gemelos desde las ventanas superiores de la cerrada mansión que se alzaba entre el Cantt y el bazar.

Por compasión hacia Omar Khayyam Shakil —para ahorrarle, digamos, sonrojos— no describiré la escena que se desarrolló a la puerta de la casa de Harappa en la ciudad, cuando el médico apareció por fin en un taxi, llevando en la mano los cuadernos de su hermano. De momento ha rebotado ya en suficiente porquería; baste decir que, bajo el peso frío del desaire de Iskander, Omar Khayyam sufrió un ataque de vértigo tan fuerte que vomitó en la trasera del taxi. (También sobre eso correré un velo delicado.) Una vez más, otros habían actuado y, al hacerlo, habían determinado la historia de su vida: la huida de Babar, las balas de Hyder, la exaltación de Mir Harappa y la alteración resultante en Iskander se tradujeron, en lo que a nuestro héroe se refería, en una patada en la boca. Más tarde, en su propia casa (todavía no hemos visitado la residencia de Shakil: un piso poco atractivo en una de las zonas residenciales más antiguas de la ciudad, cuatro habitaciones caracterizadas por la total ausencia de muebles, salvo los más esenciales, como si Shakil, en su edad adulta, se rebelara contra el fantaseado abarrotamiento de la casa de sus madres, y prefiriera, en cambio, el ascetismo de paredes desnudas de su padre elegido, el desaparecido y pájaroenjaulado maestro Eduardo Rodrigues. Un padre es a la vez una advertencia y un señuelo), a la que el agraviado conductor de taxi le obligó a llegar apestando y a pie, se fue a la cama, agotado por el calor y con la cabeza dándole vueltas todavía; colocó el montón de cuadernos raídos en la mesilla y se dijo, mientras se adormecía: «Babar, la vida es larga.»

Al día siguiente volvió al trabajo; y el día que siguió a ese día comenzó a enamorarse.

Había una vez una parcela de tierra. Estaba atractivamente situada en el centro de la Primera Fase de la Cooperativa de Viviendas de los Funcionarios de los Servicios de la Defensa; a su derecha se alzaba la residencia oficial del ministro nacional de Educación, Información y Turismo, un edificio imponente cuyas paredes estaban revestidas de mármol ónice verde veteado de rojo, y a su izquierda estaba la casa de la viuda del difunto jefe del

Estado Mayor Conjunto, el mariscal Aurangzeb. Sin embargo, a pesar de la situación y los vecinos, la parcela seguía vacía; no se habían excavado en ella cimientos, no se habían levantado andamios para construir paredes de hormigón. La parcela de tierra, de forma trágica para su propietario, estaba en una pequeña hondonada, de forma que, cuando llegaban los dos días de lluvia torrencial de que la ciudad disfrutaba cada año, las aguas inundaban la parcela vacía formando un lago fangoso. Ese fenómeno insólito de un lago que aparecía dos días al año y era luego consumido por el sol, dejando una capa delgada de basura y excrementos arrastrados por las aguas, era bastante para desanimar a todos los posibles constructores, aunque la parcela, como queda dicho, estaba agradablemente situada: el Aga Khan era propietario del pabellón de la cima de la cercana colina, y el hijo mayor del presidente, el mariscal de campo Mohammad A., vivía también cerca. Fue en ese desventurado pedazo de tierra donde Clavelitos Aurangzeb decidió criar pavos.

Abandonada por su amante vivo y por su marido muerto, la viuda del mariscal resolvió dedicarse a los negocios. Muy impresionada por el éxito del nuevo proyecto de pollitos que la compañía aérea nacional había empezado a explotar recientemente en instalaciones situadas en la periferia del aeropuerto, Clavelitos se decidió por aves mayores. Los funcionarios de la sociedad de viviendas no pudieron resistir el atractivo de la señora Aurangzeb (quizá estuviera desvaneciéndose, pero todavía era demasiado para aquellos oficinistas), e hicieron la vista gorda ante las nubes de aves glugluteantes que ella soltó en aquel terreno vacío y cercado. La llegada de los pavos fue considerada por la señora Bilquìs Hyder como un insulto personal. Mujer hipertensa, de la que se decía que las dificultades de su matrimonio estaban sometiendo a su cerebro a un esfuerzo creciente, empezó a asomarse a las ventanas y a insultar a las ruidosas aves. «¡Fuera! ¡Callaos, mentecatos! ¡Habráse visto unos pavos armando este alboroto junto a la casa de un ministro! ¡Os voy a rebanar el pescuezo!»

Cuando Bilquìs recurrió a su marido para que hiciera algo con respecto a aquellas aves eternamente glugluteantes, que estaban destruyendo la poca tranquilidad de ánimo que le quedaba, Raza Hyder le respondió con calma: «Es la viuda de nuestro gran mariscal, esposa. Hay que hacer concesiones.» El ministro de Educación, Información y Turismo estaba cansado al terminar un duro día de trabajo, en el que había aprobado medidas que legalizarían la edición pirata por el gobierno de libros de texto científicos occidentales; había presenciado personalmente la trituración de una de las pequeñas imprentas portátiles en que se imprimía ilícitamente propaganda antiestatal y que había sido descubierta en el sótano de un licenciado en letras que había vuelto de Inglaterra corrompido por las ideas extranjeras; y había debatido con los principales marchantes de arte de la ciudad el problema creciente del robo de antigüedades de los emplazamientos arqueológicos del país... debatido el problema, habría que añadir, con tanta sensibilidad, que los marchantes se sintieron inclinados a regalarle, en agradecimiento a su actitud, una pequeña cabeza de piedra de Taxila, de la época de la expedición al norte de Alejandro Magno. En pocas palabras, Raza Hyder no estaba para pavadas.

Bilquìs no había olvidado lo que un hombre gordo había insinuado sobre su marido y la señora Aurangzeb en la galería de Mohenjo, años atrás; recordó la época en que su marido fue capaz de atarse a una estaca clavada en el suelo por ella; y además, a sus treinta y dos años, se estaba volviendo cada vez más estridente. Fue el año en que el *loo* sopló más fuertemente que nunca, y los casos de fiebres y de locura aumentaron en un cuatrocientos veinte por ciento... Bilquìs se puso en jarras y le gritó a

Raza, delante de sus dos hijas: «¡Qué día llevo! ¡Y ahora me humillas con esos pájaros!» Su hija mayor, la deficiente mental, comenzó a ruborizarse, porque era evidente que los glugluteantes pavos representaban en realidad otra victoria más de Clavelitos Aurangzeb sobre las esposas de otros hombres, la última de esas victorias, de la que la victoriosa no sabía absolutamente nada.

Y había una vez una hija retrasada, a la que, durante doce años, se le había dado a entender que personificaba la vergüenza de su madre. Sí, ahora tengo que ocuparme de ti, Sufiya Zinobia, en tu enorme cuna de sábanas de goma, en aquella residencia ministerial de paredes de mármol, en una alcoba del piso superior a través de cuyas ventanas te glugluteaban los pavos, mientras en un tocador de mármol ónice tu hermana le gritaba al *ayah* que le tirase del pelo.

Sufiya Zinobia, a los doce años, había adquirido la costumbre, poco atractiva, de rasgarse el cabello. Cuando Shahbanou, el *ayah* parsi, le lavaba sus mechones de color castaño oscuro, daba patadas y gritos sin cesar; el *ayah* tenía que renunciar siempre antes de aclarar los últimos restos de jabón. La presencia constante de detergente perfumado de sándalo convirtió a Sufiya Zinobia en un caso horroroso de puntas partidas, y se sentaba en la enorme cuna que sus padres habían fabricado para ella (y que se habían traído desde Q., junto con grandes extensiones de sábanas de abajo de goma y chupetes de gran tamaño), y se partía en dos cada pelo afectado, hasta llegar a la misma raíz. Esto lo hacía seria, sistemáticamente, como si se infligiera heridas rituales a sí misma igual que uno de los chiinches de Iskander Harappa, los derviches chiitas de las procesiones del 10 de Muharram. Sus ojos, mientras trabajaba, adquirían un centelleo apagado, un brillo de hielo o fuego distantes que venía de mucho más abajo de su superficie, normalmente opaca; y la nube desgarrada de cabellos se alzaba en torno a su rostro, formando a la luz del sol una especie de nimbo destructor.

Fue el día siguiente al arrebato de Bilquìs Hyder por los pavos. Sufiya Zinobia se desgarraba el pelo en su cuna; pero Buenas Noticias, de cara plana como un *chapati*, estaba decidida a demostrar que su melena larga y espesa era ya suficientemente larga para poder sentarse encima. Echando la cabeza atrás le gritó a la pálida Shahbanou:

—¡Tira! ¡Todo lo fuerte que puedas! ¿A qué esperas, estúpida? *Yank*...! —Y el *ayah*, de ojos hundidos, delicada, trató de meter la punta de aquellos cabellos bajo el huesudo trasero de Buenas Noticias. Lágrimas de dolor aparecieron en los ojos decididos de la chica—: La belleza de una mujer —jadeó Buenas Noticias— desciende desde su cabeza. Todo el mundo sabe que a los hombres los vuelve locos un pelo brillante que te puedas meter debajo del culo.

Shahbanou, con tono impersonal, dijo:

—Es inútil, *bibi*, no llega.

Buenas Noticias, golpeando con los puños a su *ayah*, se volvió airada contra su hermana:

—Tú. Mueble. Mírate. ¿Quién se casaría contigo, con ese pelo, aunque tuvieras un cerebro? Nabo. Remolacha. Rabanito angrés. Hay que ver cómo me fastidias con ese rasgarte el pelo. Las hermanas mayores deben casarse primero, pero ¿quién la querrá a ella, *ayah*? Te lo juro, es una tragedia, qué sabes tú. Vamos, tira otra vez, y esta vez no pretendas que no llega... no, no te preocupes ahora de esa idiota, déjala con sus cochinos rubores y sus mojaduras. No entiende, qué podría entender, nada.

Y Shahbanou, encogiéndose de hombros, insensible a los golpes de Naveed Hyder:

—No deberías hablar así a tu hermana, *bibi*, un día se te pondrá la lengua negra y se te caerá.

Dos hermanas en una habitación mientras fuera el viento cálido empieza a soplar. Se cierran los postigos para hacer frente a la violencia de las ráfagas, y al otro lado del muro del jardín los pavos se asustan en las garras febriles del vendaval. A medida que la furia del *loo* aumenta, la casa se hunde en el sueño. Shahbanou en una esterilla en el suelo, al lado de la cuna de Sufiya Zinobia; Buenas Noticias, agotada por tanto tirón de pelo, echada cuán larga es en su cama de diez años.

Dos hermanas dormidas: en reposo, el rostro de la menor revelaba su falta de atractivo, al quedar despojado de su decisión, despierto, de ser atractivo; en tanto que la simplona perdía, en sueños, la blanda vacuidad de su expresión, y el severo clasicismo de sus rasgos hubiera agradado a cualquiera que la viese. ¡Qué contraste entre las dos chicas! Sufiya Zinobia, desconcertantemente pequeña (no, tenemos que evitar, a toda costa, compararla con una miniatura oriental), y Buenas Noticias espaciosa, alargada. Sufiya y Naveed, vergüenza y buenas noticias: una, lenta y silenciosa, la otra viva en sus ruidos. Buenas Noticias miraba con descaro a sus mayores; Sufiya apartaba los ojos. Pero Naveed Hyder era el angelito de su madre, y se salía con la suya en todo. «¡Imagínate —solía pensar Omar Khayyam en años posteriores— que ese escándalo de la boda le hubiera ocurrido a Sufiya Zinobia! Le habrían sacado la piel a tiras para mandársela a la *dhobi*.»

Escuchad: hubierais podido coger todo el amor a su hermana que había en Buenas Noticias Hyder, meterlo en un sobre y enviarlo a cualquier lugar del mundo por correo aéreo por una rupia, eso es lo que pesaba... ¿dónde estaba yo? Ah sí, soplaba el viento cálido, y su aullido era como unas fauces de sonido que se tragaran todos los demás ruidos, aquel vendaval seco llevaba la enfermedad y la locura en sus alas afiladas por la arena, el peor *loo* que nadie recordaba, un viento que soltaba a los demonios en el mundo y se abría paso a través de los postigos para atormentar a Bilquìs con los fantasmas insoportables de su pasado, de forma que, aunque ella enterraba la cabeza bajo la almohada, seguía teniendo ante los ojos una dorada figura ecuestre que llevaba un gallardete en el que flameaba la palabra, aterradoramente críptica, *Excelsior*. Ni siquiera el glugluteo de los pavos pudo oírse por encima del vendaval cuando el mundo entero buscó refugio; y entonces los dedos abrasadores del viento penetraron en una alcoba en que dormían dos hermanas, y una de ellas comenzó a agitarse.

Es fácil echarle la culpa al viento. Quizá aquellas ráfagas pestilentes tuvieron algo que ver... quizá, cuando rozaron a Sufiya Zinobia, ella enrojeció bajo aquella mano horrible, ardió, y quizá por eso se levantó, con los ojos blancos como la leche, y salió de la habitación... pero prefiero creer que el viento no fue más que una coincidencia, una excusa; que lo que ocurrió ocurrió porque doce años de humillaciones sin amor se cobran su precio, incluso en una idiota, y siempre hay un momento en que algo se rompe, aunque la última gota no pueda determinarse con certeza: ¿fueron las preocupaciones matrimoniales de Buenas Noticias? ¿O la calma de Raza ante la estridente Bilquìs? Imposible decirlo.

Debió de ir sonámbula, porque cuando la encontraron parecía descansada, como si hubiera dormido bien y profundamente. Cuando el viento amainó y la casa despertó de su siesta turbulenta, Shahbanou notó enseguida la cuna vacía y dio la alarma. Nadie pudo averiguar después cómo se escapó la chica, cómo pudo andar dormida por toda una casa llena de muebles del gobierno y centinelas. Shahbanou diría siempre que debió de ser todo un viento, que hizo dormir a los soldados de la puerta principal y realizó un milagro de sonambulismo de tal potencia que el paso de Sufiya Zinobia por la casa, al jardín y por encima del muro tuvo el poder de contagiar a todos, que debieron de caer instantáneamente en un trance provocado por el viento. Pero mi opinión es que la fuente del poder, la milagrera, fue la propia Sufiya Zinobia; habría otras ocasiones, en que no se podría culpar al viento...

La encontraron después del *loo*, sentada y profundamente dormida bajo un sol feroz en el terreno de los pavos de la viuda Aurangzeb, una figurita encogida que roncaba suavemente en medio de los cadáveres de las aves. Sí, estaban todos muertos, cada uno de los doscientos dieciocho pavos de la soledad de Clavelitos, y la gente se sobresaltó tanto que olvidaron retirar los cadáveres durante un día entero, dejando que las aves muertas se pudrieran en el calor y en la penumbra crepuscular de la tarde y bajo las estrellas ardientes como el hielo, doscientos dieciocho que jamás llegarían a un horno o una mesa de comedor. Sufiya Zinobia les había arrancado la cabeza y luego había hundido las manos en sus cuerpos para sacarles las entrañas por el cuello con sus manos diminutas e inermes. Shahbanou, que la encontró primero, no se atrevió a acercarse a ella; luego llegaron Raza y Bilquìs, y pronto todo el mundo, hermana, criados, vecinos, estuvo allí con la boca abierta por el espectáculo de la niña ensangrentada y de los decapitados animales con intestinos en vez de cabezas. Clavelitos Aurangzeb contempló con expresión ausente la carnicería, y se quedó impresionada por el odio sin sentido que vio en los ojos de Bilquìs; las dos mujeres permanecieron silenciosas, cada una de ellas dominada por un horror diferente, de forma que fue Raza Hyder, con sus ojos acuosos ribeteados de negro fijos en el rostro de su hija de labios ensangren-tados, quien habló primero con una voz que reflejaba tanto admiración como repugnancia: «Con las manos desnudas —dijo temblando el nuevo ministro del gobierno—, ¿qué le ha dado a esta niña esa fuerza?»

Ahora que los flejes de acero del silencio habían saltado, Shahbanou, el *ayah*, comenzó a lamentarse a voz en grito: «Ul-lu-ul-lu-ul-lu!», un lamento farfullado tan agudo que sacó a Sufiya Zinobia de su sueño letal; abrió sus ojos de leche aguada y, al ver la devastación que la rodeaba, se desmayó, imitando a su propia madre en aquel día lejano en que Bilquìs se encontró desnuda en medio de la multitud y perdió el conocimiento de vergüenza.

¿Qué fuerzas indujeron a aquella mente dormida de tres años en su cuerpo de doce a lanzar un ataque incondicional contra los emplumados pavos y pavas? Sólo cabe especular: ¿trató Sufiya Zinobia, como una buena hija, de librar a su madre de aquella plaga glugluteante? ¿O es que la cólera, la indignación orgullosa que Raza Hyder hubiera debido sentir pero se negó a hacerlo, prefiriendo hacer concesiones a Clavelitos, se abrió camino en cambio hasta su hija...? Lo que parece seguro es que Sufiya Zinobia, agobiada durante tanto tiempo por el hecho de ser un milagro-que-salió mal, una vergüenza familiar hecha carne, había descubierto, en los laberintos de su personalidad inconsciente, el sendero oculto que comunica la *sharam* con la violencia; y que, al despertar, se sorprendió tanto como cualquiera de la fuerza de lo que se había desencadenado.

La bestia dentro de la bella. Elementos contrapuestos de un cuento de hadas combinados en un solo personaje... Bilquìs, en esa ocasión, no se desmayó. La turbación por lo que había hecho su hija, el hielo de aquella última vergüenza dio una rigidez helada a su porte.

—Cállate —le ordenó a la ululante *ayah*—, vete y trae unas tijeras.

Hasta que el *ayah* cumplió su enigmático encargo, Bilquìs no dejó que nadie tocara a la chica; la rodeó de una forma tan impresionante que ni siquiera Raza Hyder se atrevió a acercarse. Mientras Shahbanou corría a buscar las tijeras, Bilquìs hablaba suavemente, en voz baja, de forma que sólo algunas palabras llegaban flotando hasta el marido, la viuda, la hija menor, los criados y los transeúntes anónimos que miraban.

—Te desgarras el pelo... la mayor... el orgullo de una mujer... bruja-peluja como una *hubshee*... vulgaridad... suelto... absurdo...

Y entonces llegaron las tijeras, y nadie se atrevió tampoco a intervenir cuando Bilquìs agarró a puñados las trenzas laceradas de su hija y cortó, cortó, cortó. Por fin se puso en pie, sin aliento, y, accionando distraídamente las tijeras con los dedos, se alejó. La cabeza de Sufiya Zinobia parecía un maizal después de un incendio; rastrojos tristes, negros, una desolación catastrófica causada por la furia materna. Raza Hyder recogió a su hija con una dulzura nacida de su perplejidad infinita y la llevó adentro, lejos de las tijeras que seguían cortando el aire en la mano incontrolable de Bilquìs.

Unas tijeras que cortan el aire significan problemas familiares.

—¡Ay mamá! —se rió miedosa Buenas Noticias—. ¿Qué has hecho? Parece...

—Siempre quisimos un chico —respondió Bilquìs—, pero Dios sabe lo que se hace.

A pesar de que la sacudían, tímidamente Shahbanou y más violentamente Buenas Noticias, Sufiya Zinobia no se despertaba de su desmayo. A la noche siguiente le había subido la fiebre, y un cálido arrebol se extendía desde su cuero cabelludo hasta las plantas de sus pies. El *ayah* parsi de aspecto frágil, cuyos ojos hundidos la hacían parecer de cuarenta y tres años pero que resultaba tener sólo diecinueve, no se apartó un momento de la gran cuna de barrotes salvo para ir a buscar compresas frías para la frente de Sufiya. «Me parece que vosotros los parsis —le dijo Buenas Noticias a Shahbanou— tenéis debilidad por los deficientes mentales. Debéis de tener experiencia.» Bilquìs no mostró interés por la aplicación de compresas. Estaba sentada en su habitación con las tijeras, que parecían habérsele pegado a los dedos, cortando el aire. «Fiebre del viento», llamaba Shahbanou a la dolencia sin nombre de su protegida, que había hecho arder a aquella cabeza trasquilada; pero en la segunda noche refrescó, ella abrió los ojos y se pensó que se había recuperado. A la mañana siguiente, sin embargo, Shahbanou se dio cuenta de que algo horrible había empezado a ocurrirle al cuerpo diminuto de la niña. Había comenzado a aparecer en grandes erupciones a manchas, de color rojo y púrpura y con granitos duros en el centro; se le estaban formando diviesos entre los dedos de los pies, y la espalda le hervía de extraordinarios bultos de color bermellón. Sufiya Zinobia tenía una salivación excesiva; grandes chorros de saliva le salían de los labios. En las axilas se le formaban espantosas bubas negras. Era como si la oscura violencia que se había engendrado en aquella pequeña constitución se hubiese vuelto hacia adentro, renunciando a los pavos y atacando a la niña misma; como si, a semejanza de su abuelo Mahmoud la Mujer, que se sentó en un cine vacío esperando pagar su doble deuda o como un soldado dejándose caer sobre su espada, Sufiya Zinobia hubiera elegido la forma de su propio fin. La peste de la vergüenza —en la que insisto en incluir la vergüenza no sentida por los que la rodeaban, por ejemplo lo que no había sentido Raza Hyder al matar a tiros a Babar Shakil... así como la vergüenza incesante de su propia existencia y de su pelo trasquilado— la peste, digo, se extendió rápidamente por aquella criatura trágica cuya principal característica definitoria era su excesiva sensibilidad a los bacilos de la humillación.

La llevaron al hospital con el pus brotándole de las llagas, babeante, incontinente, y con la prueba tosca y desmochada del odio de su madre en la cabeza.

¿Qué es un santo? Un santo es una persona que sufre por nosotros.

La noche en que ocurrió todo esto, Omar Khayyam Shakil se había visto asaltado, durante su breve sueño, por sueños vívidos del pasado, en todos los cuales la figura vestida de blanco del malogrado maestro Eduardo Rodrigues desempeñaba un papel principal. En los sueños, Omar Khayyam era otra vez un muchacho. Trataba de seguir a Eduardo a todas partes, al lavabo, a la cama, convencido de que si pudiera alcanzar al maestro podría saltar dentro de él y ser feliz por fin; pero Eduardo lo ahuyentaba con su sombrero blanco de ala ancha, golpeándolo e indicándole que se fuera, que se esfumara, que se largara. Eso desconcertó al médico hasta muchos días más tarde, en que comprendió que los sueños habían sido advertencias premonitorias de los peligros de enamorarse de hembras menores de edad y seguirlas hasta los confines del mundo, donde inevitablemente os abandonan y la onda de su rechazo os arrebata lanzándoos a la gran nada estrellada, más allá de la gravedad y del sentido común. Recordó el final de su sueño, en el que Eduardo, con su ropa blanca ahora ennegrecida y andrajosa y chamuscada, parecía volar alejándose de él, flotando sobre una nube de fuego en explosión, con una mano levantada sobre la cabeza, como diciendo adiós... un padre es una advertencia; pero es también un señuelo, un precedente imposible de resistir, y por eso, para cuando Omar Khayyam descifró sus sueños era ya demasiado tarde para seguir su

consejo, porque se había prendado de su destino, Sufiya Zinobia Hyder, una niña de doce años con una inteligencia de tres, la hija del hombre que mató a su hermano.

Imaginaos lo deprimido que estoy por el comportamiento de Omar Khayyam Shakil. Me pregunto por
segunda vez: ¿qué clase de héroe es éste? Se le vio
por última vez cayendo en la inconsciencia, apestando
a vomitona y jurando venganza; y ahora va y se chifla
por la hija de Hyder. ¿Cómo va a responder uno de un
personaje así? ¿Sería mucho pedir un poco de consecuencia? Acuso a este supuesto héroe de darme el más
atroz dolor de cabeza.

Indudablemente (vamos a tomárnoslo con calma;
nada de movimientos bruscos, por favor) él estaba en
un estado de ánimo perturbado. Un hermano muerto, un rechazo por su mejor amigo. Son circunstancias
atenuantes. Las tendremos en cuenta. Es justo suponer
también que el vértigo que lo acometió en el taxi se repitió, en los días que siguieron, para hacerle perder aún
más el equilibrio. De forma que hay algunos argumen-
tos débiles en su defensa.

Y ahora, paso a paso. Se despierta, sumido en la va-
ciedad de su vida, solo en el insomnio del amanecer. Se
lava, se viste, se va a trabajar; y ve que, sumergiéndose
en sus obligaciones, puede seguir adelante; hasta consigue tener a raya a los ataques de vértigo.

¿Cuál es su especialidad? Lo sabemos: es un inmunólogo. De modo que no se le puede culpar de la llegada a su hospital de la hija de Hyder; al padecer una crisis inmunológica, Sufiya Zinobia es llevada al mejor
especialista del país en ese campo.

Y ahora, cuidado. Hay que evitar los ruidos fuertes.
Para un inmunólogo en busca de la calma que proviene

de un trabajo estimulante y absorbente, Sufiya Zinobia parece un regalo del cielo. Delegando tantas ocupaciones como puede, Omar Khayyam se dedica más o menos plenamente al caso de la niña simplona cuyos mecanismos de defensa corporales han declarado la guerra a la propia vida que se supone deben proteger. La dedicación de él es totalmente sincera (la defensa no descansa): en las semanas que siguen, se familiariza plenamente con el historial médico de ella, y más adelante dejará constancia en su tratado *El caso de la señorita H.* de las pruebas nuevas e importantes que ha descubierto sobre el poder de la mente para influir, «por vía nerviosa directa», en el funcionamiento del cuerpo. El caso se hará famoso en los medios médicos; doctor y paciente quedarán para siempre unidos en la historia de la ciencia. Esos vínculos, ¿hacen más aceptables otros, más personales? Me reservo mi juicio. Demos un paso más:

Se convence de que Sufiya Zinobia quiere hacerse daño a sí misma. Ésa es la importancia de su caso: muestra que hasta una mente deteriorada puede reclutar macrófagos y polimorfos; hasta una inteligencia atrofiada puede dirigir una revolución palaciega, una rebelión suicida de los jenízaros del cuerpo humano contra el castillo mismo.

«Desintegración total del sistema inmune —anota después de su primer reconocimiento de la paciente—, la subversión más horrible que he visto nunca.»

Vamos a decirlo de la forma más amable posible por el momento. (Tengo más cargos, pero pueden esperar.) Luego, por muy frenéticamente que se concentre, tratando de evocar hasta el último detalle de esos días en los pozos envenenados de su memoria, no puede determinar el momento en que la excitación profesional se convirtió en amor trágico. No pretende que Sufiya Zinobia lo haya alentado en lo más mínimo; dadas las circunstancias, eso sería evidentemente absurdo. Pero en algún momento, quizá durante las noches pasadas en vela a su cabecera, vigilando los efectos del tratamiento de medicamentos inmunosupresivos que ha prescrito, velas en que lo acompaña el *ayah* Shahbanou, la cual consiente en ponerse gorra, bata, guantes y máscara estériles, pero se niega en redondo a dejar a la chica sola con el médico... sí, quizá en esas noches ridículamente pasadas con señora de compañía, o posiblemente más tarde, cuando es evidente que ha triunfado, que ha sido sofocada la revuelta pretoriana, reprimido el motín por los mercenarios farmacéuticos, de forma que las repugnantes erupciones de la enfermedad de Sufiya Zinobia desaparecen de su cuerpo y el color vuelve a sus mejillas... en algún momento de ese proceso, ocurre. Omar Khayyam se enamora estúpida e irremisiblemente.

«No es racional», se reprocha a sí mismo, pero sus emociones, de forma poco científica, hacen caso omiso de él. Se descubre comportándose torpemente en presencia de ella, y en sus sueños la sigue hasta los confines de la tierra, mientras los tristes restos de Eduardo Rodrigues contemplan compasivamente su obsesión desde el cielo. También él piensa en circunstancias atenuantes, se dice que, en su estado de agotamiento psicológico, ha sido víctima de un desorden mental, pero se avergüenza demasiado para pensar siquiera en pedir consejo... ¡No, maldita sea! Con dolor de cabeza o sin él, no dejaré que salga tan bien parado. Lo acuso de ser tan feo por dentro como por fuera, una Bestia, como adivinó Farah Zoroaster hace todos esos años. Lo acuso de hacer de Dios o, por lo menos, de Pigmalión, de creer que tenía un derecho de propiedad sobre la inocente cuya vida había salvado. Acuso a ese barril gordo de carne de cerdo de llegar a la conclusión de que la única probabilidad que tenía de conseguir una mujer bella era casarse con una cretina, sacrificando el cerebro de su cónyuge en aras de la belleza de la carne.

Omar Khayyam pretende que su obsesión por Sufiya Zinobia lo ha curado de su vértigo. ¡Tonterías! ¡Bobadas! Acuso a ese villano de intentar un número desvergonzado de ascensión social (¡eso nunca le dio mareos!)... defenestrado por un gran personaje de la época, Omar Khayyam quiere uncirse al carro de otra estrella. Es tan poco escrupuloso, tan desvergonzado, que cortejará a una idiota para ganarse a su padre. Incluso a un padre que dio la orden que metió dieciocho balas en el cuerpo de Babar Shakil.

Pero lo hemos oído musitar: «Babar, la vida es larga...» Oh, eso no me engaña. ¿Os imagináis un plan de venganza?... ¿Que Omar Khayyam, al casarse con esa niña incasable, podrá permanecer cerca de Hyder durante años, antes de su presidencia, en su presidencia y después de su presidencia, esperando su momento, porque la venganza es paciente y aguarda el momento perfecto...? ¡Pamplinas! ¡Sandeces! Esas palabras morbosas (y, sin duda, empapadas en whisky) de un ballenato mareado no fueron más que un eco apagado y hueco de la amenaza favorita del señor Iskander Harappa, el antiguo protector, compañero de francachelas y compinche de nuestro héroe. Por supuesto, nunca habló en serio; no es un tipo de los que se vengan. ¿Sentía lo más mínimo por ese hermano muerto al que nunca conoció? Lo dudo; sus tres madres, como veremos, lo dudaban también. No es una posibilidad que se pueda tomar en serio. ¿Venganza? ¡Bah! ¡Ja! ¡Fui! Si Omar Khayyam pensó en la muerte de su hermano, lo más probable es que pensara: «Tonto, terrorista, pistolero. ¿Qué se creía?»

Tengo un último cargo, y es el más acusador. Los hombres que reniegan de su pasado se vuelven incapaces de considerarlo real. Absorbido por la gran ciudad-puta, después de dejar muy atrás de nuevo el universo fronterizo de Q., la ciudad natal de Omar Khayyam

Shakil le parece ahora una especie de pesadilla, una fantasía, un fantasma. La capital y la frontera son mundos incompatibles; al elegir Karachi, Shakil rechaza el otro. Se convierte, para él, en algo insustancial y ligero, en una piel desechada. No le afecta ya lo que ocurre allí, por su propia lógica y sus exigencias. Es alguien sin hogar, es decir, metropolitano hasta la médula. Una capital es un campo de refugiados.

¡Dios lo confunda! Estoy atascado con él; y con su pustuloso amor.

Muy bien; sigamos. He perdido otros siete años de mi historia mientras el dolor me golpeaba y aporreaba la cabeza. Siete años, y ahora hay que asistir a bodas. ¡Cómo pasa el tiempo!

No me gustan los matrimonios concertados. Hay algunos errores de los que uno no debería poder culpar a sus pobres padres.

8. LA BELLA Y LA BESTIA

—Imagínate que te metieran un pez por el trasero, una anguila que te escupiera en las tripas —dijo Bilquìs—, y no hará falta que te diga lo que le pasa a una mujer en su noche de bodas.

Su hija Buenas Noticias se sometía a esas bromas y al trazado de dibujos de *henna* en las cosquillosas plantas de sus pies con la obstinación recatada de quien guarda un horrible secreto. Tenía diecisiete años y era la víspera de su boda. Las mujeres de la familia de Bariamma se habían congregado para prepararla; mientras Bilquìs le aplicaba la *henna*, madre e hija estaban rodeadas de ansiosos parientes con aceites para el cutis, cepillos de pelo, *kohl*, limpiametales y planchas. La figura momificada de Bariamma en persona lo vigilaba todo ciegamente, desde su posición aventajada en un *takht* sobre el que, en su honor, se había extendido una alfombra de Shiraz; unos cabezales de *gaotakia* le impedían venirse abajo y caer al suelo cuando se reía de las descripciones, horriblemente disuasorias, de la vida matrimonial con que las matronas acosaban a Buenas Noticias.

—Piensa en un *sikh kabab* que chorreara grasa caliente —le sugirió Duniyazad Begum, con viejas peleas reluciéndole en los ojos. Pero las vírgenes sugerían imágenes más optimistas.

—Es como sentarse en un proyectil que te llevara a la luna —conjeturó una de las doncellas, ganándose una lluvia de proyectiles de Bariamma por la blasfemia, porque la fe decía claramente que las expediciones lunares eran imposibles.

Las mujeres cantaban canciones que insultaban al novio de Buenas Noticias, el joven Haroun, primogénito de Mir Harappa el Pequeño: «¡Cara de patata! ¡Piel de alpargata! ¡Anda como un elefante! ¡Con un platanito delante!» Pero cuando Buenas Noticias habló por primera y última vez aquella velada, nadie supo qué decir.

—Mamá, cariño —dijo Naveed firmemente en medio de un silencio escandalizado—, no me voy a casar con ese idiota de cara de patata, a que no.

Haroun Harappa, a los veintiséis, estaba ya acostumbrado a la mala fama, porque durante el año que pasó en la universidad de los «angreses» publicó un artículo en la revista estudiantil en el que describía las mazmorras privadas de la gran hacienda de Daro, en las que su padre metía a la gente para años y más años. También escribió sobre la expedición de castigo que Mir Harappa dirigió una vez contra el hogar de su primo Iskander, y sobre la cuenta en un banco extranjero (daba el número) a la que su padre estaba transfiriendo grandes cantidades de fondos públicos. El artículo fue reimpreso en *Newsweek*, de forma que las autoridades del país tuvieron que interceptar todo el envío de aquel número subversivo y arrancar de cada ejemplar las páginas ofensivas; pero sin embargo su contenido se hizo del dominio general. Cuando expulsaron a Haroun Harappa de su colegio universitario a finales de aquel año, debido a que, después de estudiar economía durante tres cursos, no había conseguido dominar los conceptos de la oferta y la demanda, todos supusieron que había escrito ese artículo por estupidez inocente y auténtica, esperando sin duda impresionar a los extranjeros con la perspicacia y el poder de su familia. Se sabía que había pasado su carrera universitaria casi exclusivamente en los garitos y las casas de putas de Londres, y se contaba que, cuando aquel verano entró en el aula de exámenes, echó una ojeada sin sentarse a la hoja de preguntas, se encogió de hombros, anunció alegremente «Aquí no se me ha perdido nada», y se dirigió dando un paseo, sin más, a su coupé Mercedes-Benz. «Me temo que el chico es tonto —le dijo Mir el Pequeño al presidente A.—, espero que no haya que tomar medidas contra él. Volverá a casa y sentará cabeza.»

Mir el Pequeño hizo un intento de persuadir al colegio de Haroun para que no lo echasen. Regaló una gran caja de cigarros con filigrana de plata al claustro de profesores. Sin embargo, los miembros de la directiva del colegio se negaron a creer que un hombre tan distinguido como Mir Harappa tratase de sobornarlos, de modo que aceptaron el regalo y pusieron a su hijo de patitas en la calle. Haroun Harappa volvió a casa con muchas raquetas de *squash*, direcciones de príncipes árabes, garrafones de whisky, trajes a medida, camisas de seda y fotografías eróticas, pero sin un título extranjero.

Sin embargo, el sedicioso artículo de *Newsweek* no había sido producto de la estupidez de Haroun. Había nacido del odio profundo e imperecedero que el hijo sentía hacia su padre, un odio que sobreviviría incluso a la horrible muerte de Mir Harappa. Mir el Pequeño había sido un padre severamente autoritario, pero eso, en sí mismo, no era algo insólito y hasta hubiera podido engendrar amor y respeto si no hubiera sido por el asunto del perro. El día en que Haroun cumplió los diez años, en Daro, su padre le regaló un gran paquete, atado con una cinta verde, del que salían unos ladridos ahogados, claramente audibles. Haroun era un niño reservado, hijo único, que había crecido amando la soledad; no deseaba realmente el cachorro de pastor escocés de pelo largo que salió del paquete, y le dio las gracias a su padre con una sobria hosquedad que irritó intensamente a Mir el Pequeño. En los días que siguieron, resultó evidente que Haroun tenía la intención de dejar que se cuidaran del perro los criados; entonces Mir, con la temeraria tozudez de su irritación, dio órdenes de que nadie moviera un dedo por el animal. «Ese maldito chucho es tuyo —le dijo Mir al chico— conque cuídalo tú.» Pero Haroun era tan obstinado como su padre, y ni siquiera le puso nombre al cachorro, de forma que, en el calor implacable del sol de Daro, el cachorro tuvo que buscarse su propia comida y bebida, contrajo sarna, moquillo y unas extrañas manchas verdes en la lengua, se volvió loco con su pelo largo y, finalmente, murió ante la puerta principal de la casa, lanzando lastimosos gañidos y lamiéndose el espeso puré amarillo que le salía del trasero. «Entiérralo», le dijo Mir a Haroun, pero el chico apretó los dientes y se fue, y el cadáver en lenta descomposición de aquel chucho sin nombre reflejó el aumento del odio del chico hacia su padre, el cual, a partir de entonces, estuvo asociado para siempre en su mente con el hedor del perro podrido.

Después de aquello, Mir Harappa comprendió su error e hizo grandes esfuerzos por recuperar el afecto de su hijo. Era viudo (la madre de Haroun murió de sobreparto) y el chico le importaba realmente mucho. Haroun fue escandalosamente mimado, porque, aunque rehusaba pedirle a su padre ni una camiseta nueva,

Mir trataba siempre de adivinar lo que el chico deseaba, de forma que Haroun se veía colmado de regalos, entre ellos un equipo completo de críquet compuesto por seis palitroques, cuatro estacas, doce juegos de espinilleras, veintidós camisetas y pantalones blancos de franela, once bates de distintos pesos y suficientes pelotas rojas para toda la vida. Había hasta chaquetillas blancas de árbitro y libretas de tanteo, pero a Haroun no le interesaba el críquet, y el generoso regalo languideció, sin utilizar, en algún rincón olvidado de Daro, junto al equipo de polo, las estacas de la tienda de campaña, los gramófonos importados y la cámara, el proyector y la pantalla de cine familiar. Cuando tenía doce años, el muchacho aprendió a montar a caballo, y desde entonces se le podía ver escrutando ansiosamente al horizonte tras el cual se encontraba la hacienda de Mohenjo de su tío Iskander. Siempre que oía que Isky estaba inspeccionando su casa solariega, Haroun cabalgaba sin parar para ir a sentarse a los pies del hombre que por derecho, según creía, hubiera debido ser su padre. Mir Harappa no protestó cuando Haroun manifestó su deseo de trasladarse a Karachi; y, a medida que Haroun crecía en aquella ciudad proliferante, el encaprichamiento de Haroun con su tío proliferaba también, de forma que comenzó a practicar el mismo dandismo y las mismas palabrotas y la misma admiración por la cultura europea que eran las marcas de fábrica de Isky antes de su gran conversión. Por eso fue por lo que el joven insistió en que lo enviaran a estudiar al extranjero, y por lo que se pasó el tiempo en Londres dedicado a las putas y el juego. Después de su vuelta, siguió de la misma forma; para entonces se había convertido en un hábito en él y fue incapaz de renunciar incluso cuando su idolatrado tío renunció a esas actividades indignas de un hombre de Estado, de forma que en la ciudad se cotilleaba que el pequeño Isky había tomado el relevo del grande. Mir Harappa siguió pagando las cuentas de la escandalosa conducta de su hijo, confiando todavía en reconquistar el amor de su única prole; inútilmente. Haroun, en su estado habitual de embriaguez, comenzó a hablar demasiado, y en compañía de lengüilargos. Soltaba, beodamente, las ideas políticas revolucionarias en circulación entre los estudiantes europeos durante el año que pasó en el extranjero. Despotricaba contra el mando militar y el poder de las oligarquías con toda la locuacidad entusiástica de quien desprecia cada palabra que dice pero confía en que hará daño a su padre, más detestado aún. Cuando llegó a hablar de la posibilidad de fabricar en serie cócteles Molotov, ninguno de sus amigotes lo tomó en serio, porque lo dijo en una fiesta en la playa, a horcajadas en la concha de una llorosa tortuga gigante que se arrastraba playa arriba para poner sus estériles huevos; pero el o la informante del Estado en la reunión presentó su informe, y el presidente A., cuyo gobierno se había vuelto un tanto bamboleante, tuvo un ataque de furia tan terrible que Mir el Pequeño tuvo que postrarse en el suelo e implorar clemencia para su descarriado hijo. Ese incidente hubiera forzado a Mir a enfrentarse con Haroun, cosa que temía mucho, pero le evitó la molestia su primo Iskander, que había sabido también del último desafuero de Haroun. Haroun, convocado al radiograma de distintos niveles que era la casa de Isky, cambiaba el peso de pie ante los ojos luminosamente desdeñosos de Arjumand Harappa, mientras el padre de ésta le hablaba en tono amable e implacable. Iskander Harappa se había aficionado a ponerse trajes verdes diseñados por Pierre Cardin parecidos a los uniformes de los Guardias Rojos, porque, como ministro de Relaciones Exteriores del gobierno del presidente A., se había hecho famoso en calidad de arquitecto del tratado de amistad con el presidente Mao.

Una fotografía de Isky abrazando al gran Zedong colgaba de la pared de la habitación en que el tío le comunicó a su sobrino:

—Tus actividades se están convirtiendo en una molestia para mí. Ha llegado el momento de que sientes la cabeza. Cásate.

Arjumand Harappa miró furiosa a Haroun y lo animó a hacer lo que Iskander decía.

—¿Pero con quién? —preguntó Haroun sin convicción, e Isky lo alejó con un gesto de la mano.

—Con alguna chica decente —dijo—, hay muchas donde escoger.

Haroun, comprendiendo que la entrevista había terminado, se volvió para irse. Iskander Harappa lo llamó:

—Y si te interesa la política, será mejor que dejes de montar en tortugas y empieces a trabajar para mí.

La transformación de Iskander Harappa en la fuerza nueva más poderosa del escenario político había terminado para entonces. Se había puesto a maquinar su ascensión con toda la brillantez calculada de la que Arjumand lo había sabido siempre capaz. Concentrándose en el mundo de altos vuelos de los asuntos internacionales, escribió una serie de artículos analizando lo que su país necesitaba de las Grandes Potencias, el mundo islámico y el resto de Asia, continuándolos con un arduo programa de discursos cuyos razonamientos resultaban imposibles de refutar. Cuando su concepto del «socialismo islámico» y de una estrecha alianza con China logró un apoyo público tan amplio que, de hecho él estaba dirigiendo la política exterior del país sin ser siquiera miembro del gabinete, el presidente A. no tuvo más remedio que invitarlo a formar parte del gobierno. Su enorme encanto personal, su forma de hacer que las esposas feas y de pecho de almohadón de los dirigentes mundiales que visitaban el país se sintieran como Greta Garbo y su genio oratorio lo convirtieron en un éxito inmediato. «Lo que más me satisface —le dijo a su hija— es que, ahora que hemos dado luz verde a la carretera de Karakoram hasta China, me puedo divertir tratando a patadas al ministro de Obras Públicas.» El ministro de Obras Públicas era Mir Harappa el Pequeño, cuya antigua amistad con el presidente no había pesado más que el atractivo público de Iskander. «A ese cabrón —le dijo Iskander a Arjumand con regocijo— lo tengo por fin en mis manos.»

Cuando el régimen de A. comenzó a perder popularidad, Iskander Harappa presentó la dimisión y formó el Frente Popular, partido político que fundó con su fortuna insondable y del que se convirtió en primer presidente. «Para ser un ex ministro de Relaciones Exteriores —le dijo amargamente Mir el Pequeño al presidente— tu protegido parece dedicarse mucho a los asuntos interiores.» El presidente se encogió de hombros. «Sabe lo que se hace —dijo el mariscal de campo A.—, por desgracia.»

Los rumores de la corrupción del gobierno suministraron el combustible; pero la campaña de Isky a favor de un retorno a la democracia era quizá de todas formas incontenible. Recorrió las aldeas y prometió a cada campesino un acre de tierra y un pozo nuevo. Lo metieron en la cárcel; enormes manifestaciones hicieron que lo pusieran en libertad. Vociferaba en dialectos regionales sobre la violación del país por peces gordos y *tilyars*, y tal era la fuerza de su oratoria, o quizá del talento de sastre de monsieur Cardin, que nadie parecía recordar la situación del propio Isky como propietario de una tajada francamente gruesa de Sind... Iskander Harappa le ofreció a Haroun trabajar en política en su distrito natal. «Tienes credenciales de hombre no corrupto —le dijo al muchacho—. Háblales de tu artículo del *Newsweek*.» Haroun Harappa, al ofrecérsele la oportunidad dorada de derrotar a su padre en su *turf* natal, aceptó enseguida el empleo.

«Bueno, *abba*», pensó alegremente, «la vida es larga».

Dos días después de haber dado Haroun su conferencia sobre la revolución a una tortuga ponedora, Rani Harappa, en Mohenjo, recibió una llamada telefónica de una voz masculina tan apagada, tan paralizada por las disculpas y la turbación, que tardó unos minutos en reconocerla como perteneciente a Mir el Pequeño, con el que no había tenido relación desde que él saqueó su casa, aunque Haroun, su hijo, hubiera sido un visitante asiduo. «Maldita sea, Rani —admitió por fin Mir el Pequeño entre las nubes llenas de escupitajos de su humillación—, necesito un favor.»

Rani Harappa, a los cuarenta, había derrotado al *ayah* formidable de Iskander por el sencillo método de vivir más que ella. Hacía tiempo que los días en que las chicas de la aldea, entre risitas, curioseaban su ropa interior habían pasado; se había convertido en la verdadera señora de Mohenjo por la fuerza de la calma imperturbable con que bordaba un chal tras otro en la galería de su casa, convenciendo a los habitantes de la aldea de que estaba componiendo el tapiz de sus destinos y, si quería, podía complicarles la vida bordando un futuro desgraciado en sus chales mágicos. Una vez conquistado el respeto, Rani estaba extrañamente conforme con su vida, y mantenía relaciones cordiales con su esposo a pesar de las largas ausencias de él de su lado y de su ausencia permanente de su cama. Lo sabía todo sobre el fin de la aventura con Clavelitos y sabía también, en las secretas estancias de su corazón, que un hombre que emprende una carrera política tiene que pedirle a su mujer, antes o después, que suba con él al estrado; segura de un futuro que le traería a Isky sin tener que hacer nada, descubrió con sorpresa que su amor por él se había negado a morir, convirtiéndose, en cambio, en algo sereno y fuerte. Había una gran diferencia entre ella y Bilquìs Hyder: las dos mujeres tenían maridos que se retiraron de ellas a los palacios enigmáticos de sus propios destinos, pero mientras Bilquìs cayó en la excentricidad, por no decir en la locura, Rani se había asentado en una lucidez que hizo de ella un ser humano poderoso y, más tarde, peligroso.

Cuando llamó Mir el Pequeño, Rani estaba mirando a la aldea, donde las concubinas blancas jugaban al bádminton en el crepúsculo. En aquellos tiempos, muchos de los habitantes de la aldea habían ido al Occidente para trabajar algún tiempo, y los que volvían traían con ellos mujeres blancas para las que la perspectiva de vivir en una aldea como segunda esposa parecía tener un atractivo erótico inagotable. Las primeras esposas trataban a esas chicas blancas como muñecas o animales domésticos, y los maridos que no lograban traer a casa a una *guddi*, una muñeca blanca, eran firmemente regañados por sus mujeres. La aldea de las muñecas blancas se había hecho famosa en la región. Los aldeanos venían desde millas a la redonda para mirar a las chicas con sus trajecitos blancos, arreglados y limpios, riéndose y chillando mientras saltaban tras el volante, exhibiendo sus braguitas de puntillas. Las primeras esposas jaleaban a las segundas, enorgulleciéndose de sus victorias lo mismo que de los éxitos de sus hijos, y consolándolas cuando perdían. Rani Harappa estaba disfrutando tan agradablemente viendo jugar a las muñecas que se olvidó de escuchar lo que Mir estaba diciendo.

—Se la chupo a quien sea, Rani —gritó él por fin, con toda la furia de su orgullo reprimido—, vamos a olvidar nuestras diferencias. Este asunto es demasiado importante. Necesito una esposa, y con toda urgencia.

—Entiendo.

—*Ya Allah*. Rani, no me lo pongas difícil, por amor de Dios. No es para mí, ¿qué te crees? No te lo pediría. Para Haroun. No hay más remedio.

La desesperación con que Mir el Pequeño tartamudeaba su necesidad de que una mujer buena estabilizara a su descarriado hijo venció cualquier resistencia inicial que Rani hubiera podido tener, y dijo enseguida:

—Buenas Noticias.

—¿Ya? —preguntó Mir el Pequeño, sin entenderla—. ¡Las mujeres no perdéis el tiempo!

Cómo se organiza un casorio: Rani sugirió a Naveed Hyder, pensando que una boda en la familia le sentaría bien a Bilquìs. Para entonces, el enlace telefónico entre las dos mujeres no era ya un medio de que Rani supiera lo que pasaba en la ciudad, ni era ya una excusa para que Bilquìs cotilleara y se diera aires, mientras Rani atrapaba humildemente en la conversación de su amiga cualquier migaja de vida que le ofreciera. Ahora era Rani la fuerte, y Bilquìs, con sus viejos sueños de realeza en ruinas desde que habían echado a Raza del gobierno, la que necesitaba apoyo y la que encontraba, en la inalterable solidez de Rani Harappa, la fuerza necesaria para aguantar en aquellos días de perplejidad creciente. «Exactamente lo que necesita —pensó Rani con satisfacción—, ajuar, *marquees*, dulces, tantas cosas en que pensar. Y esa hija suya que está deseando casarse.»

Mir el Pequeño consultó con el presidente antes de dar su consentimiento al enlace. La familia Hyder se había mostrado últimamente propensa a los accidentes: todavía circulaban los viejos rumores procedentes de Q., y no había sido fácil hacer que los periódicos no se ocuparan del incidente de los pavos muertos. Pero ahora, en la frescura montañosa de la nueva capital del norte, el presidente había empezado a sentir los vientos fríos de la impopularidad, y accedió al casamiento porque, según decidió, había llegado el momento de atraerse otra vez al héroe de Aansu, como si fuera una manta o un chal abrigados. «No hay problema —le dijo A. a Mir el Pequeño— mis parabienes a la feliz pareja.»

Mir Harappa fue a ver a Rani en Mohenjo para tratar de los detalles. Llegó a caballo, envarado por la confusión, y se portó todo el tiempo con una humildad malhumorada.

—¡Qué no hará un padre por su hijo! —se desahogó con Rani mientras ella estaba sentada en la galería, trabajando en el chal interminable de su soledad—. Cuando mi chico sea papá sabrá lo que siente un papá. Espero que esa Buenas Noticias tuya sea una chica fecunda.

—Quien siembra bien cosecha mejor —respondió serenamente Rani—. ¿Un poco de té?

Raza Hyder no puso ninguna objeción a los desposorios. En aquellos tiempos, en que su único cometido era supervisar el ingreso en filas y la instrucción de los reclutas, y se encontraba a diario, cara a cara, con la realidad de su propia decadencia, multiplicada y reproducida en las figuras desgarbadas de unos jóvenes que no sabían por dónde pinchaba una bayoneta, había estado observando la ascensión de Iskander Harappa con envidia mal contenida. «Llegará el día —se profetizó a sí mismo— en que tendré que ir a rogarle a ese chaval que me den otra estrellita.» En la atmósfera turbulenta de la inestabilidad del gobierno, Raza Hyder se había estado preguntando por qué lado decidirse, si apoyar la petición de elecciones del Frente Popular o respaldar al gobierno con la reputación que le quedaba, confiando en un ascenso. El ofrecimiento de Haroun Harappa en calidad de yerno le daba la posibilidad de ganar en ambos frentes. El enlace sería del agrado del presidente: eso había quedado claro. Pero Raza conocía también el odio de Haroun hacia su padre, que había hecho que

Isky Harappa se lo metiera por completo en el bolsillo. «Un pie en cada lado —pensó Raza—, ése es el truco.»

Y es posible que Raza se sintiera encantado de deshacerse de Buenas Noticias, porque, al crecer, ella había adquirido algo de la despreocupación bocazas del difunto Sindbad Mengal. También Haroun tenía la boca gruesa y ancha, como parte de su herencia familiar.

—Dos tipos de labios gordos —le dijo Raza Hyder a su esposa en tono más jovial que el que normalmente utilizaba con ella—, están hechos el uno para el otro, ¿*na*? Sus niños parecerán pescaditos.

Y Bilquìs dijo:

—No importa.

Cómo se organiza un casorio: me doy cuenta de que, por alguna razón, no he hablado de la opinión de los jóvenes interesados. Se intercambiaron fotos. Haroun Harappa llevó su sobre de papel de estraza a casa de su tío y lo abrió en presencia de Iskander y de Arjumand: hay momentos en que los jóvenes recurren a la familia en busca de apoyo. La fotografía en blanco y negro había sido artísticamente retocada para que la piel de Buenas Noticias fuera tan rosada como papel secante y sus ojos verdes como la tinta.

—Se nota que el fotógrafo le ha alargado la coleta —observó Arjumand.

—Deja que el chico decida —le respondió Iskander, pero Arjumand, a sus veinte años, sentía una extraña antipatía por aquella foto—. Tiene cara de plato —declaró—, y la piel no tan clara después de todo.

—Alguna tiene que ser —dijo Haroun—, y ésta no está nada mal.

Arjumand exclamó:

—¿Cómo puedes decir eso? ¿Tienes ojos en la cara o pelotas de ping-pong?

Fue entonces cuando Iskander ordenó a su hija que se callara y le dijo al criado que trajera dulces y vasos de jugo de lima para celebrarlo. Haroun siguió mirando fijamente la fotografía de Naveed Hyder y, como nada, ni siquiera el pincel de un fotógrafo entusiasta, podía ocultar la insaciable determinación de ser bella de Buenas Noticias, su novio se sintió rápidamente dominado por la voluntad de hierro de aquellos ojos de celuloide, y empezó a considerarla la novia más encantadora del mundo. Esa ilusión, que era exclusivamente producto de la imaginación de Buenas Noticias, exclusivamente resultado de la acción de la mente sobre la materia, sobreviviría a todo, incluso al escándalo de la boda; pero no sobreviviría a la muerte de Iskander Harappa.

—Qué chica —dijo Haroun Harappa, haciendo que Arjumand saliera indignada de la habitación.

En cuanto a Buenas Noticias:

—No me hace falta mirar ninguna fotografía estúpida —le dijo a Bilquìs—, es famoso, es rico, es un marido, y hay que cazarlo rápidamente.

—Tiene mala reputación —dijo Bilquìs, como era su deber de madre, brindándole a su hija la posibilidad de una retirada—, y se porta mal con su papá.

—Yo le ajustaré las cuentas —respondió Buenas Noticias.

Más tarde, a solas con Shahbanou y mientras el *ayah* le cepillaba el pelo, Buenas Noticias añadió otros pensamientos.

—Oye tú, la de los ojos en el fondo del pozo —dijo—, ¿sabes lo que significa el matrimonio para una mujer?

—Soy virgen —respondió Shahbanou.

—El matrimonio significa poder —dijo Naveed Hyder—. Significa libertad. Dejas de ser la hija de alguien para convertirte en la madre de alguien, *ek dum, fut-a-fut*, de sopetón. Y entonces, nadie te puede decir lo que tienes que hacer... ¿Qué quieres decir? —Se le había ocurrido una idea horrible—. ¿Te crees que no soy virgen también? Cierra esa boca sucioasquerosa, porque con una palabra te puedo poner en la calle.

—Qué dices, *bibi*, yo sólo he dicho que...

—Te lo aseguro, será estupendo estar lejos de esta casa. Haroun Harappa, te lo juro. Qué bueno, *yaar*. Qué bueno.

—Somos personas modernas —le dijo Bilquìs a su hija—. Ahora que lo has aceptado tienes que conocer al chico. Será un matrimonio por amor.

La señorita Arjumand Harappa, la virgen Bragas de Hierro, había rechazado a tantos pretendientes que, aunque tenía veinte años escasos, los casamenteros de la ciudad habían empezado ya a considerarla como soltera. El aluvión de proposiciones no era total, ni siquiera principalmente, consecuencia de ser un excelente partido como hija única del presidente Iskander Harappa; tenía su verdadero origen en aquella belleza extraordinaria y desafiante con la que, o al menos así se lo parecía a ella, su cuerpo se burlaba de su inteligencia. Tengo que decir que, entre todas las mujeres bellas de aquel país lleno de preciosas inverosímiles, no había duda de quién se merecía el premio. A pesar de sus pechos vendados y todavía del tamaño de manzanas, Arjumand se llevaba la palma.

Como odiaba a su sexo, Arjumand se esforzaba mucho por disimular su aspecto. Se cortaba el pelo corto, no usaba cosméticos ni perfumes, se ponía camisas viejas de su padre y los pantalones más abombados que podía encontrar, y adquirió una forma de andar encogida y desgarbada. Pero cuanto más lo intentaba tanto más insistentemente su cuerpo en flor eclipsaba los disfraces. Su pelo corto era radiante, su rostro sin adornos aprendía expresiones de infinita sensualidad, que ella no podía hacer nada para combatir y, cuanto más se encorvaba, tanto más alta y deseable se volvía. A los dieciséis años se había visto obligada a convertirse en experta en artes marciales. Iskander Harappa nunca había intentado mantenerla alejada de los hombres. Lo acompañaba en sus giras diplomáticas y, en muchas recepciones de embajadas, pudo verse a embajadores de edad agarrándose las ingles y vomitando en el retrete, después de haber recibido un rodillazo certero en respuesta a sus manos inquisitivas. Para cuando cumplió los dieciocho, el tropel que formaban los solteros más codiciados de la ciudad a la puerta de la casa de Harappa había crecido tanto que constituía un impedimento para el tráfico y, a petición de ella misma, fue enviada a Lahore a un internado cristiano para señoritas, cuyo reglamento antimasculino era tan severo que incluso su padre sólo podía verla, mediante cita previa, en un jardín descuidado de rosas moribundas y céspedes pelados. Pero no encontró respiro en aquella prisión poblada exclusivamente por mujeres, todas ellas desdeñosas de su sexo; las chicas se enamoraban de ella con la misma fuerza que los hombres, y las estudiantes del último año le echaban mano al trasero cuando pasaba. Una chica de diecinueve años, herida de amor, desesperada al no poder llamar la atención de Bragas de Hierro, fingió caer sonámbula a la piscina vacía y fue llevada al hospital con múltiples fracturas de cráneo. Otra, enloquecida de amor, se escapó del colegio trepando por la pared y fue a sentarse en un café del famoso distrito malafamado de Heeramandi, decidida a hacerse puta ya que no podía conquistar el corazón de Arjumand. Esa chica afligida fue secuestrada en el café por los chulos locales, que obligaron a su padre, magnate de la industria textil, a pagar un rescate de un *lakh* de rupias para que volviera sana y salva. Nunca se casó, porque, aunque los chulos insistieron en que también ellos tenían su honor, nadie creyó que no la hubieran tocado y, después de un reconocimiento médico, la directora del colegio, devotamente católica, se negó en redondo a admitir que la desgraciada hubiera podido ser desflorada en un antiséptico edificio. Arjumand Harappa le escribió a su padre pidiéndole que la sacara del colegio. «No es ningún alivio —decía la carta—. Hubiera debido saber que las chicas serían peor que los chicos.»

El regreso de Londres de Haroun Harappa provocó una guerra civil dentro de la virgen Bragas de Hierro. El notable parecido físico de él con las fotografías de su padre a los veintiséis años desconcertaba a Arjumand, y su afición a las putas, el juego y otras formas de crápula la convencieron de que la reencarnación no era sólo una idea absurda importada por los Hyders del país de los idólatras. Intentó apartar la idea de que, bajo el exterior disoluto de Haroun, había oculto otro gran hombre, casi igual a su padre, y de que, con ayuda de ella, él podría descubrir su verdadero carácter, como había hecho el presidente... negándose hasta a susurrarse a sí misma esas cosas en la intimidad de su habitación, cultivó en presencia de Haroun una actitud de desdeñosa condescendencia que lo convenció rápidamente de que no tendría sentido intentar aquello en que tantos otros habían fracasado. No era insensible a la belleza fatal de ella, pero la reputación de la virgen Bragas de Hierro, combinada con aquella mirada terrible e incesantemente displicente, bastaba para alejarlo; y entonces la fotografía de Naveed Hyder lo hechizó, y fue demasiado tarde para que Arjumand cambiase de táctica. Haroun Harappa fue el único hombre, además de su padre, al que Arjumand quiso jamás, y su furia en los días que siguieron a los esponsales era horrible de ver. Pero Iskander estaba preocupado aquellos días, y no prestó atención a la guerra que se desarrollaba en el interior de su hija.

—Maldita sea —dijo Arjumand ante el espejo, reflejando inconscientemente la vieja costumbre de su madre en Mohenjo—, la vida es una mierda.

Una vez, uno de los Mayores Poetas Vivientes del mundo me explicó —nosotros, los simples emborronadores de prosa, tenemos que acudir a los poetas en busca de sabiduría, razón por la que este libro está plagado de ellos; mi amigo, colgado cabeza abajo, al que le sacaron la poesía a cintarazos, y Babar Shakil, que quiso ser poeta, y supongo que Omar Khayyam, al que le pusieron el nombre de uno aunque nunca llegara a serlo— que la fábula clásica de *La Bella y la Bestia* es, sencillamente, la historia de un matrimonio concertado.

—Un comerciante ha tenido mala suerte, de forma que promete su hija a un terrateniente rico pero solitario, Bestia Sahib, y recibe a cambio una dote generosa... un gran cofre, creo, de gruesas monedas de oro. Bella Bibi se casa obedientemente con el *zamindar*, reconstituyendo la fortuna de su padre y, como es natural, su marido, un completo extraño, le parece al principio horrible, hasta monstruoso. Sin embargo, con el tiempo, bajo la influencia benéfica de su amor obediente, él se convierte en príncipe.

—¿Quieres decir —sugerí yo— que hereda un título? —El Gran Poeta Viviente me miró con tolerancia, echando atrás su melena plateada que le llegaba a los hombros.

—Ésa es una observación burguesa —me regañó—. No, naturalmente, la transformación no se produjo en su condición social ni en su personalidad real, corpórea, sino en la forma en que ella lo veía. Imagínatelos acercándose mutuamente, aproximándose con los años desde los polos opuestos de la Belleza y la Bestialidad, para convertirse al fin, felizmente, en simples Marido y Mujer.

El Gran Poeta Viviente era conocido por sus ideas radicales y por la caótica complejidad de su vida amorosa extramarital, de modo que pensé que le agradaría comentando maliciosamente:

—¿Por qué los cuentos de hadas consideran siempre que el matrimonio es el final? ¿Y por qué es siempre un final tan feliz?

Pero en lugar del guiño entre-hombres o de la carcajada que esperaba yo (era muy joven), el Gran Poeta Viviente adoptó una expresión seria.

—Ésa es una pregunta muy masculina —respondió—, ninguna mujer se plantearía eso. La tesis de la fábula es clara. La mujer tiene que hacer de tripas corazón; porque si no ama al Hombre, bueno, él muere, la Bestia perece, y la Mujer se queda viuda, es decir, es menos que una hija, menos que una esposa, algo sin valor. —Suavemente, bebió un traguito de su whisky escocés.

—¿Y si, y si —tartamudeé yo—, quiero decir, tío, y si la chica no puede soportar realmente al marido que le han escogido? —El Poeta, que había empezado a tararear versos persas en voz baja, frunció el ceño, con decepción distante.

—Te has occidentalizado demasiado —me dijo—. Deberías pasar algún tiempo, unos siete años o cosa así, no demasiado, con las gentes de nuestras aldeas. Entonces comprenderías que se trata de una historia completamente oriental, y te dejarías de esas idioteces de ysis.

Por desgracia, el Gran Poeta no vive ya, de forma que no puedo preguntarle: ¿ysi la historia de Buenas Noticias Hyder fuera cierta? Tampoco puedo esperar contar con su consejo en un tema aún más espinoso: ¿ysi, ysi una Bestia*ji* estuviera de algún modo acechando *dentro* de Bella Bibi? ¿Ysi la bella fuera la bestia? Pero creo que hubiera dicho que estaba confundiendo las cosas: «Como ha mostrado el señor Stevenson en *El Dr. Jekyll y Mr. Hyde*, esas combinaciones de santo-y-monstruo son imaginables en el Hombre; ésa es, ¡ay! nuestra naturaleza. Pero la esencia misma de la Mujer rechaza tal posibilidad.

Es posible que el lector haya adivinado, por mis últimos ysis que tengo dos matrimonios que describir; y el segundo, que espera en la periferia del primero, es, desde luego, la *nikah*, hace tiempo insinuada, de Sufiya Zinobia y Omar Khayyam Shakil.

Omar Khayyam se armó por fin del valor necesario para pedir la mano de Sufiya Zinobia cuando supo de los esponsales de su hermana menor. Cuando llegó, cincuentón gris y respetable, a la casa de mármol de ella y formuló su extraordinaria petición, Maulana Dawood, el santón inverosímilmente viejo y decrépito, soltó un alarido que hizo que Raza Hyder buscase con la mirada los demonios.

—Engendro de brujas obscenas —le dijo Dawood a Shakil—, desde el día en que bajaste al suelo en la máquina de la iniquidad de tus madres te conocí. ¡Qué asquerosas sugerencias vienes a hacer en esta casa de amantes de Dios! Que tu estancia en el infierno dure más de mil vidas.

La furia de Maulana Dawood produjo en Bilquìs un talante de perversa obstinación. En aquellos tiempos todavía era dada a cerrar las puertas con furia, para defenderse de las incursiones del viento de la tarde; la luz de sus ojos era un poco demasiado brillante. Pero el compromiso de Buenas Noticias había dado una nueva finalidad a su vida, como había esperado Rani; de forma que le habló a Omar Khayyam con algo bastante aproximado a su antigua arrogancia:

—Comprendemos que hayas tenido que presentar

tu propia proposición a causa de la ausencia de los miembros de tu familia en esta ciudad. Perdonamos la irregularidad, pero ahora tenemos que deliberar en privado. Nuestra decisión se te comunicará a su debido tiempo.

Raza Hyder, sin habla por la reaparición de la antigua Bilquìs, no pudo mostrar su desacuerdo hasta que Shakil se había marchado; Omar Khayyam, al levantarse y ponerse el sombrero gris sobre el pelo gris, fue traicionado por un súbito enrojecimiento bajo la palidez de su piel.

—Ruborizarse —chilló Maulana Dawood alargando un dedo de uña afilada— es sólo un truco. Esas personas no tienen vergüenza.

Después de que Sufiya Zinobia se recuperó de la catástrofe inmunológica que siguió a la matanza de los pavos, Raza Hyder descubrió que no podía seguir viéndola a través del velo de la decepción por su sexo. El recuerdo de la ternura con que se la había llevado del escenario de su sonambúlica violencia se negaba a abandonarlo, lo mismo que la conciencia de que, cuando ella estaba enferma, se había visto asaltado por emociones que sólo podían describirse como surgidas del amor paterno. En pocas palabras, Hyder había cambiado de opinión con respecto a su hija retrasada, y había empezado a jugar con ella, enorgulleciéndose de sus pequeñísimos progresos. Con el *ayah* Shahbanou, el gran héroe de guerra jugaba a ser un tren o una apisonadora o una grúa, y levantaba a la niña y la tiraba por los aires como si realmente fuera aún la niña pequeña cuyo cerebro ella había tenido que conservar. Ese comportamiento nuevo había dejado perpleja a Bilquìs, cuyo afecto seguía concentrado en la hija menor... En cualquier caso, el estado de Sufiya Zinobia había mejorado. Había crecido dos pulgadas y media, y ganado algo de peso, y su edad mental había aumentado hasta unos seis años y medio. Tenía diecinueve años, y había concebido por su padre, últimamente adorable, una versión infantil de la misma devoción que Arjumand sentía por su padre el presidente.

—Hombres —le dijo Bilquìs a Rani por teléfono—, no te puedes fiar de ellos.

En cuanto a Omar Khayyam: se ha examinado ya la complejidad de sus motivos. Se había pasado siete años sin poder curarse de la obsesión que lo libraba de sus ataques de vértigo, pero durante esos años de lucha se las había arreglado también para reconocer a Sufiya Zinobia con intervalos regulares, y se había congraciado con su padre, aprovechando la gratitud que Raza sentía hacia él por haber salvado la vida de su hija. Pero una proposición de matrimonio era algo muy distinto y, cuando estuvo fuera de la casa, Raza Hyder comenzó a expresar sus dudas.

—Es un hombre gordo —razonó Raza—. Y además feo. Y tampoco hay que olvidar su pasado libertino.

—Una vida de libertinaje de un hijo de personas libertinas —añadió Dawood—, y un hermano fusilado por motivos políticos.

Pero Bilquìs no aludió a su recuerdo de Shakil borracho en Mohenjo. En lugar de ello dijo:

—¿Dónde vamos a encontrar mejor partido para la chica?

Raza comprendió entonces que su mujer estaba tan ansiosa por deshacerse de aquella niña difícil como de perder de vista a su amada Buenas Noticias. La comprensión de que había en ello una especie de simetría, algo así como un intercambio justo, debilitó su resolución, de forma que Bilquìs detectó en su voz la incertidumbre cuando él preguntó:

—Pero se trata de una niña deteriorada: ¿debemos buscarle un marido? ¿No deberíamos aceptar nuestra responsabilidad, esposa? ¿Qué sentido tiene todo esto del matrimonio cuando se trata de una niña así?

—Ya no es estúpida —adujo Bilquìs—, se sabe vestir sola e ir al retrete, y no moja la cama.

—Por amor del cielo —gritó Raza—, ¿es que eso la capacita para ser una esposa?

—Esa baba de renacuajo —exclamó Dawood—, ese mensajero de Shaitán. Ha venido con su proposición para dividir a esta santa casa.

—Su vocabulario está aumentando —añadió Bilquìs—, se sienta con Shahbanou y le dice a la *dhobi* lo que tiene que lavar. Es capaz de contar la ropa y de manejar dinero.

—Pero es una niña —dijo Raza desesperadamente.

Bilquìs se hizo más fuerte a medida que él flojeaba.

—En un cuerpo de mujer —respondió—, la niña no se ve por ninguna parte. Una mujer no tiene que ser una calculadora. En opinión de mucha gente, la inteligencia es un auténtico inconveniente para una mujer casada. Le gusta meterse en la cocina y ayudar al *khansama* en su trabajo. En el bazar, sabe distinguir la verdura buena de la mala. Tú mismo has elogiado sus *chutneys*. Sabe cuando los criados no han sacado brillo a los muebles como es debido. Lleva sostén y, también en otros sentidos, su cuerpo se ha convertido en el de una mujer adulta. Y ni siquiera se sonroja.

Eso era verdad. Los alarmantes rubores de Sufiya Zinobia pertenecían, al parecer, al pasado; y tampoco se había repetido la violencia asesina de pavos. Era como si la chica hubiera quedado curada por su única y devastadora explosión de vergüenza.

—Es posible —dijo Raza Hyder lentamente— que me preocupe demasiado.

—Además —dijo Bilquìs con tono definitivo—, ese hombre es su médico. Le salvó la vida. ¿En qué manos podríamos ponerla que estuviera más segura? En las de nadie, te lo digo yo. Esa proposición nos viene del cielo.

—Tápate los oídos[1] —chilló Dawood—, *tobah, tobah!* Pero tu Dios es grande, grande en su grandeza, y quizá te perdone esa blasfemia.

Raza Hyder parecía viejo y triste.

—Enviaremos a Shahbanou con ella —insistió—. Y la boda será tranquila. Demasiado jaleo podría asustarla.

—Déjame que acabe con Buenas Noticias —dijo Bilquìs encantada—, y tendremos una boda tan tranquila que sólo cantarán los pájaros.

Maulana Dawood se retiró del escenario de su derrota.

—Las chicas se casan en orden equivocado —dijo al marcharse—. Lo que empezó con un collar de zapatos no puede terminar bien.

El día del partido de polo entre los equipos del Ejército y de la Policía, Bilquìs despertó temprano a Buenas Noticias. El partido no debía empezar hasta las cinco de la tarde, pero Bilquìs dijo: «Once horas emperejilándote para ver a tu futuro esposo es una buena inversión.» Para cuando madre e hija llegaron al campo de polo, Buenas Noticias tenía un aspecto tan estupendo que la gente pensó que una novia había abandonado su banquete de bodas para ver el partido. Haroun Harappa las recibió junto a la mesita en que estaba el comentarista del encuentro, rodeado de micrófonos, y las condujo hasta las localidades que había reservado para ellas; el espectáculo del atavío de Buenas Noticias era tan abrumador, que él salió de allí con una idea más clara del dibujo de las joyas de la nariz de ella que de las vicisitudes del juego. Cada dos por tres, durante aquella tarde, salía corriendo y volvía con platos de papel

1. Taparse los oídos es, en muchos países de Oriente, señal de vergüenza. *(N. del T.)*

colmados de *samosas* o *jalebis* y con vasos de espumosa coca-cola en equilibrio en los antebrazos. Durante sus ausencias, Bilquìs vigilaba a su hija como un halcón, para cerciorarse de que no intentara ninguna cosa rara, como llamar la atención de otros chicos; pero cuando Haroun volvía Bilquìs se quedaba inexplicablemente absorta en el juego. La gran estrella del equipo de la Policía era cierto capitán Talvar Ulhaq y, en aquella época de impopularidad del Ejército, su aniquilación del equipo de polo de éste aquella tarde lo convirtió en una especie de héroe nacional, habida cuenta, especialmente, de que se ajustaba a todos los requisitos heroicos usuales, al ser alto, apuesto, mostachudo, y tener una diminuta cicatriz en el cuello que parecía exactamente un mordisco amoroso. Este capitán Talvar fue la causa del escándalo de la boda, del que, se podría defender con cierta plausibilidad, dependió todo el futuro.

Por la conversación tartamudeante y torpe que tuvo con Haroun aquel día, Buenas Noticias descubrió con consternación que su futuro marido no tenía ambiciones y que sus apetencias eran muy pequeñas. Tampoco tenía prisas por tener hijos. La confianza con que Naveed Hyder había dicho «yo le ajustaré las cuentas» menguó ante la presencia física de aquella especie de joven flan, de forma que quizá fue inevitable que los ojos de ella se quedaran fijos en la figura erguida, caracoleante y mitológica de Talvar Ulhaq, en su piafante caballo. Y quizá fue también inevitable que el excesivo acicalamiento de ella atrajera el interés del joven capitán de policía, famoso por ser el semental de más éxito de la ciudad... de forma que quizá todo fue culpa de Bilquìs, por acicalar a su hija... en cualquier caso, Bilquìs, a pesar de toda su vigilancia, se perdió el momento en que los ojos de los dos se encontraron. Buenas Noticias y Talvar se miraron mutuamente a través del polvo y los cascos y los mazos de polo, y en ese momento la chica sintió que un dolor le subía por las entrañas. Se las arregló para convertir aquel gemido estremecido que se le escapó de los labios en un estornudo y una tos violentos, antes de que nadie lo notase, y se vio ayudada en su subterfugio por la conmoción que se produjo en el campo de polo, donde el caballo del capitán Talvar, inexplicablemente, se había encabritado, arrojándolo al peligro de los cascos y mazos voladores. «Me quedé totalmente rígido —le dijo Talvar a Naveed más adelante— y el caballo se irritó conmigo.»

El juego terminó poco después, y Buenas Noticias se fue a casa con Bilquìs, sabiendo que no se casaría jamás con Haroun Harappa, no, ni en un millón de años. Aquella noche oyó piedrecitas que repiqueteaban en la ventana de su alcoba, ató las sábanas y descendió por ellas hasta los brazos de la estrella del polo, que la llevó en un coche de la policía a su cabaña de la playa en la cala del Pescador. Cuando terminaron de amarse, ella formuló la pregunta más modesta de su vida:

—No soy tan guapa —dijo—, ¿por qué precisamente yo? —Talvar Ulhaq se incorporó en la cama y la miró, tan serio como un colegial.

—Por el hambre de tu vientre —le dijo—. Tú eres apetito y yo soy alimento.

Ella se dio cuenta entonces de que Talvar tenía una opinión bastante alta de sí mismo y comenzó a preguntarse si no habría querido abarcar demasiado.

Resultó que Talvar Ulhaq había tenido desde la infancia el don de la clarividencia, un talento que le era de gran ayuda en su trabajo de policía, porque podía adivinar dónde se iban a cometer delitos antes de que los ladrones se hubieran decidido, de forma que su historial de detenciones era insuperable. Había previsto en Naveed Hyder los niños que habían sido siempre, para él, su mayor sueño, la profusión de niños que lo haría reventar de orgullo mientras ella se desintegraba ante el caos espantoso de su número. Aquella visión lo había inducido a seguir la línea de conducta, sumamente peligrosa, que había emprendido ahora, porque sabía que la hija de Raza Hyder estaba prometida para casarse con el sobrino favorito del presidente Iskander Harappa, que se habían enviado ya las invitaciones de boda, y que, con arreglo a cualquier criterio normal, su situación era desesperada. «Nada es imposible», le dijo a Naveed, se vistió y salió fuera, a la noche salada, para buscar una tortuga de mar en que cabalgar. Naveed apareció un poco más tarde y se lo encontró dando vivas de alegría, de pie sobre una tortuga y, mientras ella disfrutaba con la sencilla alegría de él, aparecieron unos pescadores sonriendo burlonamente. Más tarde, Naveed Hyder no estuvo nunca segura de si todo aquello no había sido parte de un plan de Talvar, de si no les había hecho una seña a los pescadores desde el lomo de la llorosa tortuga, o de si no había ido antes a la cala para proyectarlo todo, porque, al fin y al cabo, sabido era que los pescadores y las fuerzas de policía eran grandes aliados, al estar regularmente conchabados con fines de contrabando... Talvar, sin embargo, nunca admitió ninguna responsabilidad por lo que pasó.

Lo que pasó fue que el jefe de los pescadores, un patriarca de rostro honrado y franco en el que una dentadura blanca intachable brillaba inverosímilmente a la luz de la luna, informó amablemente a la pareja de que él y sus compañeros tenían la intención de chantajearlos. «Esas actividades impías —dijo tristemente el viejo pescador— son malas para nuestra tranquilidad de espíritu. Hay que recibir alguna compensación, algún consuelo.»

Talvar Ulhaq pagó sin discutir y llevó a Buenas Noticias a casa. Con ayuda de él, ella logró trepar por la ristra de sábanas sin ser descubierta. «No te volveré a ver —dijo él al partir— hasta que rompas tu compromiso y dejes que ocurra lo que tiene que ocurrir.»

Su clarividencia lo informó de que ella haría lo que le había pedido, de forma que se fue a casa a prepararse para el casamiento y para la tormenta que, sin duda alguna, iba a estallar.

Buenas Noticias (recordémoslo) era la hija favorita de su madre. Su miedo a perder esa posición luchaba en su interior con el miedo idéntico y de signo contrario a que los pescadores continuaran con su chantaje; el insensato amor que había concebido por Talvar Ulhaq batallaba con su deber hacia el muchacho que sus padres le habían elegido; la pérdida de su virginidad la enloquecía de preocupación. Pero hasta la víspera de la boda guardó silencio. Talvar Ulhaq le dijo luego que su inactividad lo había llevado al borde de la locura, y que había decidido presentarse en la boda y pegarle un tiro a Haroun Harappa, pasase lo que pasase, si ella decidía seguir adelante con la boda. Pero en la hora undécima Buenas Noticias le dijo a su madre «no me voy a casar con ese idiota de cara de patata», y todas las fuerzas del infierno se desataron, porque el amor era la última cosa que nadie esperaba que pudiera estropear los planes.

¡Oh júbilo de los parientes femeninos ante el escándalo imposible de ocultar! ¡Oh lágrimas de cocodrilo e hipócritas golpes de pecho! ¡Oh encantados cacareos de Duniyazad Begum, mientras baila sobre el cadáver del honor de Bilquìs! Y las bífidas sugerencias de esperanza: Quién sabe, habla con ella, a muchas chicas les entra el pánico la víspera de su boda, sí, recobrará el juicio, inténtalo, hay que ser firme, hay que ser comprensiva, dale un par de tortas, abrázala con cariño, Ay Dios, qué horror, ¿cómo podrás anular las invitaciones?

Y cuando es evidente que no se puede convencer a

la chica, cuando todo el delicioso horror ha quedado al descubierto, cuando Buenas Noticias admite que hay Otro... Bariamma se agita en sus almohadones y en la habitación se hace el silencio para escuchar su opinión.

—Esto es tu fracaso como madre —resuella Bariamma—, de forma que hay que llamar al padre. Vete ahora mismo y tráete a mi Raza, corre a buscarlo.

Dos cuadros. En el aposento de la novia, Naveed Hyder se sienta inconmovible y tozuda, mientras por todas partes la rodean mujeres a las que el deleite ha paralizado, convirtiéndolas en estatuas vivientes, mujeres con peines, cepillos, limpiametales, antimonio, que miran fijamente a Naveed, la causa del desastre, con alegría petrificada. Los labios de Bariamma son lo único que se mueve en la escena. De ellos gotean palabras consagradas por el uso: furcia, golfa, puta. Y, en la alcoba de Raza, Bilquìs se agarra a las piernas de su esposo mientras él lucha por ponerse los pantalones.

Raza Hyder se despertó a la catástrofe viniendo de un sueño en el que se veía a sí mismo de pie en la explanada de su fracaso ante una falange de reclutas que eran todos reproducciones exactas de él mismo, salvo que eran incompetentes, no sabían llevar el paso ni alinearse por la izquierda o sacar brillo como era debido a las hebillas de sus cinturones. Había estado gritándoles su desesperación a aquellas sombras de su propia ineptitud, y la rabia del sueño contagió su humor al despertarse. Su primera reacción ante la noticia que Bilquìs obligó a salir por unos labios que no querían dejarla pasar fue que no tenía más remedio que matar a la chica. «Qué vergüenza —dijo—, qué estragos en los planes de sus padres.» Decidió darle un tiro en la cabeza delante de los miembros de su familia. Bilquìs se aferró a sus muslos, resbaló hasta el suelo cuando empezó a moverse, y fue arrastrada desde la alcoba, con las uñas clavadas en los tobillos de él. El sudor frío del miedo hizo que el lápiz de sus cejas se le corriera por el rostro. No se mencionó al fantasma de Sindbad Mengal pero ay, estaba allí sin duda alguna. Con la pistola de reglamento en la mano, Raza Hyder penetró en la habitación de Buenas Noticias; los alaridos de las mujeres lo saludaron al entrar.

Pero ésta no es la historia de mi desechada Anna M.; Raza, al levantar la pistola, descubrió que era incapaz de utilizarla. «Echadla a la calle», dijo, y salió de la habitación.

Ahora la noche está llena de negociaciones. Raza, en sus aposentos, mira fijamente la pistola no utilizada. Se envían delegaciones; él se mantiene inflexible. Luego el *ayah* Shahbanou, frotándose el sueño de los ojos ribeteados de negro, tan parecidos a los del propio Hyder, es enviada por Bilquìs para abogar por Buenas Noticias.

—Le caes bien porque eres buena con Sufiya Zinobia. Quizá te escuche lo que no me escucharía a mí.

Bilquìs se está desmoronando visiblemente, se rebaja a rogarles a los criados. Shahbanou tiene el futuro de Buenas Noticias en sus manos... De Buenas Noticias, que le ha dado patadas, que la ha insultado, golpeado...

—Iré Begum Sahib —dice Shahbanou. *Ayah* y padre conferencian a puerta cerrada—. Perdona que te lo diga, señor, pero no debes acumular vergüenza sobre vergüenza.

A las tres de la madrugada, Raza Hyder se ablanda. Tiene que haber una boda, hay que traspasarle la chica a un marido, a cualquier marido. Eso servirá para deshacerse de ella y causará menos conmoción que echarla a patadas.

—Una puta con un hogar —anuncia Raza a Bilquìs, convocada al efecto— es mejor que una puta en el arroyo.

Naveed le dice a su madre el nombre: no sin orgullo, se lo dice claramente a todo el mundo:

—Tiene que ser el capitán Talvar Ulhaq. Nadie más.

Llamadas telefónicas. Se despierta a Mir Harappa para informarlo del cambio de planes.

—Familia de cabrones. Se la chupo a quien sea si no me las pagáis.

Iskander Harappa recibe la noticia con çalma, y se la transmite a Arjumand, que está en camisón junto al teléfono. Algo revolotea en los ojos de ella.

A Haroun se lo dice Iskander.

Y otra llamada más, a un capitán de policía que no ha pegado ojo y que, como Raza, se ha pasado parte de la noche manoseando una pistola.

—No le voy a decir lo que pienso de usted —ruge Raza Hyder en el teléfono—, pero asome la jeta por aquí mañana y llévese a esa hembra del demonio. Ni un *paisa* de dote y no quiero volver a verlo en mi vida.

—*Ji*, será para mí un honor casarme con su hija —responde Talvar cortésmente.

Y, en el hogar de los Hyders, unas mujeres que apenas pueden creer en su suerte empiezan otra vez a hacer preparativos para el gran día. Naveed Hyder se va a la cama y se queda profundamente dormida con una expresión inocente en el rostro. La oscura *henna* de la planta de sus pies se vuelve naranja mientras descansa.

—Vergüenza y escándalo en la familia —le dice Shahbanou a Sufiya Zinobia por la mañana—. *Bibi*, no sabes lo que te has perdido.

Algo más estaba ocurriendo aquella noche. En los recintos universitarios, en los bazares de las ciudades, bajo el manto de la oscuridad, la gente se congregaba. Para cuando salió el sol, era evidente que iba a caer el gobierno. Aquella mañana, la gente se echó a la calle y prendió fuego a automóviles, autobuses escolares, camiones del Ejército y las bibliotecas del British Council y el United States Information Service, para expresar su descontento. El mariscal de campo A. ordenó que las tropas salieran a la calle para restablecer el orden. A las once quince, recibió la visita de un general conocido por todos por el apodo de «Batallitas», supuesto compinche de Iskander Harappa. El general Batallitas informó al enloquecido presidente de que las fuerzas armadas se negaban en redondo a abrir fuego contra la población civil, y los soldados dispararían antes contra sus oficiales que contra sus conciudadanos. Esa declaración convenció al presidente A. de que su época había acabado, y para la hora del almuerzo había sido sustituido por el general Batallitas, que arrestó a A. en su domicilio y apareció en la televisión, recién estrenada, para anunciar que su único fin al asumir el poder era devolver al país a la democracia; se celebrarían elecciones antes de dieciocho meses. Aquella tarde la pasó la gente celebrándolo alegremente; Datsuns, taxis, la Alliance Française y el Goethe Institut proporcionaron el combustible para su incandescente felicidad.

Mir Harappa supo del golpe incruento del presidente Batallitas a los ocho minutos de la dimisión del mariscal A. Este segundo golpe importante para su prestigio le quitó a Mir el Pequeño toda combatividad. Dejando una carta de dimisión en su escritorio, huyó a su hacienda de Daro sin molestarse en esperar los acontecimientos, y se encerró allí en un estado de ánimo de tal desolación que los criados podían oírlo musitar en voz baja que sus días estaban contados. «Han ocurrido ya dos cosas —decía—, pero la tercera tiene que ocurrir aún.»

Iskander y Arjumand se pasaron el día con Haroun en Karachi. Iskander, todo el día al teléfono, Arjumand tan excitada por las noticias que se le olvidó compadecerse de Haroun por su anulada boda. «Deja de poner esa cara de pez —le dijo—, el futuro ha comenzado.» Rani Harappa llegó en tren de Mohenjo, pensando que iba a pasar un día sin preocupaciones celebrando la *nikah* de Buenas Noticias, pero Jokio, el chófer de Isky, le dijo en la estación que el mundo había cambiado. La llevó a la casa de la ciudad, donde Iskander la abrazó cariñosamente y le dijo: «Qué bien que hayas venido. Ahora tenemos que aparecer juntos ante el pueblo; nuestro momento ha llegado.» Inmediatamente, Rani se olvidó de las bodas y empezó a parecer, a sus cuarenta, tan joven como su única hija. «Lo sabía —se regocijó interiormente—. El bueno de Batallitas.»

Tan grande era la excitación de aquel día que la noticia de los acontecimientos del hogar de los Hyders quedó completamente borrada, cuando, en cualquier otro día, el escándalo hubiera sido imposible de ocultar. El capitán Talvar Ulhaq vino solo a su boda, al haber decidido no mezclar a amigos ni familiares en las circunstancias vergonzosas de sus nupcias. Tuvo que luchar para abrirse paso por las calles, que ardían de coches en llamas, en un jeep de la policía que, misericordiosamente, había escapado a la atención de la multitud, y fue recibido por Raza Hyder con una ceremonia y un desdén glaciales.

—Tengo la intención más firme —le dijo Talvar a Raza— de ser el mejor yerno que pudiera usted desear, de forma que, con el tiempo, quizá reconsidere usted su decisión de apartar a su hija de su vida.

Raza dio una respuesta brevísima a aquel discurso valiente:

—No me interesan los jugadores de polo —dijo.

Los invitados que habían logrado llegar a la residencia de los Hyders a través de la euforia inestable de las calles habían tenido la precaución de ponerse sus ropas más viejas y más andrajosas; y tampoco llevaban joyas. Se habían puesto esos harapos poco festivos para evitar llamar la atención de la gente, que normalmente toleraba a los ricos pero, en su júbilo, hubiera podido decidir agregar la minoría selecta de la ciudad a su colección de símbolos combustibles. El lastimoso estado de los invitados fue uno de los rasgos más extraños de aquel día de cosas extrañas; Buenas Noticias Hyder, ungida, hennada y enjoyada, parecía, en medio de aquella reunión de celebrantes asustados, más fuera de lugar aún que si se hubiera presentado en el partido de polo de su ineludible destino. «Es como casarse en un palacio lleno de mendigos», le susurró a Talvar, que se sentaba a su lado, enguirnaldado de flores, en un pequeño estrado situado bajo la *marquee* centelleante y cuajada de espejos. Los dulces y golosinas del orgullo maternal de Bilquìs languidecían sin ser comidos en largas mesas cubiertas de manteles blancos, en el ambiente estrafalario de aquel día horrorizado y desordenado.

Por qué se negaban a comer los invitados: desequilibrados ya por los peligros de la calle, los había trastornado casi por completo la información, que les llegó en pequeñas fes de erratas escritas a mano, que Bilquìs había estado copiando durante horas, de que, aunque la novia era efectivamente la prevista Buenas Noticias Hyder, había habido un cambio de novio en el último minuto. «Por circunstancias ajenas a nuestra voluntad», decían las notitas blancas de la humillación, «el papel de marido será desempeñado por el capitán de policía Talvar Ulhaq.» Bilquìs había tenido que escribir esa frase quinientas cincuenta y cinco veces, y cada transcripción sucesiva hundió las uñas de la vergüenza más profundamente en su corazón, de forma que, para cuando llegaron los invitados y los criados les entregaron las fes de erratas, estaba tan rígida por el deshonor como si la hubieran empalado en un árbol. A medida que la conmoción del golpe de Estado iba siendo reemplazada en el rostro de los invitados por la conciencia de la importancia de la catástrofe que había caído sobre los Hyders, también Raza se iba volviendo totalmente insensible, anestesiado por su desgracia pública. La presencia de aquellos himalayas de comida sin comer puso el frío de la vergüenza en el alma de Shahbanou, el *ayah*, que estaba de pie junto a Sufiya Zinobia en un estado de descorazonamiento tan extremo que se olvidó de saludar a Omar Khayyam Shakil. El médico había entrado torpemente en aquella reunión de millonarios disfrazados de jardineros; sus pensamientos estaban tan llenos de las ambigüedades de su propio compromiso con la mentecata de sus obsesiones que no notó en absoluto que había entrado en un espejismo del pasado, una imagen fantasmal de la fiesta legendaria dada por las tres hermanas Shakil en su vieja casa de Q. La fe de erratas quedó sin leer en su regordete puño cerrado, hasta que, con retraso, cayó en la cuenta del significado de aquella comida sin comer.

No era una reproducción exacta de la fiesta lejana. No se comió comida, pero se celebró una boda. ¿Hubo alguna vez una *nikah* en la que nadie coqueteara con nadie, en la que los músicos contratados se sintieran tan abrumados por la situación que se olvidaran de tocar una sola nota? Desde luego, no debió de haber muchas fiestas nupciales en que el novio de última hora estuviera a punto de ser asesinado en su estrado por su cuñada recién adquirida.

Ay Dios, así es. Lamento informaros de que (poniendo un broche de oro, donde los haya, en aquel día perfectamente desastroso), el demonio soñoliento de la vergüenza que se apoderó de Sufiya Zinobia el día en que asesinó a los pavos surgió una vez más bajo la *shamiana* brillante de espejos de la deshonra.

Un vidriado en sus ojos, que adquirieron la opacidad lechosa del sonambulismo. Una afluencia a su espíritu hipersensible de la gran abundancia de vergüenza que había en aquella tienda atormentada. Un fuego bajo la piel, de forma que ella comenzó a arder por todas partes, un resplandor dorado que apagó el carmín de sus mejillas y la laca de los dedos de sus manos y pies... Omar Khayyam Shakil se dio cuenta de lo que pasaba, pero demasiado tarde, de modo que, para cuando gritó «¡Cuidado!» a aquella reunión catatónica, el demonio había ya lanzado a Sufiya Zinobia a través de la fiesta y, antes de que nadie se moviera, ella había agarrado por la cabeza al capitán Ulhaq y empezado a retorcérsela, a retorcérsela con tanta fuerza que él se puso a gritar a voz en cuello, porque ese cuello estaba a punto de rompérsele como una pajita.

Buenas Noticias Hyder agarró a su hermana del pelo y tiró con todas sus fuerzas, sintiendo cómo el calor ardiente de aquella pasión sobrenatural le quemaba los dedos; luego Omar Khayyam y Shahbanou y Raza Hyder y hasta Bilquìs se le unieron, mientras los invitados se hundían aún más en su mudo estupor, espantados por aquella última manifestación del carácter inverosímilmente fantástico del día. Los esfuerzos combinados de aquellas cinco personas desesperadas consiguieron separar las manos de Sufiya Zinobia antes de que la cabeza de Talvar Ulhaq fuera arrancada como la de un pavo; pero entonces ella le enterró los dientes en el cuello, dándole una segunda cicatriz para compensar su famoso mordisco amoroso, y haciendo que su sangre saltara a gran distancia a través de la reunión, de forma que toda su familia y muchos de los camuflados invitados comenzaron a parecer trabajadores de un matadero *halal*. Talvar chillaba como un cerdo y cuando, por fin, arrastraron a Sufiya Zinobia separándola de él, ella tenía un bocado de piel y carne entre los dientes. Más adelante, cuando él se recuperó, jamás pudo mover la cabeza hacia la izquierda. Sufiya Zinobia Hyder, encarnación de la vergüenza de su familia y también, una vez más, su causa principal, cayó blandamente en brazos de su novio, y Omar Khayyam hizo que llevaran inmediatamente al hospital a agresora y víctima, donde Talvar Ulhaq estuvo en la lista de casos críticos durante ciento una horas, mientras Sufiya Zinobia tenía que ser sacada de su trance autoinducido utilizando más habilidad hipnótica que la que Omar había tenido que desplegar nunca. Buenas Noticias Hyder se pasó su noche de bodas llorando inconsolablemente en el hombro de su madre, en la sala de espera del hospital. «Ese monstruo —sollozaba amargamente—, hubieras debido ahogarla al nacer.»

Breve inventario de los efectos del escándalo de la boda: el cuello rígido de Talvar Ulhaq, que acabó con su carrera de estrella del polo; el nacimiento de un espíritu de perdón y reconciliación en Raza Hyder, a quien le resultaba difícil condenar al ostracismo a un hombre a quien su hija había matado casi, de forma que, después de todo, Talvar y Buenas Noticias no fueron expulsados del seno de aquella familia maldita; y también la desintegración acelerada de Bilquìs Hyder, cuyo derrumbamiento nervioso no se podía seguir ocultando, aunque, en los años que siguieron, ella se convirtió en poco más que un susurro o un rumor, porque Raza Hyder la mantuvo alejada del trato social, en una especie de arresto domiciliario oficioso.

¿Qué más?... Cuando resultó evidente que el Frente Popular de Iskander Harappa obtendría excelentes resultados en las elecciones, Raza le hizo una visita a Isky. Bilquìs se quedó en casa con el pelo suelto, clamando al cielo porque su marido, su Raza, había ido a rebajarse ante aquel bembón que siempre se salía con la suya. Hyder trató de forzarse a una disculpa por el chasco de la boda, pero Iskander le dijo alegremente: «Por amor del cielo, Raza, Haroun es capaz de cuidar de sí mismo y, en cuanto a tu Talvar Ulhaq, estoy muy impresionado por el golpe de mano que ese tipo planeó. Te lo aseguro, ¡es el hombre que necesito!» No mucho después de esa reunión, una vez que hubo pasado la locura de las elecciones y que el presidente Batallitas se retiró a la vida privada, el primer ministro Iskander Harappa hizo de Talvar Ulhaq el jefe de policía más joven de la historia del país, y ascendió también a Raza Hyder al empleo de general, poniéndolo al frente del Ejército. Los Hyders y los Harappas se trasladaron al norte, a la nueva capital de las montañas; Isky le dijo a Rani: «A partir de ahora, Raza no tiene más remedio que ser mi hombre. Con la cantidad de escándalos que han caído sobre su cabeza, sabe que hubiera tenido suerte en conservar su rango si no hubiera sido por mí.»

Haroun Harappa, con el corazón roto por Buenas Noticias, se entregó al trabajo en el partido que le confió Iskander, convirtiéndose en figura importante del Frente Popular; y cuando, un día, Arjumand le declaró su amor, le dijo francamente: «No hay nada que hacer. He decidido no casarme jamás.» El rechazo de la virgen Bragas de Hierro por el desairado novio de Buenas Noticias engendró en aquella joven formidable un odio hacia todos los Hyders que nunca la abandonaría; reunió el amor que había querido dar a Haroun y, en lugar de ello, lo vertió sobre su padre como una ofrenda votiva. Presidente e hija, Iskander y Arjumand: «Hay veces —pensó Rani— en que ella parece su mujer más que yo.» Y otra tirantez no expresada en el campo de los Harappas era la que existía entre Haroun Harappa y Talvar Ulhaq, que tenían que colaborar, y lo hicieron efectivamente durante muchos años, sin que consideraran necesario intercambiar una sola palabra.

El tranquilo matrimonio entre Omar Khayyam Shakil y Sufiya Zinobia se desarrolló, por cierto, sin más incidentes. Pero ¿qué pasó con Sufiya Zinobia?... Dejadme decir sólo de momento que lo que había vuelto a despertarse en ella no volvió a dormirse para siempre. Su transformación de señorita Hyder en señora Shakil no será (como veremos) su último cambio permanente...

Y, con Iskander, Rani, Arjumand, Haroun, Raza, Bilquìs, Dawood, Naveed, Talvar, Shahbanou, Sufiya Zinobia y Omar Khayyam, nuestra historia se desplaza ahora hacia el norte, hacia la nueva capital y las viejas montañas de su fase culminante.

Había una vez dos familias, de destinos inseparables hasta en la muerte. Antes de empezar, pensé que lo que tenía entre manos era un relato casi excesivamente masculino, una saga de rivalidad sexual, ambición, poder, protección, traición, muerte, venganza. Pero las mujeres parecen haber asumido el poder; han avanzado desde las periferias de la historia para exigir la inclusión de sus propias tragedias, historias y comedias, obligándome a formular mi narración con toda clase de complejidades sinuosas, a fin de ver mi trama «masculina» refractada, por decirlo así, a través del prisma de su aspecto opuesto y «femenino». Se me ocurre que las mujeres sabían exactamente lo que estaban haciendo... que sus historias explican, y hasta incluyen, las de los hombres. La represión es una túnica sin costura; una sociedad que es autoritaria en sus códigos sociales y sexuales, que aplasta a sus mujeres bajo las cargas intolerables del honor y la propiedad, engendra también represiones de otra clase. Y a la inversa: los dictadores son siempre —o por lo menos en público, en atención a los otros— puritanos. Con lo que resulta que mis tramas «masculina» y «femenina» son, después de todo, la misma historia.

Confío en que no haga falta decir que no todas las mujeres son aplastadas por ningún sistema, por opresivo que sea. Se dice comúnmente de Pakistán y, según creo, con razón, que sus mujeres son mucho más impresionantes que los hombres... Sus cadenas, sin embargo, no son ficciones. Existen. Y se están volviendo más pesadas.

Si reprimes algo, reprimes lo que está a su lado.
Al final, sin embargo, todo te estalla en la cara.

IV

EN EL SIGLO XV

9. ALEJANDRO MAGNO

Iskander Harappa está de pie en primer plano, con un dedo que señala al futuro, silueteado contra el amanecer. Sobre su noble perfil, el mensaje ondula: de izquierda a derecha, formas doradas que se despliegan. UN HOMBRE NUEVO PARA UN SIGLO NUEVO. El siglo XV (según el calendario de la Hégira) mira por encima del horizonte, extendiendo largos dedos de resplandor por el cielo del alba. El sol se levanta rápidamente en los trópicos. Y, brillando en el dedo de Isky, hay un anillo de poder, que refleja el sol... El cartel es omnipresente, pegándose por sí solo en los muros de mezquitas, cementerios, casas de putas, manchando la mente: Isky el hechicero, haciendo surgir el sol de las negras profundidades del mar.

¿Qué está naciendo...? Una leyenda. Isky Harappa ascendiendo, cayendo. Isky condenado a muerte, el mundo horrorizado, su verdugo ahogado en telegramas pero alzándose sobre ellos, no dejándose impresionar por ellos, un verdugo sin compasión, desesperado, con miedo. Y entonces Isky es muerto y enterrado; hay ciegos que recobran la vista junto a la tumba del maestro. Y mil flores florecen en el desierto. Seis años en el poder, dos en la cárcel, una eternidad bajo tierra... el sol se pone también rápidamente. Se puede estar de pie en los arenales de la costa y mirar cómo se hunde en el mar.

El presidente Iskander Harappa, muerto, despojado de Pierre Cardin y de historia, sigue arrojando su sombra. Su voz murmura en los oídos secretos de sus enemigos, un monólogo melodioso e implacable, que les roe el cerebro como un gusano. Un dedo anular señala desde la tumba, centelleando sus acusaciones. Iskander atormenta a los vivos; su hermosa voz, dorada, una voz con rayos de aurora, sigue susurrando, imposible de silenciar, imposible de detener. Arjumand está segura de ello. Más adelante, cuando hayan rasgado los carteles, después del nudo corredizo que, enroscándose a su alrededor como el cordón umbilical de un niño, tuvo tal respeto por su persona que no le dejó marca en el cuello; cuando ella, Arjumand, haya sido encerrada en Mohenjo, otra-vez-saqueado, junto con una madre que parece una abuela y que no aceptará la divinidad de su esposo muerto; la hija recordará entonces, concentrándose en los detalles y diciéndose a sí misma que llegará el día en que Iskander sea devuelto a la Historia. Su leyenda está al cuidado de ella. Arjumand camina majestuosamente por los lugares brutalmente tratados de la casa, lee novelas de amor baratas, come como un pájaro y toma laxantes, vaciándose de todo para dejar sitio a sus recuerdos. Los recuerdos la llenan, sus intestinos, sus pulmones, sus narices; ella es el epitafio de su padre, y lo sabe.

Desde el principio, pues. Las lecciones que llevaron a Iskander Harappa al poder no fueron (hay que decirlo) tan honradas como yo las he presentado. Cómo podrían serlo, en ese país dividido en dos Alas separadas por mil millas, en ese lugar que es un ave fantástica, dos

Alas sin cuerpo, divididas por la masa terrestre de su mayor enemigo, unidas sólo por Dios... Ella recuerda aquel primer día, la muchedumbre estruendosa en torno a los colegios electorales. ¡Oh confusión de gentes que han vivido demasiado tiempo bajo un mando militar, que han olvidado las cosas más elementales sobre la democracia! Gran número de hombres y mujeres se vieron arrastrados por los océanos del desconcierto, incapaces de localizar las urnas y hasta las papeletas de voto, y no votaron. Otros, nadadores más experimentados en esos mares, lograron expresar sus preferencias doce o trece veces. Los trabajadores del Frente Popular, angustiados por la falta general de decoro electoral, hicieron intentos heroicos por salvar el día. Los escasos distritos electorales urbanos que obtuvieron resultados incompatibles con el modelo electoral de toda el Ala Occidental fueron visitados de noche por grupos de miembros entusiastas del partido, que ayudaron a los funcionarios encargados del escrutinio a hacer el recuento. De esa forma las cosas se aclararon mucho. En el exterior de los colegios electorales ambulantes se reunió gran número de demócratas, muchos de ellos con antorchas ardiendo sobre sus cabezas, con la esperanza de arrojar más luz sobre el escrutinio. La luz del amanecer se encendió en las calles, mientras las multitudes cantaban fuerte, rítmicamente, estimulando a los escrutadores en su trabajo. Y, para cuando llegó la mañana, el pueblo había expresado su voluntad y el presidente Isky había ganado una mayoría enorme y absoluta de escaños del Ala Occidental en la nueva Asamblea Nacional. «Justicia aproximada —recuerda Arjumand— pero justicia de todos modos.»

Las verdaderas dificultades, sin embargo, comenzaron en el Ala Oriental, esa ciénaga purulenta. ¿Poblada por quién...? Oh, por salvajes que se reproducían sin fin, por conejos de la selva que sólo valían para cultivar yute y arroz, acuchillarse mutuamente y hacer crecer traidores en sus arrozales. Perfidia del Este: demostrada por el hecho de que el Frente Popular no pudo obtener allí un solo escaño, mientras que la chusma de la Liga Popular, un partido regional de burgueses descontentos, dirigidos por el jeque Bismillah, incompetente reconocido, consiguió una victoria tan abrumadora que terminaron con más escaños en la Asamblea que los que Harappa había ganado en el Oeste. «Dadle democracia al pueblo y veréis lo que hace con ella.» El Oeste en estado de conmoción, el ruido de un Ala aleteando, asaltada por la espantosa idea de tener que entregar el gobierno a un partido de aborígenes de los pantanos, hombrecitos oscuros con un lenguaje impronunciable de vocales deformadas y farfulladas consonantes; quizá no extranjeros exactamente, pero sí extraños, sin duda alguna. El presidente Batallitas, lamentándolo, envió un ejército enorme para que restableciera en el Este el sentido de las proporciones.

Sus pensamientos, los de Arjumand, no se ocupan de la guerra que siguió, salvo para observar que, naturalmente, el país de idólatras situado entre las Alas apoyó a fondo a los cabrones del Este, por obvias razones de divide-y-vencerás. Una guerra horrible. En el Oeste, refinerías de petróleo, aeropuertos, hogares de una población civil temerosa de Dios, bombardeados con explosivos paganos. La derrota final de las fuerzas occidentales, que llevó a reconstituir el Ala Oriental como país autónomo (*es un chiste*) y mutilado de brazos y piernas internacional, fue maquinada evidentemente por gentes de fuera: restregadores de piedras y malditos-yanquis, sí. El presidente fue a las Naciones Unidas y les espetó a aquellos eunucos: «No nos destruiréis mientras yo viva. —Atronó la Asamblea General, apuesto, destemplado, grandioso—: ¡Mi país me oye! ¿Por qué he de quedarme en este harén de putas travestidas...? Y se volvió a casa para tomar las riendas del gobierno en lo que quedaba del país de Dios. El jeque Bismillah, arquitecto de la división, se convirtió en jefe de los hombres de la jungla. Más tarde, inevitablemente, invadieron su palacio y los llenaron de agujeros a él y a su familia. La clase de conducta que cabe esperar de tipos así.

La catástrofe: durante toda la guerra, los boletines de radio describían cada hora los triunfos gloriosos de los regimientos occidentales en el Este. El último día, a las once de la mañana, la radio anunció el último y más espectacular de esos hechos de armas; al mediodía, informó lacónicamente a su audiencia de lo imposible: rendición incondicional, humillación, derrota. El tráfico se paralizó en las calles de la ciudad. El almuerzo del país se quedó sin cocinar. En las aldeas, el ganado se aguantó sin forraje y los cultivos sin agua, a pesar del calor. El presidente Iskander Harappa, al convertirse en primer ministro, identificó correctamente la reacción nacional ante aquella capitulación asombrosa como de justa rabia, alimentada de vergüenza. ¿Qué calamidad podía haber caído sobre el Ejército tan rápidamente? ¿Qué revés podía haber sido tan repentino y tan total como para convertir la victoria en desastre en sólo sesenta minutos? «La responsabilidad de esta hora fatídica —declaró Iskander— incumbe, como debe ser, a la jefatura.» Policías, y perros también, rodearon la casa del ex presidente Batallitas a los quince minutos de esa declaración. Lo metieron en la cárcel, para ser juzgado por crímenes de guerra; pero entonces el presidente, reflejando una vez más el talante de un pueblo, asqueado por la derrota y ansioso de reconciliación, para que terminara el análisis de su vergüenza, le ofreció a Batallitas el perdón a cambio de su aceptación de un arresto domiciliario. «Eres nuestra ropa sucia —le dijo Iskander a aquel anciano incompetente—, pero, por suerte para ti, el pueblo no quiere que te laven a golpes contra una piedra.»

Hubo personas cínicas que se burlaron de ese perdón; no hace falta decirlo, porque todos los países tienen sus nihilistas. Esos elementos señalaron que Iskander Harappa había sido el principal beneficiado por la guerra civil que rasgó el país en dos; difundieron rumores sobre su complicidad en todo aquel triste asunto. «Batallitas —refunfuñaban en sus miserables guaridas— fue siempre el ojito derecho de Harappa; comía de la mano de Isky.» Esos elementos negativos son una fea realidad. El presidente los pagó con su desprecio. En un mitin de dos millones de personas, Iskander Harappa se desabrochó la camisa. «¿Qué tengo que ocultar? —gritó—. Dicen que me he beneficiado; pero he perdido la mitad al menos de mi amado país. Decidme entonces, ¿dónde está mi ganancia? ¿Dónde mi ventaja? ¿Dónde mi suerte? Pueblo mío, tus corazones están marcados por el pesar; mirad, mi corazón tiene las mismas heridas que los vuestros.» Iskander Harappa se desgarró la camisa y la partió en dos; desnudó su pecho lampiño ante aquella multitud que lo vitoreaba, llorando. (El joven Richard Burton hizo una vez lo mismo en la película *Alejandro Magno*. Los soldados amaban a Alejandro porque les enseñaba las cicatrices de sus batallas.)

Algunos hombres son tan grandes que sólo pueden ser deshechos por ellos mismos. El Ejército derrotado necesitaba nuevos jefes; Isky se deshizo de la desacreditada vieja guardia con un retiro anticipado, y puso a Raza Hyder al mando. «Será mi hombre. Y, con ese jefe comprometido, el Ejército nunca será demasiado fuerte.» Ese único error resultó la perdición del hombre de Estado más capaz que jamás gobernó aquel país que había sido tan trágicamente desafortunado, tan malhadado, con sus jefes de Estado.

Nunca pudieron perdonarle su facultad de inspirar amor. Arjumand en Mohenjo, repleta de recuerdos, deja que su mente, al recordar, trasmute los fragmentos conservados del pasado en el oro del mito. Durante la campaña electoral, había sido corriente que las mujeres vinieran a él y, ante las narices de su mujer y de su hija, le declarasen su amor. Las abuelas de las aldeas se encaramaban a los árboles y gritaban cuando pasaba: «¡Ay, si yo tuviera treinta años menos!» Los hombres no se avergonzaban de besarle los pies. ¿Por qué lo amaban? «Yo soy la esperanza», le dijo Iskander a su hija... y el amor es un sentimiento que se reconoce en los otros. La gente podía verlo en Isky, evidentemente estaba lleno de él, hasta el borde, le rebosaba y los dejaba limpios... ¿De dónde venía...? Arjumand lo sabe; y también su madre. Era un torrente desviado. Iskander había construido una presa entre el río y su destino. Entre él y Clavelitos Aurangzeb.

Al principio, Arjumand había contratado fotógrafos para que fotografiaran a Clavelitos en secreto, Clavelitos en el bazar con una gallina desplumada, Clavelitos en el jardín apoyada en un bastón, Clavelitos desnuda bajo la ducha como un dátil seco hacía tiempo. Dejaba esas imágenes para que el presidente las viera. «Mira, por Alá, tiene cincuenta años, parece de cien o, por lo menos, de setenta, ¿qué queda de ella?» En las fotografías ella tenía la cara hinchada, las piernas marcadas de venas, el cabello descuidado, escaso, blanco. «Deja de enseñarme esas fotos —le gritó Iskander a su hija (lo recuerda porque casi nunca perdía los estribos con ella), ¿crees que no sé lo que le hice a esa mujer?»

Si un gran hombre te roza, envejeces demasiado aprisa, vives demasiado y te gastas. Iskander Harappa tenía la facultad de acelerar el proceso de envejecimiento de las mujeres de su vida. Clavelitos, a los cincuenta, había dejado atrás los pavos, había dejado atrás incluso el recuerdo de su belleza. Y Rani había sufrido también, aunque no tanto porque lo había visto menos. Había tenido esperanzas, desde luego; pero cuando fue evidente que él sólo quería que subiera a tribunas electorales, que la época de ella había pasado para no volver, regresó a Mohenjo sin discutir, convirtiéndose una vez más en la señora de los pavos reales y las aves de caza y las concubinas jugadoras de bádminton y las camas vacías, no tanto una persona como un aspecto de la hacienda, el espíritu familiar benigno del lugar, agrietado y lleno de telarañas exactamente igual que aquella envejecida mansión. Y la propia Arjumand ha estado siempre acelerada, madurada demasiado joven, precoz, viva como el azogue. «Tu amor es demasiado para nosotras —le dijo al presidente—, nos moriremos todas antes que tú. Te alimentas de nosotras.»

Pero todas ellas lo sobrevivieron, según se vio. Su desviado amor (porque nunca volvió a ver a Clavelitos, nunca cogió el teléfono ni escribió una carta, y el nombre de ella nunca apareció en sus labios; vio las fotografías y después de aquello nada) salpicaba al pueblo, hasta que un día Hyder sofocó la fuente.

Salpicaba también a Arjumand; a la que le bastaba con creces. Ella se fue con Iskander a la residencia del primer ministro en la nueva capital del norte, y durante algún tiempo Rani siguió escribiéndole, sugiriéndole chicos, hasta enviándole fotos; pero Arjumand devolvía las cartas y las fotos a su madre, después de hacerlas pedazos. Tras varios años de partir por la mitad posibles maridos, la virgen Bragas de Hierro derrotó por fin las esperanzas de Rani, y pudo continuar el camino que había elegido. Tenía veintitrés años cuando Isky se convirtió en primer ministro, parecía mayor y, aunque todavía era demasiado bella para su propio bien, el paso del tiempo desgastó sus posibilidades, y por fin se quedó sin pretendientes. Entre Arjumand y Haroun no se dijo una palabra más. *Él me partió por la mitad hace tiempo*.

Arjumand Harappa se graduó en derecho, participó activamente en la revolución verde, arrojó a *zamindars* de sus palacios, abrió calabozos, dirigió batidas en casas de estrellas de cine, abriendo sus colchones con un largo cuchillo de dos filos, y se rió mientras el dinero ilegal brotaba entre los muelles forrados. Ante los tribunales, acusaba a los enemigos del Estado con una ferocidad escrupulosa que dio a su apodo un significado nuevo y menos chusco; una vez, llegó a sus habitaciones y descubrió que algún bromista había entrado durante la noche y había dejado, de pie en el centro del cuarto, un regalo burlón: la parte inferior de una armadura antigua y oxidada, un par de satíricas piernas de metal en posición de firmes, con los tacones juntos, sobre la alfombra. Y, colocado con esmero en torno al hueco talle, un cinturón de metal con cerrojo. Arjumand Harappa, la virgen Bragas de Hierro.

Aquella noche lloró, sentada en el suelo del estudio de su padre, con la cabeza apoyada en las rodillas de él.

—Me odian.

Iskander la agarró y la sacudió hasta que el asombro secó sus lágrimas.

—¿Quién te odia? —le preguntó—. Piénsalo. Son mis enemigos que son los tuyos, y nuestros enemigos son los enemigos del pueblo. No es una vergüenza ser odiado por esos cabrones. —Ella entendió entonces cómo el amor engendra odio—. Yo estoy haciendo este país —le dijo Iskander suavemente—, haciéndolo como un hombre construiría un matrimonio. Con fuerza y con cariño. No hay tiempo para llorar si quieres ayudarme.

Ella se enjugó los ojos y sonrió abiertamente.

—Polígamo —le dio un puñetazo en una pierna—,

¡en el fondo eres un tipo anticuado y retrógrado! Lo único que quieres son matrimonios y concubinas. Hombre moderno, un cuerno.

—Señor Harappa —pregunta el entrevistador de la televisión angresa—, muchos comentaristas dirían, según un parecer bastante difundido, algunos sectores de opinión mantienen, sus adversarios aducen, ¿qué diría usted a la sugerencia de que, con arreglo a ciertos criterios, desde ciertos puntos de vista, de alguna manera, su estilo de gobernar podría describirse quizá, en cierta medida...

—Ya veo que mandan chiquillos a entrevistarme —le interrumpe Isky. El entrevistador ha empezado a sudar. No en pantalla, pero Arjumand lo recuerda.

—... aristocrático —termina él—, autocrático, intolerante, represivo?

Iskander Harappa sonríe, se recuesta en su sillón Luis XV, bebe un sorbito de *roohafza* de un vaso de cristal tallado.

—Podría decir usted —responde— que soporto mal a los necios. Pero, como ve, los soporto.

Arjumand, en Mohenjo, pasa otra vez las videocintas de su padre. Escuchada en la habitación en que se grabó, esa conversación la abruma, esa resurrección electrónica por mando a distancia. Sí, los soportaba. Su nombre estaba grabado en la historia con letras de oro ardiente; ¿por qué tenía que aceptar tipos de latón? Ahí están en la cinta, no hay como un periodista occidental para escarbar en las letrinas y aparecer con puñados de mierda. Me torturó, lloriquean, me echó, me metió en la cárcel, tuve que huir para salvar la vida. La buena de la televisión: hace que nuestros dirigentes parezcan hombres primitivos, salvajes, aunque tengan una educación extranjera y un traje elegante. Sí, siempre los descontentos, es lo único que les importa.

Nunca le gustaron las discusiones. Haz lo que te ordena y hazlo ya, *fut-a-fut*, o te irás a la calle sin ceremonias. Así era como debía ser. Pensad con quién tenía que trabajar... hasta sus ministros. Chaqueteros, aprovechados, colaboracionistas, oportunistas, toda la patulea. No confiaba en ninguno de aquellos personajes, de forma que creó la Fuerza Federal de Seguridad, con Talvar Ulhaq a su frente. «La información es luz», decía el presidente Iskander Harappa.

La clarividencia de Talvar Ulhaq le permitía recopilar expedientes exhaustivos sobre quién-sobornaba-a-quién, conspiraciones, evasión fiscal, conversaciones peligrosas en cenas de sociedad, facciones estudiantiles, homosexualidad, las raíces de la traición. La clarividencia hacía que pudiera detener a un futuro traidor antes de que cometiera su traición, salvándole así al tipo la vida. Los elementos eternamente escépticos atacaban a la FFS, hubieran querido extinguir aquella gran luz purificadora, de forma que acababan en la cárcel, que es el mejor lugar para los descontentos. No había sitio para esos tipos en un período de regeneración nacional. «Como país, tenemos verdadero genio para la autodestrucción —le dijo Iskander a Arjumand una vez—, nos damos bocados a nosotros mismos, nos comemos a nuestros hijos, tiramos de los pies de todo el que trepa. Pero insisto en que sobreviviremos.»

—Nadie me podrá derribar —le dice el fantasma de Isky a la sombra electrónica del periodista angrés—, ni los peces gordos, ni los norteamericanos, ni siquiera usted. ¿Que quién soy? Soy la encarnación del amor del pueblo.

Masas frente a clases, la oposición de siglos. ¿Quién lo amaba? «El pueblo», que no es una simple abstracción romántica: que es sensible, y lo suficientemente listo para saber lo que le conviene. ¿Quién lo amaba? Clavelitos Aurangzeb, Rani Harappa, Arjumand, Talvar, Haroun. ¡Cuántas disensiones en ese quinteto!... Entre mujer y amante, madre e hija, la calabaceada Arjumand y el calabaceador Haroun, el calabaceado Haroun y el usurpador Talvar... Quizá, medita Arjumand, su caída fue culpa nuestra. A través de nuestras filas divididas condujeron a los regimientos de su derrota.

Ellos. Peces gordos, contrabandistas, sacerdotes. Gente de la alta sociedad que recordaba la juventud despreocupada que él llevó y no podía soportar la idea de que hubiera salido un gran hombre de aquel capullo libertino. Directores de fábricas, que jamás habían prestado tanta atención a la manutención de sus trabajadores como la que prodigaban al mantenimiento de sus telares importados, y a los que él, el presidente, obligó a aceptar lo inconcebible, es decir, la sindicación. Usureros, estafadores, bancos. El embajador de Estados Unidos.

Embajadores: acabó con nueve en sus seis años. Y también con cinco jefes de misión ingleses y tres rusos. Arjumand e Iskander hacían apuestas sobre cuánto tiempo aguantaría cada recién llegado; luego, feliz como un chico con un palo y un aro nuevos, él se ponía a hacérselas pasar moradas. Los hacía esperar semanas una audiencia, los interrumpía en mitad de una frase, les negaba licencias de caza. Los invitaba a banquetes en que se servía al embajador ruso sopa de nidos de golondrina y pato Pekín, mientras que el norteamericano comía borsch y blinis. Se negaba a galantear a sus esposas. Con el embajador británico, pretendía ser un paleto recién venido de la aldea, y hablaba sólo un oscuro dialecto regional; en el caso de Estados Unidos, sin embargo, seguía la táctica opuesta y se dirigía a su representante en un francés incomprensiblemente florido. Las embajadas estaban sometidas constantemente a cortes de energía. Isky abría sus valijas diplomáticas y añadía personalmente comentarios ofensivos a los informes de los embajadores, de forma que uno ruso fue llamado a su país para que explicara algunas teorías insólitas sobre el parentesco de diversos jefes destacados del Politburó; jamás volvió. La columna de Jack Anderson, en Norteamérica, publicó un documento filtrado en el que el delegado de EE.UU. en la corte de Iskander confesaba, al parecer, que desde hacía tiempo sentía una fuerte atracción sexual por el secretario Kissinger. Eso fue el fin del embajador. «Me costó tiempo cogerle el tranquillo —admitió Iskander ante Arjumand—, pero, cuando aprendí los trucos, esos tipos no volvieron a dormir en paz.»

Colocó en sus teléfonos dispositivos emisores y receptores y, a partir de entonces, el embajador soviético se veía atormentado por grabaciones interminables de *Te aclamamos, Jefe* cada vez que cogía el teléfono, mientras que el norteamericano se encontraba con los pensamientos completos del presidente Mao. Metió clandestinamente a una serie de bellos muchachos en la cama del embajador británico, con gran consternación, por no decir deleite, de su esposa, que desde entonces adquirió la costumbre de retirarse muy pronto a sus habitaciones, por si acaso. Expulsó a agregados culturales y a agregados agrícolas. Convocó a los embajadores a su despacho, a las tres de la mañana, y estuvo dándoles gritos hasta el amanecer, acusándolos de conspirar con fanáticos religiosos y magnates desafectos de la industria textil. Taponaba sus desagües y censuraba el correo que recibían, privando a los ingleses de sus suscripciones a revistas de carreras de caballos, a los rusos del *Playboy* y a los norteamericanos de todo lo demás. El último de los nueve norteamericanos duró sólo ocho semanas, y murió de un ataque al corazón dos días antes del golpe de Estado que destronó a Isky y puso fin al juego. «Si duro lo suficiente —decía pensativo el presidente—, quizá pueda destruir a toda la red diplomática internacional. Se les van a acabar los embajadores antes de que se me acabe a mí el vapor.»

En el siglo xv, un gran hombre subió al poder. Sí, parecía omnipotente, podía juguetear con los emisarios de los poderosos. «Miradme —decía—, no podéis cogerme.» Harappa inmortal, invulnerable. Le dio orgullo al pueblo... El décimo embajador de Estados Unidos llegó después de la detención de Iskander, con una expresión de santo alivio en el rostro. Al presentar sus credenciales a Raza Hyder, murmuró suavemente:

—Perdóneme, señor, pero confío en que no tenga el sentido del humor de su predecesor.

—La cuestión de la estabilidad nacional —respondió Hyder— no es ninguna broma.

Una vez, cuando Arjumand visitó a su padre en el agujero que tenía por cárcel, Iskander, contusionado, consumido, enfermo de disentería, hizo aparecer una sonrisa torcida en sus labios. «Ese décimo cabrón parece una auténtica mierda —dijo dolorosamente—. Me hubiera gustado enseñarle la doble pirueta.»

En el siglo xv... pero, a pesar de los carteles, el siglo no empezó el día en que él subió al poder. Eso ocurrió más tarde. Pero fue tal el impacto de su venida que el cambio verdadero, de los mil trescientos a los mil cuatrocientos, resultó una decepción cuando por fin se produjo. *Su grandeza dominó al Tiempo mismo.* Un hombre nuevo para un siglo nuevo... Sí, él lo trajo, anticipándose al Tiempo. Pero éste le jugó una mala pasada. La venganza del Tiempo: lo colgaron a secar.

Lo colgaron en plena noche, cortaron la cuerda para bajarlo, lo envolvieron y se lo dieron a Talvar Ulhaq, que lo metió en un avión y lo mandó por vía aérea a

Mohenjo, donde dos mujeres esperaban, vigiladas. Cuando habían descargado el cadáver, el piloto y la tripulación del Fokker Friendship se negaron a abandonar la aeronave. El avión esperó a Talvar en la cabecera de la pista de Mohenjo, despidiendo un resplandor nervioso, como si no pudiera soportar permanecer en aquel lugar un instante más de lo necesario. Llevaron a Rani y Arjumand en un coche del Estado Mayor a Sikandra, la zona alejada de Mohenjo donde habían enterrado siempre a los Harappas. Y vieron, entre las sombrillas de mármol de las tumbas, un agujero nuevo y profundo. Talvar Ulhaq, en posición de firmes junto al cadáver vendado de blanco. Rani Harappa, con el pelo blanco ahora, como el fantasma de Clavelitos Aurangzeb, se negó a llorar.

—De manera que es él —dijo. Talvar se inclinó, con el cuello rígido, desde la cintura—. Demuéstremelo —dijo Rani Harappa—. Enséñeme el rostro de mi marido.

—Debería evitárselo usted —respondió Talvar—. Lo ahorcaron.

—Cállese —dijo Rani—. Quítele la sábana.

—Lo lamento mucho —Talvar Ulhaq se inclinó otra vez—, pero tengo mis órdenes.

—¿Qué ordenes? —Rani no levantó la voz—. ¿Quién puede negarme algo así? —Pero Talvar dijo otra vez—: Sinceramente. Lo lamento. —Y bajó sus ojos de traidor. Talvar y Raza, el policía y el soldado: los hombres de Isky.

—Entonces hay algo raro en el cadáver —dijo Rani, y Talvar se puso rígido.

—Su marido está muerto —replicó bruscamente—, ¿qué puede haber ya de raro?

—Entonces deje que lo bese a través de la sábana —susurró Rani, inclinándose hacia la figura envuelta. Talvar no intentó detenerla, hasta que comprendió lo que pretendía y, para entonces, las uñas de Rani habían desgarrado un gran agujero en la tela, y allí, mirándola fijamente con los ojos abiertos, estaba el rostro gris ceniza de Iskander.

—Ni siquiera se los cerrasteis —habló Arjumand por primera vez. Pero su madre se quedó callada, mirando con atención los labios carnosos, el pelo plateado, hasta que la apartaron de allí...

—Vamos —dijo Rani—, enterrad la prueba de vuestra vergüenza. Ya lo he visto. —El sol saltó por encima del horizonte cuando depositaron a Iskander.

—Cuando se ahorca a un hombre —dijo Rani Harappa con aire distante en el coche de vuelta— sus ojos sobresalen. La cara se le pone azul. Saca la lengua.

—*Amma*, por el amor de Dios.

—Se le aflojan los intestinos, pero es posible que lo limpiaran. Olía un poco a desinfectante.

—No quiero oír más.

—Incluso la cara, tienen gente que arregla esas cosas, que les corta la lengua para que puedan cerrárseles los labios. Quizá utilizaran maquilladores.

Arjumand Harappa se tapó los oídos.

—Pero hay una cosa. En el cuello de un ahorcado, la soga deja su marca. El cuello de Iskander no la tenía.

—Es horrible —dijo Arjumand—. Voy a vomitar.

—¿No lo entiendes? —le gritó Rani Harappa—. Si la soga no dejó huella es porque estaba ya muerto. ¿Eres demasiado tonta para comprenderlo? *Ahorcaron a un cadáver.*

Las manos de Arjumand cayeron sobre su regazo.

—Dios.

El cuello sin marca: la ausencia de la tarjeta de visita de la muerte. Acometida por una insensatez súbita, Arjumand exclamó:

—¿Por qué te das tantos aires, *amma*? ¿Qué sabes tú de ejecuciones y demás?

262

—Te olvidas —dijo Rani suavemente— de que vi a Mir el Pequeño.

Aquel día, Rani Harappa intentó, por última vez, llamar por teléfono a su vieja amiga Bilquìs.

—Lo siento —dijo una voz—. Begum Hyder no puede ponerse.

«Entonces es cierto —pensó Rani—, pobre Bilquìs. La ha encerrado también.»

Rani y Arjumand estuvieron detenidas en su domicilio durante seis años exactamente, dos antes de la ejecución de Iskander Harappa y cuatro después. Durante ese tiempo, no lograron acercarse mutuamente en absoluto, a causa de la incompatibilidad de sus recuerdos. Pero lo que sí tenían en común era que ninguna de las dos lloró jamás la muerte de Iskander. La presencia en Mohenjo de una pequeña cordillera de lona de tiendas del Ejército, levantada como por un terremoto en el mismo patio en que Raza Hyder se ató una vez a una estaca del suelo, mantuvo secos sus ojos. Es decir, vivían en suelo usurpado, en territorio ocupado, y estaban decididas a no dejar que los invasores las vieran llorar. Su carcelero principal, cierto capitán Ijazz, un tipo joven que parecía un barril, con pelo de cepillo de dientes y una pelusa persistente en el labio superior que se negaba con obstinación a espesarse en bigote, intentó al principio incitarlas a ello.

—Dios sabe qué clase de mujeres sois —se encogió de hombros—. Perras de lujo. Vuestro hombre ha muerto pero no humedecéis su tumba.

Rani Harappa se negó a dejarse provocar.

—Tienes razón —respondió—. Dios lo sabe. Y Él sabe muchas cosas también de los jovencitos de uniforme. Los botones dorados no pueden ocultarle nada a Él.

263

Durante aquellos años pasados ante los ojos recelosos de los soldados y con las brisas frías de la soledad de su hija, Rani Harappa siguió bordando sus chales de lana.

—Un arresto domiciliario no cambia mucho las cosas —reconoció ante el capitán Ijazz al principio mismo— en lo que a mí se refiere. Sólo significa que hay caras nuevas alrededor para decirles algo de vez en cuando.

—No se haga ilusiones de que soy su amigo —vociferó Ijazz, con el sudor brillándole sobre la boca apelusada—. Cuando hayamos matado a ese cabrón confiscaremos esta casa. Todo este oro y plata, todos esos cochinos cuadros extranjeros de mujeres desnudas y hombres que son mitad caballos. Desaparecerán.

—Empieza por los cuadros de mi alcoba —le aconsejó Rani—. Son los de más valor. Y dímelo si necesitas ayuda para distinguir la plata auténtica de la chapada.

El capitán Ijazz tenía menos de diecinueve años cuando llegó a Mohenjo y, en la confusión de su juventud, oscilaba violentamente entre la bravuconería nacida de su desconcierto al haber sido enviado para vigilar a tan ilustres damas, y la timidez incompetente y torpe propia de sus años. Cuando Rani Harappa se ofreció a ayudarlo a saquear Mohenjo, el pedernal de su vergüenza encendió la yesca de su orgullo, y ordenó a sus hombres que hicieran una pira de cosas valiosas delante de la galería en que ella estaba sentada, con el rostro indiferente y sereno, trabajando en un chal. Babar Shakil, en su breve juventud, quemó un montón de reliquias; el capitán Ijazz, que nunca había oído hablar del muchacho que se convirtió en ángel, volvió a encender aquella hoguera en Mohenjo, la hoguera en que los hombres queman lo que los oprime del pasado. Y, durante todo ese día de llamas, Rani Harappa guió a los soldados destructores, asegurándose de que los muebles más elegidos y las más hermosas obras de arte fueran a parar a la hoguera.

Dos días más tarde, Ijazz vino a ver a Rani, que estaba en su mecedora como siempre, y se disculpó desgarbadamente por su destemplada acción. «No, fue una buena idea —respondió ella—, de todas formas no me gustaban esos trastos viejos, pero Isky se hubiera puesto furioso si yo hubiera tratado de tirarlos.» Después del saqueo por el fuego de Mohenjo, Ijazz comenzó a tratar a Rani Harappa con respeto y, para cuando acabaron los seis años, había empezado a considerarla como una madre, porque él había crecido ante sus ojos. Privado de una vida normal y de la camaradería de los cuarteles, Ijazz se dedicó a abrirle su corazón a Rani, todos sus sueños semiformados de mujeres y de una pequeña granja en el norte.

«Es mi sino —pensó Rani— que la gente me confunda con su madre.» Recordó que hasta Iskander había empezado a cometer ese error al final. La última vez que visitó Mohenjo se inclinó y le besó los pies.

Las dos mujeres, cada una por su lado, se vengaron de su capturador. Rani hizo que la quisiera, con el resultado de que se odió a sí mismo; pero Arjumand comenzó a hacer lo que no había hecho en su vida, es decir, vestirse de tiros largos. La virgen Bragas de Hierro se contoneaba y meneaba el trasero, lanzando miradas incendiarias a todos los soldados, pero sobre todo al capitán Ijazz de cara de melocotón. El efecto de su conducta fue espectacular. Estallaron peleas en los pequeños himalayas de lona, se rompieron dientes, hubo soldados que acuchillaron a sus camaradas. El propio Ijazz aullaba interiormente, en garras de un deseo tan atroz que pensaba que iba a explotar, como un globo lleno de agua coloreada. Una tarde arrinconó a Arjumand mientras su madre dormía.

—No creas que no sé lo que te propones —la advirtió—, vosotras, putas millonarias. Os creéis que podéis hacer cualquier cosa. En mi aldea, hubieran lapidado a una chica por portarse como tú, con esa vulgaridad, ya sabes lo que quiero decir.

—Entonces que me lapiden —replicó Arjumand—, te desafío.

Un mes más tarde Ijazz habló de nuevo con ella.

—Los hombres quieren violarte —gritó desesperado—, se lo puedo ver en la cara. ¿Por qué tengo que contenerlos? Debería permitírselo; estás atrayendo esa vergüenza sobre tu propia cabeza.

—Que vengan sin falta —contestó Arjumand—, pero tú el primero.

—Ramera —la maldijo él en su impotencia—, ¿no sabes que estás en nuestro poder? A nadie le importa un *paisa* lo que te suceda.

Lo sé —dijo ella.

Al terminar el período de arresto domiciliario, cuando Arjumand hizo que encarcelaran y torturaran lentamente hasta morir al capitán Ijazz, él tenía veinticuatro años; pero su pelo, como el del difunto Iskander Harappa, se había vuelto prematuramente blanco como la nieve. Cuando se lo llevaron a la cámara de tortura, sólo dijo tres palabras antes de empezar a dar alaridos: «¿Qué pasa ahora?»

Rani Harappa, meciéndose en su galería, terminó, en seis años de bordados, dieciocho chales en total, las obras más exquisitas que creó nunca; pero, en lugar de enseñarles su trabajo a hija o soldados, metía cada chal, cuando lo terminaba, en un baúl negro de metal lleno de bolas de naftalina, y echaba el candado. La llave de ese baúl era la única que le habían permitido conservar. El capitán Ijazz guardaba todas las demás en un gran aro que le colgaba del cinturón, lo que le recordaba a

Rani a Bilquìs Hyder, la Bilquìs que cerraba puertas sin poder evitarlo, bajo el influjo del viento de la tarde. *Pobre Bilquìs*. Ella, Rani, echaba en falta sus conversaciones telefónicas. Los actos de los hombres habían cortado aquel vínculo entre las mujeres, aquel cordón alimenticio que, en diferentes ocasiones, había llevado mensajes de apoyo, primero en un sentido y luego en el otro, con sus impulsos invisibles.

No se puede evitar. Rani, flemáticamente, trabajaba en sus chales perfectos. Al principio, el capitán Ijazz trató de negarle agujas e hilo, pero ella lo disuadió, avergonzándolo rápidamente: «No te creas que me voy a apuñalar por tu culpa, muchacho —le dijo—. ¿Qué te imaginas? ¿Que voy a ahorcarme con un lazo de lana de bordar?» La serenidad de la mujer de Iskander (esto ocurrió antes de que él muriera) se salió con la suya. Ijazz accedió incluso a requisar ovillos de lana de los colores y pesos que ella especificaba en los almacenes de la intendencia militar; y entonces, una vez más, ella empezó a trabajar, a tejer los chales, aquellos campos blandos, y a cultivar luego en ellos las plantas vívidas y mágicas de sus artes de encantadora.

Dieciocho chales encerrados en un baúl; también Rani estaba perpetuando sus recuerdos. Harappa el mártir, el semidiós, seguía viviendo en los pensamientos de su hija; pero no hay dos series de recuerdos que concuerden nunca, aunque tengan el mismo tema... Rani no le enseñó jamás su trabajo a nadie hasta que, años más tarde, envió el baúl a Arjumand como regalo. Nadie miraba jamás por encima de su hombro mientras trabajaba. Ni a los soldados ni a la hija les interesaba lo que hacía la señora Harappa para pasar la vida.

Un epitafio de lana. Los dieciocho chales del recuerdo. Cada artista tiene derecho a dar nombre a lo que crea, y Rani puso un pedazo de papel dentro del baúl antes de mandárselo a su hija otra vez poderosa. En ese pedazo de papel escribió el título que había elegido: «La Desvergüenza de Iskander Magno.» Y añadió una firma sorprendente: «Rani Humayun.» Su propio nombre, recuperado de las bolas de naftalina del pasado.

¿Qué representaban los dieciocho chales?

Encerrados en su baúl, decían cosas indecibles que nadie quería oír: el chal del bádminton, en el que, sobre un fondo de color verde lima y dentro de una orla delicada de raquetas entrecruzadas y volantes y braguitas con puntillas, el gran hombre yacía desnudo, mientras a su alrededor retozaban las concubinas de piel rosada, con sus atuendos deportivos desprendiéndoseles graciosamente del cuerpo; ¡con cuánto talento estaban representados los pliegues de los vestidos agitados por la brisa, qué sutiles eran los aciertos de luces y sombras!... las figuras femeninas parecían incapaces de soportar las prisiones de sus blusas blancas, sostenes, zapatos de lona, y se los quitaban rápidamente, mientras Isky, repantigado sobre el costado izquierdo, apoyado en un codo, recibía sus atenciones, *sí, lo sé, tú has hecho un santo de él, hija mía, te tragabas todo lo que te ofrecía, su abstinencia, su celibato de Papa oriental, pero no podía privarse por mucho tiempo, aquel hombre amante de los placeres disfrazado de esclavo del Deber, aquel aristócrata que insistía en sus derechos señoriales, no había nadie que escondiera mejor sus pecados, pero yo lo conocía, no podía esconderme nada, yo veía a las chicas blancas de la aldea hincharse y hacer plaf, sabía de los donativos pequeños pero regulares que les enviaba, los hijos de Harappa no deben morirse de hambre, y cuando él cayó vinieron a mí;* y el chal de las bofetadas, Iskander levantando la mano mil veces, levantándola contra ministros, embajadores, santones discutidores, propietarios de fábricas, criados, amigos, parecía como si estuvieran allí todas las bofetadas que dio, *y cuántas dio, Arjumand, no a ti, a ti no se hubiera atrevido, de forma que no te lo creerás, pero mira en las mejillas de sus contemporáneos los rubores indelebles causados por su mano*; y el chal de las patadas, Iskander pateando traseros y provocando en sus propietarios sentimientos que no eran de amor; y el chal de los silbidos de serpiente, Iskander sentado en el despacho de su gloria, exacto hasta en el más mínimo detalle, de forma que casi se podía oler aquella estancia impresionante, aquel lugar de arcos de hormigón puntiagudos con sus propios Pensamientos enmarcados en las paredes, las plumas Mont Blanc, como alpes negros, en sus soportes sobre la mesa, hasta con sus estrellas blancas puestas de relieve por la escrupulosa aguja de Rani; aquella habitación de sombras y de poder, en la que no había sombras vacías, ojos que centelleaban en cada zona de sombra, lenguas rojas que se movían, cuchicheos de hilo de plata que susurraban por la tela: Iskander y sus espías, la araña central en el corazón de aquella red de escuchadores y soplones, ella había cosido los hilos plateados de la red, que irradiaban desde el rostro de Iskander, con hilo de plata, revelando los terrores arácnidos de aquellos días, en que los hombres mentían a sus hijos y mujeres airadas sólo tenían que murmurarle a la brisa para hacer que cayera una venganza horrible sobre sus amantes, *tú nunca sentiste el miedo, Arjumand, de preguntarte qué sabía él*; y el chal de las torturas, en el que ella bordó la violencia fétida de sus cárceles, prisioneros de ojos vendados atados a sillas mientras los carceleros les lanzaban cubos de agua, unas veces hirviendo (se elevaba un vapor de hilo), otras helada, hasta que los cuerpos de las víctimas se desconcertaban y el agua fría les producía quemaduras en la piel: verdugones de bordados rojos surgían como cicatrices en el chal; y el chal blanco, bordado en blanco sobre blanco, de forma que sólo revelaba sus secretos a los ojos más meticulosos y bizqueantes: mostraba policías, porque él les dio nuevos uniformes, blancos de la cabeza a los pies, cascos blancos con pinchos blancos, pistoleras de cuero blanco, botas blancas hasta la rodilla, policías que administraban discotecas en las que el alcohol corría libremente, botellas blancas con etiquetas blancas, polvos blancos esnifados del blanco reverso de los guantes, *hacía la vista gorda, comprendes, quería que la policía fuera fuerte y el Ejército débil, estaba fascinado, hija, por la blancura*; y el chal de las palabrotas, la boca de Iskander tan ancha como el Abismo, con los juramentos representados por asquerosas sabandijas que salían arrastrándose de sus labios, cucarachas bermellón, lagartos magenta, sanguijuelas turquesa, escorpiones ocre, arañas añil, ratas albinas, *porque nunca dejó eso tampoco, Arjumand, qué selectivos eran tus oídos*; y los chales de la vergüenza internacional, Isky arrastrándose ante unos pies chinos florecidos, Isky conspirando contra Pahlevi, abrazando a Dada Amin; un Iskander escatológico, cabalgando sobre una bomba atómica; Harappa y Batallitas, como niños crueles, degollando una gallina esmeralda y arrancándole, una a una, las plumas del ala izquierda; y los chales de las elecciones, uno del día de la votación que inició su reinado, otro del día que provocó su caída, chales que pululaban de figuras, cada una de ellas un retrato impresionantemente natural de algún miembro del Frente, figuras que rompían precintos, rellenaban urnas, aplastaban cabezas, figuras que se introducían petulantemente en las cabinas electorales para ver votar a los campesinos, figuras que balanceaban porras, portaban fusiles, incendiarios, chusma, y en el chal de la segunda elección había tres veces más figuras que en el primero, pero, a pesar del campo abarrotado de su arte, ni un solo rostro era anónimo, cada ser diminuto tenía su nombre, era una acusación en la escala más grandiosa imaginable, *y naturalmente hubiera ganado de todas formas, hija, no hay duda, una victoria respetable, pero quería más, ser aniquilados era lo único que se merecían sus adversarios, quería aplastarlos bajo su pie como cucarachas, sí, borrarlos, y al final eso le ocurrió a él en cambio, no creas que no le sorprendió, se había olvidado de que sólo era un hombre*; y el chal alegórico, Iskander y la Muerte de la Democracia, con las manos de él rodeando su garganta, apretándole el gaznate a la Democracia, mientras a ella se le salían los ojos de las órbitas, se le ponía el rostro azul, le sobresalía la lengua, temblaba en su pijama, con las manos convertidas en garfios que intentaban asir el viento, e Iskander, con los ojos cerrados, no hacía más que apretar, mientras que, al fondo, los generales miraban y, por el milagro de la habilidad de la bordadora, el asesinato se reflejaba en las gafas de espejo que todos ellos llevaban, todos menos uno, de negras ojeras en torno a los ojos y lágrimas fáciles en las mejillas, y detrás de los generales otras figuras, atisbando por encima de hombros uniformados, a través de charreteras, por debajo de axilas, norteamericanos de pelos al cepillo y rusos de trajes abombados, y hasta el gran Zedong mismo, todos miraban, no tenían que mover un dedo, *no hay que ir más allá de tu padre, Arjumand, no hace falta buscar conspiradores, él hizo su trabajo, no tuvieron ni que soltar un pedo, yo soy esperanza, solía decir, y lo era, pero se quitó ese manto y se convirtió en algo distinto*, Iskander el asesino de la posibilidad, inmortalizado en una tela, en la que ella, la artista, había representado a la víctima como una joven pequeña, físicamente frágil, interiormente dañada: tomó como modelo su recuerdo de una niña idiota y, en consecuencia, inocente, Sufiya Zinobia Hyder (ahora Shakil), jadeante y púrpura en el puño inexorable de Iskander; y el chal autobiográfico, el retrato de la artista como vieja bruja, aquel autorretrato en que Rani se había representado a sí misma como si estuviera compuesta de los mismos materiales que la casa, madera, ladrillo, lata, con su cuerpo fundiéndose con la estructura de Mohenjo, ella era tierra y grietas y arañas, y una fina niebla de olvido nublaba el escenario; aquél fue el decimocuarto chal, y el decimoquinto fue el chal del siglo xv, el famoso cartel recreado en hilo, Iskander señalando hacia el futuro, sólo que no había nada en el horizonte, no había dedos-de-aurora sino sólo las ondas interminables de la noche; y luego el chal de Clavelitos, en el que ella se suicidaba; y los dos últimos chales que eran los peores: el chal del infierno, infierno que, como había descubierto de niño Omar Khayyam Shakil, estaba al oeste del país en las proximidades de Q., donde el movimiento separatista había aumentado hasta hacerse irreconocible, a raíz de la secesión del Este, una proliferación de jodedores de ovejas, pero Iskander había acabado con ellos, allí estaba todo en escarlata, escarlata y nada más que escarlata, lo que él hizo para-que-no-hubiera-más-secesiones, en nombre del nunca-otra-Ala-Oriental, los cadáveres extendidos a lo largo de todo el chal, los hombres sin órganos genitales, las piernas separadas de los cuerpos, los intestinos en lugar de rostros, la legión extranjera de muertos manchando el recuerdo del gobierno de Raza Hyder, o dando incluso a ese período, en retrospectiva, un brillo amable y tolerante, *porque no había comparación, hija, tu hombre del pueblo, tu artista de la nota campechana, he perdido la cuenta de los cadáveres que hay en mi chal, veinte, cincuenta, cien mil muertos, quién sabe, y no hay hilo escarlata bastante en el mundo para mostrar la sangre*, las personas colgando boca abajo con perros en sus entrañas abiertas, las personas sonriendo sin vida, con agujeros de bala por segunda boca, la gente unida en el festín de gusanos de ese chal de carne y de muerte; y Mir Harappa el Pequeño en el último de los chales, Mir el Pequeño enterrado en el fondo del baúl, pero como es natural se alzó para agarrar a su primo con su propia presa fantasmal, para arrastrar a Iskander Harappa al infierno... su chal decimoctavo y su máxima obra maestra, un paisaje panorámico, la dura tierra del exilio extendida por la tela, desde Mohenjo hasta Daro, aldeanos que balanceaban cubos en pértigas sobre los hombros, caballos en libertad, mujeres que cultivaban el suelo, la luz de la aurora encendiéndose en milagros de bordados rosa y azul; Daro se despertaba y, desde su gran galería, junto a los escalones, algo largo y pesado se columpiaba en la brisa, una sola muerte después de la carnicería del chal decimoséptimo, Mir Harappa el Pequeño balanceándose por el cuello bajo el alero de su casa solariega, muerto en los primeros meses del reinado del presidente, con sus ojos sin vista mirando hacia abajo al sitio mismo en que, hacía mucho tiempo, se dejó corromper el cadáver de un perro no querido, sí, ella había dibujado su cuerpo con una exactitud que paralizaba el corazón, sin dejar nada, ni las tripas fuera, ni el costurón de la axila por el que le sacaron el corazón a Mir, ni la lengua arrancada, nada, y había un aldeano de pie junto al cadáver, con su comentario perplejo bordado en negro sobre la cabeza: «Parece —decía el tipo— que hubieran saqueado su cuerpo como si fuera una casa.»

Naturalmente, fue por su supuesta complicidad en el asesinato de Mir Harappa el Pequeño por lo que Iskander fue juzgado y condenado a muerte. También fue acusado, como ejecutor material del delito, Haroun, el hijo del muerto. Éste, sin embargo, fue juzgado en rebeldía, al haber huido del país, según se pensaba, aunque es posible que simplemente hubiera desaparecido, pasado a la clandestinidad.

En el decimoctavo chal de Rani no había asesinatos... pero ahora que los dieciocho han sido desplegados y admirados, ha llegado el momento de dejar a los Harappas, a Rani y Arjumand secuestradas en aquella casa cuya decadencia había llegado hasta tal punto que el agua chorreaba roja como la sangre de grifos corroídos por la herrumbre. Ha llegado el momento de dar marcha atrás al reloj, a fin de que Iskander se levante del sepulcro pero retroceda también hacia el fondo de la historia. Mientras los Harappas ascendían y caían, otras personas han estado viviendo sus propias vidas.

10. LA MUJER DEL VELO

Había una vez una joven, Sufiya Zinobia, conocida también por «Vergüenza». Era de complexión ligera, sentía debilidad por los piñones y sus brazos y piernas no estaban bien coordinados al andar. A pesar de esa torpeza ambulatoria, sin embargo, no llamaba la atención de cualquier extraño como especialmente anormal, al haber adquirido en los primeros veintiún años de su vida el complemento habitual de atributos físicos, incluido un rostro pequeño y severo que le hacía parecer insólitamente madura, disimulando el hecho de que sólo había conseguido tener un cerebro de unos siete años. Hasta tenía un marido, Omar Khayyam Shakil, y nunca se quejaba de que sus padres hubieran elegido para ella a un hombre que le llevaba treinta y un años cumplidos, es decir, mayor que su propio padre. A pesar de las apariencias, sin embargo, esa Sufiya Zinobia resultó ser, en realidad, uno de esos seres sobrenaturales, de esos ángeles exterminadores o vengadores, u hombres-lobo, o vampiros, sobre los cuales nos gusta leer historias, suspirando agradecidos o hasta con un poco de suficiencia, mientras nos meten el corazón en un puño, porque es una suerte que no sean más que abstracciones o ficciones; ya que sabemos (aunque no lo digamos) que la simple probabilidad de su existencia trastornaría por completo las leyes por las que nos regimos, los procesos que nos sirven para comprender el mundo.

Acechando dentro de Sufiya Zinobia Shakil había una Bestia. Ya hemos visto algo del desarrollo de ese monstruo inenarrable; hemos visto cómo, alimentado con ciertas emociones, se apoderaba de la muchacha de cuando en cuando. En dos ocasiones ella cayó gravemente enferma y casi murió; y quizá ambas enfermedades, encefalitis y colapso inmunológico, fueron intentos de su personalidad ordinaria, de su Sufiya-Zinobidad, para derrotar a la Bestia, aunque fuera a costa de su propia vida. Pero la Bestia no fue destruida. Y quizá alguien debería de haber adivinado, después del ataque a su cuñado, que cualquiera que fuese la parte no-bestial que quedaba en ella, iba perdiendo gradualmente su capacidad para resistir a la criatura sanguinaria que llevaba dentro. Pero cuando la voz susurrante de Omar Khayyam encontró por fin la forma de sacarla a ella de su trance, se despertó fresca y relajada y, al parecer, sin conciencia de haber puesto fin a la carrera de jugador de polo de Talvar. La Bestia se había alejado otra vez, pero los barrotes de su jaula estaban rotos. Con todo, el alivio fue general. «La pobre chica se excitó tanto que enloqueció —le dijo Shahbanou el *ayah* a Omar Khayyam—, pero ahora está bien, gracias a Dios.»

Raza Hyder llamó a Shakil para conferenciar y le dio honradamente la oportunidad de renunciar al matrimonio previsto. Al oír esto, el viejo santón Maulana Dawood, que estaba también presente, se negó a permanecer callado. Con su oposición original a las nupcias perdida en los laberintos brumosos de su senectud, el anciano zumbó como una bala rencorosa.

—Que esa diabla y ese hijo de diablas —gritó— hagan su infierno juntos, en otro lugar.

Omar Khayyam respondió dignamente:

—Señor, soy un hombre de ciencia; al diablo con esa charlatanería sobre diablos. No abandonaré a una persona que amo porque haya caído enferma; al contrario, mi deber es hacer que se ponga bien. Y es lo que se está haciendo.

No me siento menos decepcionado por mi héroe de lo que ya estaba; al no ser del tipo obsesivo, me resulta difícil comprender esa obsesión... Pero tengo que admitir que su amor por la chica deteriorada está empezando a parecer como si pudiera ser auténtico... lo que no invalida mis críticas a semejante sujeto. Los seres humanos tienen un talento notable para persuadirse de la autenticidad y nobleza de aspectos de sí mismos que, en realidad, son oportunistas, espurios y bajos... En cualquier caso: Omar Khayyam insistió en seguir adelante con el enlace.

Bilquìs Hyder, con el juicio aturdido por los acontecimientos del día de la boda de Buenas Noticias, resultó incapaz de asumir el talante de un segundo casamiento. Cuando Sufiya Zinobia salió del hospital, su madre se negó a hablar con ella; pero la víspera de la boda vino a donde Shahbanou estaba aceitando a la chica y trenzándole el cabello, y le habló tan laboriosamente que era evidente que cada palabra era un peso pesado que acarreaba desde el pozo insondable de su deber.

—Debes pensar en ti misma como en un océano —le dijo a Sufiya Zinobia—. Sí, y él, el hombre, imagínatelo como un animal marino, porque así es como son los hombres, para vivir tienen que ahogarse en ti, en las olas de tu carne secreta. —Sus ojos vagaron de forma imprecisa por la habitación.

Sufiya Zinobia hizo una mueca ante aquellas abstracciones maternas incomprensibles y respondió obstinadamente, con su voz de niña de siete años, que era también la voz, horripilantemente disfrazada, del monstruo latente:

—No me gusta el pescado.

¿Cuál es el impulso más poderoso de los seres humanos ante la noche, el peligro, lo desconocido?... Escaparse; apartar los ojos y huir; pretender que la amenaza no avanza rápidamente hacia ellos con botas de siete leguas. Es el deseo de ignorar, la locura de hierro con la que extirpamos de la conciencia todo lo que la conciencia no puede soportar. No hace falta recurrir al avestruz para dar a ese impulso una forma simbólica; la humanidad se ciega más voluntariamente que ningún ave incapaz de volar.

En la boda de Sufiya Zinobia (un asunto privado; sin invitados, sin *marquees*; las tres madres de Q. no aparecieron, Dawood se ausentó también, dejando sólo a los Hyders y los leguleyos y Shakil), Raza Hyder obligó a Omar Khayyam a acceder a la inserción en el contrato de *nikah* de una cláusula que le prohibía a él, Omar, llevarse a su novia de casa de sus padres sin permiso previo de éstos. «Un padre —explicó Raza— no puede prescindir de los pedazos más preciosos de su corazón», por lo que se puede ver que su nuevo amor por Sufiya ardía más vivamente que nunca y, cegado por el resplandor de esa llama, se negaba a verla a ella como era. En los años que siguieron se convenció a sí mismo de que, encerrando a su esposa, echando un velo sobre ella entre muros y ventanas cerradas, podía salvar a su familia del legado maligno de su sangre, de sus pasiones y sus tormentos (porque si el alma de Sufiya Zinobia estaba sumida en la angustia, era además la hija de una mujer enloquecida, y eso, también, puede ser una explicación de algún tipo).

Omar Khayyam se negó igualmente a ver. Cegado

por la ciencia, se casó con la hija de Hyder. Sufiya Zinobia sonreía y se comía un plato de *laddoos* decorado con papel de plata. Shahbanou, el *ayah*, se afanaba a su alrededor como una madre.

Lo repito: no hay lugar para los monstruos en una sociedad civilizada. Si esas criaturas vagan por el mundo, lo hacen por su borde más remoto, confinados a la periferia por las convenciones de la incredulidad... Pero, una vez cada mil años, algo se tuerce. Nace una Bestia, un «milagro que-sale-mal», dentro de las ciudadelas de la propiedad y del decoro. Ése era el riesgo de Sufiya Zinobia: que ocurrió, no en un desierto de basiliscos y demonios, sino en el corazón del mundo respetable. Y, como resultado, ese mundo hizo un enorme esfuerzo de voluntad para desconocer la realidad de ella, para evitar llevar las cosas a un punto en que habría que enfrentarse con ella, avatar del desorden, expulsarla... porque su expulsión habría dejado al descubierto lo-que-no-debe-saberse-por-ningún-concepto, a saber, la imposible verdad de que la barbarie puede crecer en suelo cultivado, de que el salvajismo puede estar escondido bajo la camisa bien planchada de la decencia. Que ella era, como había dicho su madre, la encarnación de la vergüenza de todos. Comprender a Sufiya Zinobia sería hacer añicos, como si fuera cristal, la opinión que esas personas tenían de sí mismas; y por eso, naturalmente, no querían hacerlo, no lo hicieron, no durante años. Cuanto más poderosa se hacía la Bestia, tanto mayores eran los esfuerzos por negar su existencia misma... Sufiya Zinobia vivió más que la mayoría de los miembros de su familia. Hubo algunos que murieron por su causa.

Se acabaron los sueños de fracaso, se acabó el vapulear a reclutas novatos en las formaciones; Raza Hyder consiguió su ascenso de Iskander Harappa y Omar Khayyam Shakil accedió a trasladarse al norte con todos los demás. Su gran reputación como médico y la influencia renovada de Hyder le consiguieron a Omar un puesto de especialista de alto rango en el hospital de Mount Hira, en la nueva capital, y allá se fueron, con petates arrollados y *ayahs* y demás, y pronto estuvieron volando sobre la ancha meseta septentrional situada entre dos grandes ríos, la meseta de Potwar, escenario en el que iban a representarse grandes escenas, a setecientos pies sobre el nivel del mar.

Un suelo delgado sobre pudinga porosa... pero, a pesar de la delgadez del suelo, la meseta producía cantidades inverosímiles de cultivos alimentados por la lluvia; era un terreno de fertilidad tan increíble que había logrado levantar toda una ciudad nueva como una ampolla en la cadera de una vieja ciudad. *Islamabad* (se podía decir), nacida de la costilla de *Rawalpindi*.

Maulana Dawood, al mirar desde el cielo y ver la meseta de Potwar con sus ciudades centelleando en la distancia, golpeó en la ventanilla de la cabina, con deleite babeante y semisenil. «¡Arafat! —gritó a voz en cuello, alarmando a una azafata—, ¡estamos llegando a Arafat!» Y nadie, ni Raza su amigo, ni Bilquìs su enemiga, tuvieron valor para sacarlo de su error, porque si el anciano había decidido que estaban a punto de aterrizar en el suelo sagrado de la llanura de Arafat, en las afueras de Mecca Sharif, bueno, también eso era una especie de ceguera, una fantasía perdonable en un viejo.

El general Raza Hyder heredó de su predecesor un lúgubre ayudante de campo de siete pies de altura, llamado mayor Shuja, y también un ejército tan acobardado por su derrota en la antigua Ala Oriental que no era capaz de ganar ni un partido de fútbol. Comprendiendo la íntima relación existente entre el deporte y la guerra, el nuevo comandante en jefe se dedicó a asistir a todas las competiciones atléticas imaginables en que participaban sus muchachos, confiando en animar a los equipos con su presencia. De forma que, durante los primeros meses de su jefatura, Raza Hyder presenció la serie más notable de humillaciones en los anales del deporte militar, comenzando por el legendario partido de críquet entre ejércitos, en el que el XI Ejército perdió las diez primeras entradas sin apuntarse una sola carrera. Sus adversarios de la Fuerza Aérea les dieron una respuesta formidable, porque la guerra había sido en gran medida un desastre para el Ejército, de forma que los aviadores, en su mayor parte, no se habían visto afectados por la desgracia. El equipo de críquet del Ejército perdió por fin el partido por una entrada y 420 carreras; hubieran sido 419, pero una de las carreras de la segunda entrada del Ejército no fue nunca completada, porque el jugador interesado pareció perder ánimos a mitad de su arrancada, se detuvo, se rascó la cabeza, miró a su alrededor distraídamente, y ni siquiera se dio cuenta cuando lo eliminaron... Hyder presenció también el partido de hockey, en el que los chicos de la Armada marcaron cuarenta veces en ochenta minutos mientras los soldados contemplaban taciturnos sus palos curvados como si fueran fusiles, los mismos que rindieron el día del ajuste de cuentas en el Este; y en las nuevas Piscinas Nacionales presenció con sus propios ojos una doble tragedia, un saltador de trampolín del Ejército que jamás salió a la superficie, al haber metido la pata en un salto de tal forma que prefirió ahogarse a salir de las aguas de su vergüenza, en tanto que otro lo hizo aún peor, al saltar de la palanca alta y aterrizar sobre su estómago con un ruido de cañonazo, estrellándose como un globo lleno de pintura y obligando a las autoridades a desaguar la piscina para limpiarla de tripas. Después de eso, la triste figura del mayor Shuja se presentó al

281

general en su despacho y le sugirió que quizá fuera mejor, le ruego que me disculpe, señor, si el Com. en J. Sahib permaneciera al margen de tales acontecimientos, ya que su presencia intensificaba la vergüenza de los *jawans* y empeoraba más las cosas.

—Maldito sinvergüenza —exclamó Raza—, ¿cómo es que el Ejército entero se ha convertido en una cuadrilla de mujerzuelas ruborosas de la noche a la mañana?

—La guerra, señor —respondió Shuja, hablando desde un pozo de desolación tan profundo que no le importaban ya sus perspectivas de carrera— y, le ruego que me disculpe, mi general, pero usted no participó en aquella trifulca.

Raza comprendió entonces que sus soldados estaban unidos por la terrible solidaridad de su humillación compartida, y adivinó por fin por qué ninguno de los otros oficiales le había ofrecido nunca una bebida espumosa en la residencia de oficiales. «Creía que era por celos», se reprochó a sí mismo, y le dijo a Shuja que, en posición de firmes, aguardaba sombríamente la destitución que su insolencia merecía:

—Está bien, mayor, ¿qué solución propone?

Lo inesperado de la pregunta sobresaltó a Shuja, induciéndolo a la sinceridad.

—¿Me da su permiso para hablar francamente, señor? —Hyder asintió.

—De hombre a hombre. Entre nosotros.

—Entonces, le ruego que me disculpe, señor, pero la vuelta al mando militar. Tome el poder, señor.

Hyder se asombró.

—¿Es que no hay más que traidores en esta ciudad?

La melancolía que rodeaba al ayudante de campo se espesó:

—El general Sahib me ha preguntado, señor, y me he limitado a responder. Los oficiales jóvenes están inquietos, señor, ésta es una plaza militar, el Ejército está acostumbrado al poder y, señor, todo el mundo sabe lo que son esos politicastros, no sirven para nada, señor, ineptos, los oficiales recuerdan cuando eran respetados, pero ahora están muy deprimidos, señor, parece como si, en estos tiempos, todo el mundo pudiera tratar a patadas al Ejército. Le ruego que me disculpe, señor.

—Al diablo con su golpe de Estado —le dijo Hyder furioso—, tal como están las cosas, media docena de ex queridas de Isky Harappa podrían destrozar al Ejército entero.

—Sí, señor —dijo Shuja, rompiendo, sorprendentemente, a llorar.

El general Hyder se acordó de que aquel joven gigante no tenía mucho más de dieciocho años; y entonces sus propios conductos lacrimales, de hiperactividad tristemente célebre, comenzaron a picarle por simpatía, de forma que dijo rápidamente:

—Por el amor del cielo, hombre. Nadie va a ponerlo ante un consejo de guerra. Lo que hace falta es que sepa qué es lo primero. Vamos a ganar unos cuantos partidos de polo antes de pensar en apoderarnos del país.

—Muy bien, señor —se dominó Shuja—, transmitiré su opinión al equipo de polo, señor.

—Qué vida ésta —dijo Raza Hyder en voz alta cuando se quedó solo—. Cuanto más subes, más se espesa el maldito fango. —Era una suerte para el país, reflexionó, que el Viejo Razia Redaños estuviera acostumbrado a valerse por sí mismo.

El restablecimiento de la moral del Ejército, sería honesto reconocer, fue la gloria suprema de la carrera de Raza Hyder... una empresa mucho más dura, en mi opinión, que todo lo que hizo cuando fue presidente. ¿Que cómo lo hizo...? Perdiendo combates de lucha libre.

A la mañana siguiente de su conversación con el mayor Shuja, le dio instrucciones al A. de C. para que eligiera contrincantes para él, en su mayoría soldados rasos pero también un muestrario de oficiales. «Me gusta la lucha libre —mintió—, y ha llegado el momento de saber de qué están hechos nuestros *phaelwans* del Ejército.»

El general Raza Hyder luchó con ciento once soldados y todos ellos le zurraron. No trataba de ganar, concentrándose por el contrario en la tarea, mucho más difícil, de perder frente a adversarios que habían olvidado que se podía ganar; y de perder, además, dando la impresión de que luchaba por la victoria con todas sus fuerzas.

—Se puede ver el bien que está haciendo —le dijo a Omar Khayyam Shakil, que hacía de médico personal del general antes y después de cada combate, y estaba alarmado por las fenomenales palizas que recibía aquel cuerpo de cuarenta y nueve años.

—Sí —respondió Omar Khayyam atendiendo huesos doloridos y cardenales de todos los colores del arco iris—, cualquier idiota puede verlo.

Raza Hyder lloraba abundantemente bajo los dedos inquisitivos de Shakil, pero decía que eran lágrimas de alegría.

La estrategia luchadora de Raza Hyder le proporcionó una doble victoria. Ayudó al Ejército a aceptar su jefatura, porque ahora estaba unido a sus hombres en la macabra camaradería de la vergüenza. Cuando el Viejo Razia Redaños recibía una patada al botepronto en la mandíbula, era lanzado contra la lona con las piernas hechas un nudo en el cuello, o estrangulado por el brazo de algún soldado de infantería; cuando sus costillas se quebraban y se le descoyuntaban los brazos, la antigua popularidad del héroe de Aansu renacía; limpiada del polvo y del anonimato de sus años de la Academia de Estado Mayor, brillaba otra vez, como nueva. Sí, había vuelto Razia Redaños, más grande que nunca... pero Raza buscaba algo más, y logró también su segundo propósito, porque cuando los soldados, en un campamento tras otro, participaban en la pulverización del único héroe de guerra auténtico que quedaba en el Ejército, o la presenciaban desde las rugientes filas del cuadrilátero, comenzaban a recuperar la fe en sí mismos, comenzaban a creer que, si eran suficientemente buenos para hacer morder el polvo al general, no podían ser unos combatientes tan lastimosos como habían llegado a imaginarse. Tras un año de combates, Raza Hyder hizo un alto. Había perdido los dos incisivos centrales superiores y sufrido lesiones innumerables. «No tengo por qué seguir soportando esto», le dijo a Shuja, cuyo aire de abatimiento permanente (aunque un tanto disminuido) se revelaba ahora como defecto personal y no simplemente como producto de la guerra perdida y ya casi olvidada.

«Diles a esos cabrones —le ordenó Raza— que espero que todo el personal gane todas las competiciones en que participe a partir de ahora, y que si no.» A partir de entonces se produjo una electrizante mejora en los resultados deportivos del Ejército.

Me he demorado en este asunto de la moral del Ejército para mostrar por qué, durante sus años de comandante en jefe, Raza Hyder no tuvo tiempo ni energía mental suficiente para prestar la atención debida a lo que su hija Sufiya Zinobia hacía por las noches.

Los politicastros y diplomáticos mandaban en la ciudad nueva, pero el Ejército dominaba la ciudad vieja. La capital nueva se componía de muchos edificios de hormigón que exudaban un aire de prosaica transitoriedad. La cúpula geodésica de la Mezquita de los Viernes había empezado ya a agrietarse, y por todas partes a su alrededor los nuevos edificios oficiales se emperejilaban, mientras también ellos se deshacían. El sistema de aire acondicionado se rompía, había cortocircuitos, el agua de los desagües subía burbujeando a los lavabos, para consternación de los fontaneros... ¡Oh ciudad abominable entre todas! Aquellos edificios representaban el triunfo final de un modernismo que era realmente una especie de nostalgia pretensada, una forma sin función, la efigie de la arquitectura islámica sin su alma, unos edificios con más arcos mogoles que los que los mogoles hubieran podido imaginar jamás, unos arcos reducidos por el hormigón pretensado a simples agujeros puntiagudos en la pared. La nueva capital era en realidad la mayor colección de terminales de aeropuerto del mundo, un basurero de salas de tránsito y de aduanas desechadas, y quizá resultaba apropiado porque la democracia no había sido más que un ave de paso en aquellos lugares, después de todo... La vieja ciudad, en cambio, tenía el provincianismo confiado de sus años. Calles viejas, anchas, bordeadas de árboles, bazares caóticos, barrios miserables, las mansiones sólidamente desmesuradas de los desaparecidos gobernantes angreses. La residencia oficial del Com. en J. era un palacio neoclásico de pórticos de piedra, con macizos pilares acanalados que sostenían frontones de frisos seudogriegos, y había montoncitos de balas de cañón a los lados de las grandes escaleras que llevaban a la puerta central; un cañón sobre ruedas, llamado apócrifamente «Pequeño Zamzama» guardaba el césped de un verde vívido. La casa era tan espaciosa que toda la familia se trasladó a ella sin discusión, de forma que Buenas Noticias y Talvar Ulhaq, Omar Khayyam y Sufiya Zinobia, Dawood y Shahbanou el *ayah*, así como Raza y Bilquìs, siguieron sus distintos destinos bajo aquel amplio techo, mientras los dioses extraños de Grecia y Roma, posando pétreamente contra el alto cielo azul, los contemplaban desde arriba con expresión de desdén en el rostro.

Las cosas no fueron bien.

«Como si ese Ejército de locos no fuera bastante —se dijo Raza a sí mismo en aquellos primeros tiempos en el norte—, mi propia casa se llena de dementes», y parecía como si los ocupantes de aquel palacio anacrónico se hubieran propuesto convertir su colérica exageración en verdad literal.

Cuando Maulana Dawood apareció una mañana vistiendo el atuendo tradicional de un peregrino en el *haji*, con dos trapos blancos, uno ciñéndole los riñones y el otro en arco negligente sobre el pecho, el general Raza Hyder tuvo que considerar la posibilidad de que el fosilizado santón hubiera sucumbido finalmente a la ola de senilidad que había empezado a romper sobre él durante su viaje en avión al norte. Al principio, procuró tratar amablemente a su antiguo aliado. «Maulana*ji* —le dijo—, si quieres hacer tu peregrinación sólo tienes que decírmelo, lo arreglaré todo, billetes de avión hasta Arabia y demás.» Pero Dawood sólo le respondió: «¿Para qué quiero un avión si ya piso suelo sagrado?» Después de aquello, el Maulana se dedicó a caminar tambaleándose por la ciudad, con las manos abiertas delante como un libro, salmodiando versos del Corán en árabe, que la pérdida de la razón le hacía adulterar con otros dialectos más bastos; y, presa de aquella senilidad que le hacía imaginarse que veía las cumbres de las lejanas Abu Qubais, Thabir y Hira tras la ciudad, y lo llevaba a confundir una fábrica de bicicletas con el cementerio en que estaba enterrada la mujer del Profeta, comenzó a insultar a los ciudadanos por sus blasfemias antirreligiosas, porque, naturalmente, los hombres no iban debidamente vestidos y las mujeres eran una ignominia y se le reían en la cara cuando las llamaba putas. Era un viejo loco que preguntaba por el camino de la Kaaba, un tonto barbudo en la segunda infancia, que se postraba frente a las pescaderías como si fueran los lugares santos de la Meca y vociferaba: «*Ya Allah!*» Al final, su cuerpo fue llevado a la residencia de Hyder en un carro tirado por un burro, cuyo perplejo propietario dijo que aquel tipo anciano había expirado con las palabras: «¡Ahí está...! Y la están cubriendo de mierda.» Había vagado hasta el límite de la ciudad vieja, hasta el lugar en donde los nuevos tanques de depuración habían sido llenados recientemente de fango activado, y Raza Hyder trató por todos los medios de pretender que ésa era la razón obvia y trivial de las últimas palabras del Maulana; pero en realidad estaba profundamente preocupado porque, siendo hombre religioso, nunca había sido capaz de descartar las payasadas de Maulana Dawood como simples senilidades; el moretón *gatta* que Raza tenía en la frente le dolía, sugiriéndole que quizá el viejo Maulana había tenido realmente una visión de la Meca, una revelación piadosa en medio de aquella ciudad impía, de forma que sus palabras al morir podían contener una advertencia críptica y horrible «La Kaaba —le susurraba al oído a Raza, trémulamente, su propia voz— debió de ser eso, debió de verla por fin, y la estaban llenando de excrementos.» Más tarde, cuando fue presidente, no podía quitarse de la cabeza aquella visión.

A finales del primer año de gobierno civil, el general Raza Hyder se convirtió en abuelo. Buenas Noticias dio a luz dos gemelos sanos y hermosos, y el general se sintió tan encantado que se olvidó por completo de Sindbad Mengal. Exactamente un año más tarde, Buenas Noticias fue madre otra vez; en esa ocasión tuvo trillizos. Raza Hyder se alarmó un tanto y bromeó nerviosamente con Talvar Ulhaq: «Dijiste que serías el yerno perfecto, pero, *baba*, cinco nietos me bastan, quizá te estés excediendo.» Justamente doce meses más tarde Buenas Noticias trajo al mundo un precioso cuarteto de niñas, a las que Hyder quiso tanto que decidió no manifestar su preocupación por el número creciente de cunas y chupetes y ropa tendida y sonajeros que abarrotaban la casa. Cinco nietas más aparecieron un año más tarde, cumplido día a día, y entonces Hyder tuvo que decir algo. «Catorce críos con el mismo cumpleaños —le dijo a la pareja tan severamente como pudo—, ¿qué os habéis creído? ¿No habéis oído hablar del problema demográfico? Quizá deberías tomar ciertas medidas.» Pero entonces Talvar Ulhaq se irguió hasta que todo su cuerpo se puso tan rígido como su cuello y respondió: «Señor, nunca pensé que le oiría decir una cosa así. Usted es un hombre devoto, creía yo. El fantasma de Maulana Dawood se ruborizaría si oyera al general Hyder recomendar tales procedimientos impíos.» De modo que Hyder se avergonzó y se calló, y al quinto año el vientre de Buenas Noticias liberó seis vidas nuevas, tres varones y tres hembras, porque Talvar Ulhaq, orgulloso de su virilidad, había decidido hacer caso omiso del comentario de Hyder sobre los excesivos-nietos; y, en el año en que cayó Iskander Harappa, el número se elevó a unos veintisiete niños en total, y para entonces todo el mundo había perdido la cuenta de cuántos-chicos-y-cuántas-chicas.

Begum Naveed Talvar, la antigua Buenas Noticias Hyder, resultó totalmente incapaz de hacer frente a la corriente interminable de humanidad que le fluía entre los muslos. Pero su marido era implacable, insaciable, su sueño de niños había crecido llenando el lugar de su vida anteriormente ocupado por el polo y, debido a sus talentos clarividentes sabía siempre qué noches eran las mejores para la concepción. Iba a ver a su mujer una vez al año y le ordenaba que se preparase, porque había llegado el momento de plantar la semilla, hasta que ella se sintió como una huerta cuyo suelo, naturalmente fértil, estuviera siendo agotado por un hortelano excesivamente entusiasta, y comprendió que no había esperanza en el mundo para las mujeres, porque tanto si eras respetable como si no, los hombres te cazaban de todas formas; por mucho que intentaras ser la más decente de las señoras, los hombres venían y te llenaban de vidas extrañas e indeseadas. Su vieja personalidad estaba siendo aplastada por la presión de los hijos, que eran tan numerosos que se le olvidaban sus nombres, contrató un ejército de *ayahs*, abandonando a su prole a su suerte, y entonces dejó de esforzarse. Se acabaron los intentos de sentarse sobre su propio cabello: la absoluta determinación de ser bella que había arrebatado primero a Haroun Harappa y luego al capitán Talvar desapareció de sus rasgos, y se reveló como la matrona anodina y sin atractivo que siempre había sido. Arjumand Harappa, cuyo odio de Buenas Noticias no había disminuido con los años, se mantenía informada de la decadencia de su enemiga. El fotógrafo que en otro tiempo hizo fotos a Clavelitos Aurangzeb fue contratado para robar imágenes de Buenas Noticias; Arjumand le enseñó las diapositivas a Haroun Harappa despreocupadamente, como si no tuvieran importancia. «Pobre solterón —le tomó el pelo—, y pensar que te hubieras podido pasar toda la vida con esa fulana tan preciosa si ella no hubiera encontrado algo mejor.»

El *loo* no sopla en el norte, pero sin embargo, algunas tardes, Bilquìs sujetaba los muebles para que no se volaran. Vagaba por los pasillos de su nuevo hogar palaciego, refunfuñando inaudiblemente en voz baja, hasta que un día levantó la voz lo suficiente para que Raza Hyder la oyera:

—¿Cómo sube un cohete a las estrellas? —preguntó ella vagamente, porque en realidad seguía hablando consigo misma—. No es fácil dejar la tierra. A medida que la máquina se eleva, va perdiendo partes de sí misma, que se sueltan y caen, hasta que finalmente el morro, sólo el morro se libera de la atracción de la gravedad.

Raza Hyder frunció el ceño y le dijo:

—Sabe Dios lo que estas diciendo, mujer.

Pero, a pesar de su observación y de su sugerencia ulterior a Omar Khayyam de que la cabeza de Bilquìs había empezado a vagar lo mismo que sus pies, sabía lo que ella quería decir, que era que, aunque él se había elevado, tal como había profetizado ella, a lo más alto de su profesión, la gente se había ido desprendiendo de él a medida que subía; otros seres humanos eran las fases quemadas de su vuelo hacia las estrellas de sus propias hombreras. Dawood, Buenas Noticias, Bilquìs misma: «¿Por qué tendría que avergonzarme? —se preguntó—. Yo no les he hecho nada.»

Las cosas habían estado haciendo mella en Bilquìs durante años, vientos de fuego y caballeros que agitaban estandartes y propietarios de cines asesinados y el no tener hijos y el perder el amor de su marido y la encefalitis y los pavos y las fes de erratas, pero lo peor de todo era estar allí, en aquel palacio, la residencia digna de una reina con la que siempre había soñado, y descubrir que tampoco valía nada, que nada funcionaba y todo se convertía en cenizas. Convertida en una ruina por la vacuidad de su gloria, se quebró finalmente por la decadencia de su favorita Buenas Noticias, que se ahogaba bajo la blanda avalancha de sus hijos y no podía ser consolada... una mañana todos vieron que Bilquìs se ponía un *burga* negro, echándose el velo o *purdah*, aunque estaba dentro de casa y sólo estaban presentes familiares y criados. Raza Hyder le preguntó qué diablos estaba haciendo, pero ella se limitó a encogerse de hombros y respondió: «Hacía demasiado calor, de forma que he corrido las cortinas», porque para entonces apenas era capaz de hablar salvo en metáforas. Sus refunfuños estaban llenos de cortinas y océanos y cohetes, y pronto todo el mundo se acostumbró a ello y a aquel velo de su solipsismo, porque todo el mundo tenía sus propios problemas. Bilquìs Hyder, en aquellos años, se hizo casi invisible, una sombra que recorría los pasillos buscando algo que había perdido, el cuerpo, quizá, del que ella se había desprendido. Raza Hyder se aseguró de que no saliera... y la casa se administró por sí misma, había criados para todo, y la señora de la residencia del Com. en J. se convirtió en menos que un personaje, un espejismo casi, un murmullo por los rincones del palacio, un rumor que salía de un velo.

Rani Harappa telefoneaba de vez en cuando. Bilquìs se ponía a veces al teléfono, a veces no; cuando lo hacía, hablaba tan bajo y articulaba tan mal que a Rani le resultaba difícil entender lo que decía, distinguiendo sólo una profunda amargura, como si Bilquìs hubiera empezado a sentir rencor hacia su amiga, como si la esposa casi desechada de Hyder tuviera suficiente orgullo para que no le gustara la forma en que Iskander había elegido a su marido y lo había encumbrado. «Tu marido, Rani —dijo una vez, fuerte y claro—, no estará contento hasta que Raza se eche a sus pies y le lama las botas.»

El general Hyder recordaría hasta el día de su muerte la ocasión en que fue a ver a Iskander Harappa para discutir el presupuesto de la Defensa y recibió una bofetada en la cara por sus molestias.

—Los gastos están bajando por debajo de los niveles aceptables, Isky —informó al primer ministro y, para asombro suyo, Harappa dio un puñetazo en su mesa tan furiosamente que las plumas Mont Blanc saltaron de sus soportes y, las sombras de los rincones silbaron alarmadas.

—¿Aceptables para quién? —gritó Iskander Harappa—. El Ejército no dice lo que hay que hacer, señor mío. Ya no. Métetelo en la cabeza. Si te damos cincuenta *paisa* al año, te tendrás que arreglar con ellos. Entiéndelo bien y lárgate.

—Iskander —dijo Raza sin levantar la voz—, no te olvides de tus amigos.

—Un hombre en mi puesto no tiene amigos —respondió Harappa—. Sólo hay alianzas temporales basadas en el interés mutuo.

—Entonces has dejado de ser un ser humano —le dijo Raza, y añadió pensativamente—: Un hombre que cree en Dios debe creer también en los hombres.

Iskander Harappa tuvo un ataque de rabia más aterrador aún:

—Ten cuidado, general —chilló—, porque puedo devolverte al cubo de basura donde te encontré. —Había salido de detrás de su mesa y le estaba gritando a Raza en la cara, dejando su salivilla en las mejillas del general.

—Que Dios te perdone, Isky —murmuró Raza—, te has olvidado de que no somos tus criados. —Fue en ese momento cuando Iskander Harappa le golpeó en la mejilla húmeda de saliva. Él no le devolvió el golpe, sino que dijo suavemente—: Los rubores causados por esos golpes no se borran fácilmente. —Años más tarde, Rani Harappa demostraría esa tesis, inmortalizando tales rubores en un chal.

Y en esos años tardíos, cuando Iskander Harappa estaba seguro bajo tierra y su hija, dura de pelar, estaba encerrada con su madre, Raza Hyder se descubría soñando con aquella bofetada, y con todos aquellos años en que Isky Harappa lo trató como a una zapatilla.

Y Arjumand había sido aún peor, lo había mirado fijamente con un odio tan manifiesto que él la creyó capaz de cualquier cosa. Una vez Isky la envió, en su lugar, al desfile anual del Ejército, sólo para humillar a los soldados haciéndolos saludar a una mujer, y a una mujer que, más aún, no tenía puesto oficial alguno en el gobierno; y Raza cometió el error de hablarle de sus preocupaciones a la virgen Bragas de Hierro.

—Es posible que la Historia se haya interpuesto entre nuestras familias —dijo— y que las cosas no hayan ido bien, pero recuerda que no somos extraños, Arjumand, nuestros orígenes son muy antiguos.

—Lo sé —dijo ella fulminantemente—, mi madre es prima tuya, según creo.

¿Y Sufiya Zinobia?

Era su mujer pero no era su mujer. En Karachi, en su noche de bodas, Omar Khayyam no había podido, como consecuencia de una cláusula contractual, llevarse a su novia; en lugar de ello lo habían acompañado a una habitación con una cama individual y sin ninguna Sufiya Zinobia. Shahbanou, el *ayah*, lo condujo y luego se quedó obstinadamente en el umbral, con los músculos tensos.

—Doctor Sahib —dijo finalmente—, dígame cuáles son sus intenciones.

La feroz preocupación por Sufiya Zinobia que había llevado a Shahbanou a romper de forma tan flagrante las convenciones sociales, la relación entre amo y criado, impidió también a Omar Khayyam enfurecerse.

—No te preocupes —apaciguó al *ayah*—, sé que la chica es inocente. No voy a hacer valer mi, ni a imponerme a, ni a exigir mis...

Y entonces Shahbanou asintió y dijo:

—Eso está muy bien ahora, Sahib, pero ¿cuánto tiempo esperará? Un hombre no es más que un hombre.

—Esperaré hasta que mi mujer quiera —respondió furioso Omar Khayyam—, no soy un hombre de la jungla. —(Pero una vez, recordemos, se había llamado a sí mismo niño-lobo.)

Shahbanou se volvió para irse.

—Si se pone impaciente, recuerde —dijo con voz desapasionada— que estoy dispuesta a matarlo si lo intenta.

Para cuando se trasladaron al norte, era evidente que Omar Khayyam se había enmendado. Como Iskander Harappa, pero por razones diferentes, había renunciado a sus antiguas francachelas: Raza Hyder no hubiera aceptado otra cosa. La versión nueva y septentrional de Omar Khayyam vivía sencillamente y trabajaba mucho: catorce horas diarias en el hospital de Mount Hira, salvo en las ocasiones en que estaba en un ángulo del cuadrilátero durante los combates de lucha libre del general. Volvía a la residencia del Com. en J. sólo para comer y dormir, pero, a pesar de todas sus demostraciones de reforma, abstinencia y dedicación, Shahbanou seguía vigilándolo como un halcón, y no en pequeña medida porque la figura de él, ya ancha de por sí, se hizo más corpulenta aún en aquellos tiempos, de forma que, cuando bromeaba con el *ayah*: «Pero bueno, Banou, ¿me porto bien o no?», ella le respondía seriamente: «Omar Sahib, veo que te llenas de Dios sabe qué, y comes tan poco que no puede ser de comida, de modo que, por lo que yo puedo decir, sólo es cuestión de tiempo el que pierdas el control o estalles. Qué difícil es ser hombre», añadía con grave compasión en los ojos.

Aquella noche, él reconoció la llamada de Shahbanou en la puerta de su alcoba. Se arrancó a sí mismo de la cama y llegó a la puerta resoplando y dándose palmaditas en el pecho; para descubrir fuera al *ayah*, con una vela y el cabello suelto, y con su cuerpo huesudo de pájaro *tilyar* semivisible a través de la túnica de algodón.

—¿Qué quieres? —preguntó sorprendido Omar Khayyam, pero ella se abrió camino por delante de él y se sentó solemnemente en la cama.

—No quiero matar a nadie —explicó con tono indiferente—, de forma que he pensado que sería mejor que lo hiciera yo en su lugar.

—Cuánto debes de quererla —se maravilló Omar Khayyam.

—Más que tú —respondió ella sin crítica, quitándose rápidamente la túnica.

—Soy viejo —le dijo él—, así que tres veces es, por lo menos, dos de más. A lo mejor me quieres matar de todos modos, y éste es el método más sencillo.

—No es tan sencillo, Omar Sahib —respondió ella—, y no eres la ruina que pretendes.

Después de aquello, ella venía a verlo todas las noches, salvo durante sus días del mes y durante sus días de fecundidad y, en esas siete u ocho noches, él yacía dominado por el insomnio voluntario, imaginándose el cuerpo de ella a su lado en la cama, tenso como un alambre, y pensando en el extraño destino que le había hecho casarse con una mujer y adquirir otra muy distinta. Al cabo de poco tiempo, comprendió que había empezado a perder peso. Las libras comenzaban a desprenderse de él y, para cuando cayó Harappa, no se había vuelto exactamente delgado, porque no lo sería nunca, pero se le habían quedado grandes todos los trajes (por lo que puede verse que su vida y la de Isky seguían vinculadas, porque también Isky perdió peso... aunque, también, por razones diferentes. Por razones diferentes); bajo el hechizo del *ayah* parsi, disminuyó hasta alcanzar dimensiones notablemente normales.

«Puede que no sea una estrella de cine» le dijo al espejo «pero he dejado de ser un personaje de dibujos animados.» Omar Khayyam y Shahbanou: nuestro héroe periférico ha adquirido una esposa en la sombra y, como consecuencia, su propia sombra ha podido hacerse más pequeña.

¿Y Sufiya Zinobia?

... Está echada en la cama, apretándose los párpados con los dedos y confiando en un sueño que ella sabe que quizá no vendrá. Siente en la piel de los párpados el picor de la mirada de Shahbanou. El *ayah* en la esterilla, mirándola, mirándola. Entonces ella, Sufiya Zinobia, decide que dormir es imposible, se relaja por completo, deja caer las manos, finge. Ha descubierto que esa imitación, ese simulacro de sueño, hace felices a los demás. Ahora lo hace automáticamente, lo ha ensayado mucho, su respiración adquiere cierto ritmo, hay cierta forma de mover el cuerpo con ciertos intervalos intuitivos, cierta forma de comportamiento de sus globos oculares bajo sus párpados. Al cabo de algún tiempo oye cómo Shahbanou se levanta de su esterilla, se desliza fuera de la habitación, da unos pasos por el pasillo, llama a una puerta. El insomnio le agudiza los oídos. Oye los muelles de la cama, los resoplidos de él, los gritos huesudos de ella. Hay algo que la gente hace de noche. Su madre le habló de océanos y de peces. Con los ojos cerrados, ve al *ayah* parsi metamorfoseándose, volviéndose líquida, fluyendo hacia fuera hasta llenar la habitación. La Shahbanou derretida, salada, inmensa, y un Omar en transformación echan escamas, aletas, agallas y nadan en ese mar. Ella se pregunta qué pasa después, cómo vuelven a ser los de antes, cómo arreglan el desorden, cómo se seca todo. (Una mañana se metió en la alcoba de su marido después de haberse ido él al hospital y haberse puesto Shahbanou a contar la ropa sucia con la *dhobi*. Tocó las sábanas con las manos y encontró trozos húmedos. Pero un océano tiene que dejar su huella: escudriñó el suelo buscando estrellas de mar, algas, conchas. No encontró nada: misterio.)

Lo que le gusta ahora es que a veces la dejan en paz y las cosas pueden ocurrir dentro de su cabeza, sus cosas favoritas que guarda allí, encerradas; cuando hay gente delante no se atreve a sacar las cosas y jugar con ellas, por si se las quitan o se rompen por equivocación. Hay gente grande y torpe por todas partes, no quieren romper nada pero lo rompen. Dentro de su cabeza, los juguetes queridos y frágiles. Una de las mejores cosas-internas es que su padre la coja. Abrazos, sonrisas, gritos por su causa. Dice cosas que ella no entiende realmente, pero que suenan bien. Ella se saca a él de la cabeza y hace que lo repita una y otra vez, todo, como si le contaran a una un cuento para dormir, seis veces seguidas. No se puede hacer eso con las cosas que están fuera de tu cabeza. A veces ocurren sólo una vez, y tienes que ser rápida y agarrarlas y meterlas en tu escondrijo. A veces no ocurren en absoluto. Hay una cosa que ella tiene dentro y que nunca ha ocurrido en otra parte: su madre salta a la comba con ella. Bilquìs sostiene la cuerda de saltar y las dos saltan juntas, más aprisa, más aprisa, hasta que saltan tan aprisa que no se puede saber quién es quién, podrían ser una sola persona dentro del círculo de cuerda. A ella le cansa jugar con ese juguete, no por saltar a la cuerda, sino por la dificultad de hacer cosas dentro que no has llevado allí desde fuera. ¿Por qué son esas cosas que-sólo-ocurren-dentro mucho más difíciles de hacer? Y casi imposibles de repetir una y otra vez.

Una maestra particular viene la mayoría de los días,

y a ella le gusta. Ella, la maestra, trae cosas nuevas y Sufiya Zinobia mete algunas dentro de su cabeza. Hay una cosa llamada el mundo que suena a hueco cuando das en él con los nudillos o que, a veces, es plano y está dividido en los libros. Ella sabe que, realmente, se trata de un dibujo de un lugar mucho más importante, llamado todas las partes, pero no es un dibujo muy bueno, porque ella no puede verse en él, ni siquiera con una lupa. Se fabrica en la cabeza un mundo mucho mejor, puede ver en él a quien quiere. Omar, Shahbanou, Bilquìs, Raza diminutos en la latita. Ella les hace señas con la mano y la pequeña familia de hormigas se las hace a su vez. Y también escribir, eso sabe hacerlo además. En su lugar secreto, sus letras favoritas, la accidentada *sìn*, el palo de hockey de la *làm*, la *mìm*, con su pechuga hinchada de pavo, se escriben solas una y otra vez.

Se llena la cabeza de cosas buenas para que no haya sitio para las otras, las cosas que aborrece.

Un retrato de ella con aves muertas. ¿Quién lo ha puesto ahí? Y otro: ella mordiéndole a alguien, muy fuerte. A veces, esas maldades empiezan a repetirse como discos rayados, y no es fácil apartarlas y encontrar en cambio la sonrisa de su padre o la cuerda de saltar. Sabe que solía estar enferma y es posible que esos juguetes malos le hayan quedado de entonces.

Y hay otras cosas que no parecen ser de ninguna parte. Aparecen sobre todo durante las noches de insomnio, sombras que le dan ganas de llorar, o lugares en que la gente cuelga cabeza abajo del techo. Piensa que las cosas que se le meten dentro deben de ser culpa suya. Si fuera buena, las cosas malas se irían a otro lugar, lo que quiere decir que no es buena. ¿Por qué es tan mala? ¿Qué es lo que la hace malísima, perversa? Se agita en la cama. Y, brotándole de dentro, el horrible ser extraño cobra forma.

A menudo, piensa en *maridos*. Sabe lo que es un

marido. Su padre es un *marido*, y también Talvar Ulhaq, y ahora ella tiene un *marido* también. ¿Qué significa eso, *tener un marido*? ¿Para qué sirven los *maridos*? Ella sabe hacer sola la mayoría de las cosas, y Shahbanou la ayuda en el resto. Pero *tiene un marido*. Es otro misterio.

Antes del matrimonio le preguntó a Shahbanou sobre eso y se metió la respuesta de Shahbanou en la cabeza. Saca al *ayah* de allí y la oye decir, una y otra vez: «Sirven para el dinero y los niños. Pero no te preocupes, *bibi*, el dinero no es problema y los niños no son para ti.» No puede entenderlo, por muchas veces que pase la película. Si el dinero no es problema, no deberían hacer falta maridos para tenerlo. *Y los niños no son para ti*. ¿Por qué? «Porque lo digo yo.» ¿Pero por qué? «Ay, basta ya. Por qué por qué por qué largaté.» Siempre acaba así, sin explicarle nada. Pero ese asunto de los maridos es importante. Ella *tiene* uno. Todo el mundo debe de saber pero ella no sabe. También eso es culpa suya, por tonta.

Lo mejor que ha ocurrido recientemente son los niños, los niños de su hermana. Ella, Sufiya, juega con ellos tanto como puede. Le gusta verlos gatear, caerse, hacer ruidos raros, le gusta saber más que ellos. Salta a la comba para ellos: Qué asombro hay en sus ojos. Se los mete en la cabeza y los saca cuando el sueño no quiere venir. Buenas Noticias no juega nunca con los niños. ¿Por qué? No sirve de nada preguntar. «Por qué por qué papilla y puré.» Dentro de su cabeza, los niños se ríen.

Entonces lo malo toma forma otra vez, porque, si tiene un marido, y un marido sirve para tener niños, pero los-niños-no-son-para-ti, debe de haber algún error. Eso le produce cierta sensación. Algo así como un rubor, por todas partes, cálido cálido. Pero, aunque la piel le hormiguea y las mejillas le arden, sólo ocurre en su interior; nadie nota esos nuevos rubores internos.

Eso también es extraño. La hace sentirse peor. A veces piensa «me estoy convirtiendo en algo», pero cuando esas palabras se le meten en la cabeza no sabe lo que significan. ¿Cómo se convierte una en algo? Las palabras malas, equivocadas y el sentimiento más agudo y más doloroso. Fuera fuera fuera. Fuera.

Hay algo que las mujeres hacen de noche con los maridos. Ella no lo hace, lo hace Shahbanou por ella. *No me gusta el pescado.* Su marido no viene a verla de noche. Hay dos cosas en eso que no le gustan: que él no venga es una, y la cosa misma la otra, suena horrible, debe de serlo, los gritos los gemidos, las sábanas húmedas y malolientes. *Chhi chhi.* Repugnante. Pero ella *es una mujer.* Ella *tiene un marido.* No puede sacar nada en limpio. La cosa horrible y el horrible no-hacer-la-cosa. Se aprieta los párpados con los dedos y hace que jueguen los niños. No hay océano pero sí una sensación de hundirse. La pone mala.

Hay un océano. Nota sus olas. Y en alguna parte, en sus profundidades, una Bestia, que se agita.

El asunto de los niños que desaparecían venía ocurriendo en los barrios de chabolas y miserables del país desde hacía muchos años. Había diversas teorías sobre esas desapariciones. Se insinuaba que los niños eran secuestrados y llevados al Golfo para servir de mano de obra barata o ser explotados por principillos árabes de otras formas peores e imposibles de mencionar. Algunos sostenían que los culpables eran sus padres, que estaban liquidando a los miembros no deseados de sus familias numerosas. El misterio no se había resuelto nunca. No se hicieron detenciones, no se descubrieron conspiraciones de tráfico de esclavos. Se convirtió en un hecho: los niños, sencillamente, desaparecían, en plena luz del día, volatilizándose. ¡Puf!

Y entonces se encontraron los cuerpos sin cabeza.

Fue el año de las elecciones generales. Después de seis años en el poder, Iskander Harappa y el Frente Popular estaban haciendo una intensa campaña. La oposición, sin embargo, era feroz: los rivales de Isky se habían unido para presentarle una dura batalla. Se hacían críticas en materia económica; pero también sugerencias-de-impiedad, denigraciones-de-altanería, insinuaciones-de-corrupción. Se suponía por muchos que el Frente perdería en todos los distritos fronterizos, tanto en el noroeste como alrededor de Q. Y también muchos escaños en las ciudades. En resumen, la gente tenía muchas cosas en que pensar para preocuparse de unos cuantos menesterosos muertos.

Los cuatro cuerpos eran adolescentes, masculinos, acres. Las cabezas habían sido retorcidas en los cuellos por alguna fuerza colosal: literalmente arrancadas de los hombros. Se descubrieron rastros de semen en sus pantalones rotos. Los cuerpos se encontraron en un basurero próximo a un barrio miserable. Al parecer, los cuatro murieron más o menos simultáneamente. Las cabezas no se encontraron nunca.

La campaña electoral estaba en su apogeo. Los asesinatos apenas llegaron a los periódicos; no se difundieron por radio. Hubo rumores, algún cotilleo, pero la gente se cansó enseguida. En aquellos barrios podía ocurrir toda clase de Dios sabe qué.

Esto es lo que había ocurrido.

La mujer del velo: cuento terrorífico.

Talvar Ulhaq volvía en avión a la capital desde Q. cuando tuvo una visión. En aquellos días, el jefe de la Fuerza Federal de Seguridad era un hombre atareado, que apenas dormía y recorría todo el país. Era época de elecciones, y Talvar era miembro del círculo íntimo de Iskander Harappa, su traición pertenecía aún al futuro. De forma que estaba plenamente ocupado, porque Isky confiaba en la FFS para sacarles ventaja a sus adversarios, descubrir sus planes, infiltrar quintacolumnistas en sus cuarteles generales y trastocar sus planes, y encontrar motivos para detener a sus dirigentes. Se ocupaba de esas cuestiones en el avión, de forma que, cuando los ligamentos lastimados de su cuello comenzaron a darle guerra como verdaderos demonios, rechinó los dientes e hizo caso omiso de ellos, porque estaba contemplando detenidamente ciertas fotografías de politicastros fronterizos separatistas, en la cama con hombres jóvenes y atractivos que, de hecho, eran leales funcionarios de la FFS que trabajaban valerosa y desinteresadamente por su país. Pero entonces vino la visión, y Talvar tuvo que levantar la vista de su trabajo, porque le pareció que la cabina temblaba y se disolvía, y él se quedaba entonces de pie, como una sombra sobre el muro de la residencia de Hyder, de noche, mirando cómo la figura de Bilquìs Hyder, velada como de costumbre de la cabeza a los pies por un *burqa* negro, avanzaba hacia él por un pasillo oscuro. Cuando pasó por delante de él sin mirar en su dirección, lo horrorizó ver que el *burqa* de ella estaba empapado y chorreaba algo demasiado espeso para ser agua. La sangre, negra en el corredor mal iluminado, dejó un reguero por el pasadizo, detrás de ella.

La visión se desvaneció. Cuando Talvar llegó a casa, hizo comprobaciones y descubrió que nada parecía anormal en el hogar de los Hyders, Bilquìs no había salido del edificio y todo el mundo estaba bien, de forma que se quitó la idea de la cabeza y continuó con su trabajo. Más tarde le confesó al general Raza Hyder:

—Fue un error mío. Hubiera debido comprender enseguida lo que pasaba; pero estaba pensando en otras cosas.

Al día siguiente a su regreso de Q., Talvar Ulhaq oyó hablar de los cuatro cuerpos sin cabeza, por la mayor de las casualidades: dos de sus hombres bromeaban acerca de los asesinatos en la cantina de la FFS, preguntándose si podrían colgarles las muertes a jefes homosexuales de la oposición muy conocidos. Talvar se quedó frío y se maldijo a sí mismo. «Idiota —pensó—, no me extraña que te doliera el cuello.»

Se dirigió en coche inmediatamente al Cuartel General del Ejército, y le pidió a Raza que lo acompañara a los jardines, para estar seguro de que nadie los oía. Hyder, un tanto confuso, hizo lo que le pedía su yerno.

Una vez estuvieron fuera, en el calor de la tarde, Talvar le contó su visión, y admitió con vergüenza que hubiera tenido que darse cuenta de que la figura que había visto era físicamente demasiado pequeña para poder ser Bilquìs Hyder. Le parecía también, pensando en ello, que había algo un tanto suelto y mal coordinado en sus andares...

—Perdóneme —dijo—, pero creo que Sufiya Zinobia ha vuelto a andar sonámbula. —Tal era el respeto que sentía Raza Hyder por sus poderes de clarividencia, que lo escuchó aturdido, pero sin interrumpirlo, cuando Talvar continuó, expresando su opinión de que, si se sometía a Sufiya Zinobia a un reconocimiento médico, se vería que no era *virgo intacta*, lo que resultaría muy significativo, porque todos sabían que su marido no compartía el lecho con ella—. Perdóneme la franqueza, señor, pero creo que tuvo relaciones sexuales con los cuatro jóvenes *goondas* antes de arrancarles la cabeza.

La imagen de su hija trastornada sometiéndose a aquella desfloración múltiple y alzándose luego vengativa para hacer pedazos a sus amantes hizo que Raza Hyder se sintiera físicamente enfermo...

—Entiéndame, señor —dijo Talvar respetuosamente—, no actuaré en este asunto más que siguiendo exactamente sus instrucciones. Se trata de un asunto familiar.

—¿Cómo podía saberlo yo? —Raza Hyder, cuya voz llegaba casi inaudible desde una gran distancia—. Unas aves, una rabieta en una boda, y luego nada durante años. Pensaba siempre, ¿cuál es el problema? Desaparecería, había desaparecido ya. Nos engañamos a nosotros mismos. Imbéciles. —Y luego se quedó callado varios minutos—. Podría ser el fin para mí —añadió después—, *funtoosh*, *kaput*, apaga y vámonos.

—No hay que permitirlo, señor —objetó Talvar—. El Ejército le necesita, señor.

—Buen chico, Talvar —musitó Raza, y entonces se quedó ausente hasta que su yerno carraspeó y le preguntó:

—Entonces, ¿cómo debo actuar, señor?

El general Hyder volvió en sí.

—¿Qué quieres decir? —preguntó—. ¿De qué actuación hablas? ¿Qué pruebas hay? Sólo teorías y misticismos. No puedo aceptarlos. ¿Cómo te atreves a hacer acusaciones sobre una base así? Al diablo con esas necedades, señor mío. No me hagas perder el tiempo.

—No, señor. —Talvar Ulhaq se puso firmes. Había lágrimas en los ojos del general cuando le pasó el brazo al joven por los enlatonados hombros.

—¿Lo has comprendido, eh, Talvar, muchacho? *Chup*: punto en boca.

En las profundidades del océano la Bestia marina se agita. Hinchándose lentamente, alimentándose de insuficiencia, culpabilidad, vergüenza, inflándose hacia la superficie. La Bestia tiene ojos como faros, puede apoderarse de insomnes y convertirlos en sonámbulos. La falta de sueño en sonambulismo, una muchacha en demonio. El tiempo transcurre de forma diferente para la Bestia. Los años pasan volando como pájaros. Y a medida que la muchacha crece, a medida que su comprensión aumenta, la Bestia tiene más que comer... Sufiya Zinobia, a los veintiocho, había adelantado hasta una edad mental aproximada de nueve años y medio, de forma que cuando Shahbanou, el *ayah*, se quedó embarazada aquel año y fue despedida por su inmoralidad, Sufiya supo lo que había ocurrido, había oído los ruidos de la noche, los gruñidos de él, los gritos de pájaro de ella. A pesar de sus precauciones, el *ayah* había concebido un niño, porque es fácil calcular mal las fechas, y se fue sin decir palabra, sin tratar de repartir las culpas. Omar Khayyam se mantuvo en contacto con ella, le pagó el aborto y se aseguró de que luego no pasara hambre, pero eso no resolvió nada; el daño estaba hecho.

Sufiya Zinobia, rígida como una tabla en la cama. Tratando de sacarse las cosas buenas de la cabeza, los niños, la sonrisa de su padre. Pero en lugar de ello sólo está la cosa de dentro de Shahbanou, la cosa que hacen los maridos, porque él no me dio a mí el niño y ella se lo metió dentro en cambio. Ella, Sufiya, dominada por la culpa y la vergüenza. Esa mujer que me quería. Y mi marido, quién puede culparlo, nunca tuvo una esposa. Una y otra vez en la habitación vacía de ella; ella es una ola que se convierte en inundación, siente que algo llega, rugiendo, siente que se la lleva, la cosa, la inundación o quizá la cosa que hay en la inundación, la Bestia que surge para causar estragos en el mundo, y después de eso ella no sabrá nada, no recordará nada, porque eso, la cosa, estará libre.

El insomnio en sonambulismo. El monstruo se levanta de la cama, avatar de la vergüenza, deja la habitación vacía del *ayah*. El *burqa* viene de alguna parte, de cualquier parte, nunca ha sido un vestido difícil de encontrar en esa casa triste, y luego la caminata. En una nueva versión del desastre de los pavos, ella hechiza a los guardias nocturnos, los ojos de la Bestia arden desde los suyos convirtiendo en piedra a los centinelas, quién sabe cómo, pero más tarde, cuando despierten, no tendrán conciencia de haber dormido.

La vergüenza camina por las calles de la noche. En los barrios miserables, cuatro jóvenes se sienten paralizados por esos ojos horribles, cuyo mortal fuego amarillo sopla como el viento a través de la celosía del velo. La siguen al basurero de su perdición, ratas detrás del flautista, autómatas que bailan a la luz devoradora de los ojos velados de negro. Ella se echa; y lo que Shahbanou asumió se lo hacen por fin a Sufiya. Cuatro maridos vienen y se van. Cuatro de ellos adentro y afuera, y entonces las manos de ella agarran el cuello del primer muchacho. Los otros se quedan quietos, aguardando su turno. Y las cabezas lanzadas al aire, hundiéndose en las nubes dispersas; nadie las vio caer. Ella se levanta, se va a casa. Y duerme; la Bestia se calma.

El general Raza Hyder registró por sí mismo el cuarto de su hija. Cuando encontró el *burqa*, éste estaba quebradizo, almidonado por la sangre seca. Lo envolvió en un periódico y lo redujo a cenizas. Luego arrojó las cenizas por la ventanilla de un coche en marcha.

Era día de elecciones, y había muchas hogueras.

11. MONÓLOGO DEL AHORCADO

Al presidente Iskander Harappa le dio dolor de muelas treinta segundos antes de que los jeeps rodearan su casa en aquella capital de terminales de aeropuerto desechadas. Su hija Arjumand acababa de decir algo que significaba tentar la suerte, y siempre que alguien hacía eso, los dientes, ennegrecidos por el betel, de Iskander aullaban de angustia supersticiosa, especialmente después de medianoche, cuando esas cosas son más peligrosas aún de lo que parecen a la luz del día. «La oposición ha perdido valor», había insinuado Arjumand, para gran alarma de su padre. Él había estado meditando, en una sobremesa satisfecha, sobre la rumoreada huida de una pantera albina a las boscosas colinas de Bagheeragali, a unas cuarenta millas de distancia; obligando a sus pensamientos a salir de esos bosques inquietantes, le riñó a su hija: «Sólo Dios sabe cómo se podría lavar ese optimismo tuyo; tendré que meterte en el depósito que hay detrás de la Presa.» Luego las muelas empezaron a dolerle como el demonio, más que nunca, y dijo en voz alta con sorpresa lo que de pronto había pensado: «Estoy fumando el penúltimo cigarrillo de mi vida.»

Apenas había salido de sus labios esa profecía, se unió a padre e hija un huésped no invitado, un oficial del Ejército con el rostro más triste del mundo, el coronel Shuja, desde hacía seis años A. de C. del general Raza Hyder. El coronel saludó militarmente e informó del golpe de Estado al primer ministro.

—Le ruego que me disculpe señor, pero debe acompañarme enseguida al pabellón de reposo de Bagheeragali. —Iskander Harappa comprendió que no había entendido el sentido de su ensoñación, y se sonrió ante su propia estupidez:

—Ya ves, Arjumand —dijo—, quieren que sirva de alimento a la pantera, ¿eh? —Luego se volvió a Shuja y le preguntó quién había dado esas órdenes.

—El administrador general de la Ley Marcial, señor —respondió el coronel—. El general Hyder, señor, le ruego que me disculpe.

—Mírame la espalda —le dijo Iskander a su hija— y verás el puñal de un cobarde.

Treinta minutos más tarde, el general Salmàn Tughlak, jefe del Estado Mayor Conjunto, fue sacado de una ruidosa pesadilla, en la que el desastre de la guerra del Ala Oriental se desarrollaba de nuevo a cámara lenta, por la insistencia del timbre de su teléfono. El general Tughlak era el único miembro del alto mando del presidente Batallitas que había escapado a la revisión hecha por Harappa de los más altos escalones de la dirección de la Defensa, de forma que gritó aturdidamente en el teléfono:

—¿Qué pasa? ¿Nos hemos rendido?

—Lo hemos hecho —dijo la voz de Raza Hyder, con cierta confusión.

El general Tughlak se sintió igualmente perplejo:

—¿Hecho qué, por el amor del cielo?

—*Ya Allah* —dijo Raza Hyder presa del pánico—, ¿no te ha avisado nadie? —Luego empezó a tartamudear, porque, naturalmente, el jefe del Estado Mayor Conjunto era su superior y, si el jefazo se negaba a que la Armada y la Fuerza Aérea apoyaran la iniciativa del Ejército, las cosas podían ponerse muy feas. Gracias al tartamudeo indescifrable causado por su miedo y a la bruma del sueño remanente que envolvía al general Tughlak, Raza Hyder necesitó más de cinco minutos para hacer comprender al jefe del Estado Mayor Conjunto lo que había ocurrido aquella noche.

—¿Ah, sí? —dijo Tughlak por fin—. ¿Y ahora qué?

El tartamudeo de Hyder aumentó; pero siguió mostrándose cauto:

—Perdón, mi general —utilizando tácticas dilatorias—, ¿qué quieres decir, señor?

—Maldita sea, hombre —explotó Tughlak—, ¿qué órdenes vas a dar?

Hubo un silencio, durante el cual Raza Hyder comprendió que todo iba a salir bien; luego dijo mansamente:

—Tughlak*ji*, sabes, con tu experiencia anterior en materia de leyes marciales y demás...

—Desembucha —ordenó Tughlak.

—... francamente, señor, confiábamos en que nos pudieras ayudar en esto.

—Cabrones de aficionados —farfulló alegremente el viejo Tughlak—, tomáis el Gobierno y no sabéis distinguir un pene de un bastón de mando.

La oposición no había aceptado nunca los resultados de las elecciones. Las turbas, en las ciudades, gritaban corrupción; había incendios, disturbios, huelgas. Se envió al Ejército a disparar contra la población civil. Los *jawans* y los oficiales jóvenes murmuraron frases de rebelión, ahogadas al principio por los disparos de fusil. Y Arjumand Harappa tentó a la suerte.

Se dice que el general Hyder, al principio, se resistió a actuar, y sólo lo hizo cuando sus compañeros le dieron a elegir entre destituir a Harappa o hundirse con él. Pero el presidente Hyder lo negaba. «Soy la clase de persona —decía— que ve una porquería y no puede evitar limpiarla.»

A la mañana siguiente al golpe de Estado, Raza Hyder apareció en la televisión nacional. Estaba arrodillado en una esterilla de rezar, con las manos en los oídos y recitando versículos del Corán; luego se levantó de sus devociones para dirigir la palabra a la nación. Ése fue el discurso en el que el pueblo escuchó por primera vez la famosa expresión «Operación Árbitro».

—Comprendedlo —dijo Raza enérgicamente—, el Ejército no quiere ser más que un árbitro o juez honrado.

¿Dónde estaba la mano derecha de Raza mientras hablaba? ¿Dónde descansaban sus dedos mientras prometía nuevas-elecciones-en-un-plazo-de-noventa días? ¿Qué era lo que, encuadernado en cuero y envuelto en seda, daba credibilidad a su juramento de que se permitiría a todos los partidos políticos, incluido el Frente Popular de «ese luchador intrépido y gran político» Iskander Harappa, participar en la nueva votación?

—Sólo soy un soldado —manifestó Raza Hyder—, pero un escándalo es un escándalo, y hay que desescandalizarlo.

La cámara de televisión descendió desde su rostro con el moretón *gatta* y bajó por todo su brazo derecho, hasta que el país pudo ver dónde descansaba la mano derecha de Raza: en el Libro Sagrado.

Raza Hyder, el protegido de Harappa, se convirtió en su verdugo; pero quebrantó también su sagrado juramento, y era un hombre religioso. Lo que hizo luego pudo ser muy bien consecuencia de su deseo de purificar su nombre mancillado ante los ojos de Dios.

Así fue cómo empezó. Arjumand Harappa fue pasaportada a Rani en Mohenjo; pero no cogieron a Haroun Harappa. Había huido del país o pasado a la clandestinidad... Fuera lo que fuese, pareció, en aquellos primeros días, una reacción considerablemente exagerada. Raza Hyder bromeó con el general Tughlak: «Ese chico es un estúpido del demonio. ¿Se cree que le voy a cortar el invento sólo porque no fue digno de casarse con mi hija?»

El presidente Iskander Harappa estaba detenido, con ciertas comodidades, en el pabellón de reposo gubernamental de Bagheeragali, donde, naturalmente, no se lo comió una pantera. Incluso se le permitía utilizar el teléfono, sólo para recibir llamadas; los diarios occidentales averiguaron el número, e Iskander concedió entrevistas largas y elocuentes a muchos periodistas de ultramar. En esas entrevistas hizo acusaciones detalladas, arrojando muchas dudas sobre la buena fe, el temple moral, la potencia sexual y la legitimidad del nacimiento de Raza Hyder. Sin embargo, Raza siguió siendo tolerante:

—Ese Isky —le confió al coronel Shuja— es un tipo muy nervioso. Siempre lo fue. Y el chico, naturalmente, está trastornado; me pasaría lo mismo si estuviera en su pellejo. Además, no hay que creer todo lo que dice la prensa cristiana.

—Supongamos que celebra usted elecciones y las gana él —aventuró el coronel Shuja mientras su rostro cobraba la expresión más dolorosa que Raza había visto nunca en aquel semblante infeliz—, le ruego que me disculpe, señor, pero ¿qué hará él con usted?

Raza Hyder pareció sorprendido.

—¿Que qué *hará*? —exclamó—. ¿Conmigo? ¿Con su viejo compañero y miembro de su familia por matrimonio? ¿Es que lo he torturado? ¿Lo he metido en la cárcel común? Pues entonces, ¿qué va a hacer?

—Es una familia de pistoleros, señor —dijo Shuja—, esos Harappas, todo el mundo lo sabe. Crímenes por venganza y qué-sé-yo-qué, lo llevan en la sangre, le ruego que me disculpe, mi general.

A partir de ese momento, en la magullada frente de Raza Hyder aparecieron profundos surcos de preocupación, y dos días más tarde le anunció a su A. de C.: «Vamos a ver a ese tipo enseguida y a aclarar las cosas.»

Más tarde, el coronel Shuja juraría que, hasta la entrevista entre Raza e Iskander, el general no había pensado en asumir la presidencia. «Ese estúpido —decía siempre cuando le preguntaban— fue el causante de su propia muerte.» Shuja fue con el general Hyder hasta Bagheeragali y, mientras el coche del Estado Mayor trepaba por aquellas carreteras de montaña, las narices de los dos se vieron acometidas por las dulces fragancias de las piñas y la belleza, esos aromas que tienen el poder de levantar los corazones más abrumados y de hacerle a uno pensar que no hay nada insoluble. Y, en el *bungalow* de Bagheeragali, el A. de C. esperó en la antecámara, mientras se celebraba la fatídica conferencia.

La premonición de Iskander sobre los cigarros había resultado cierta, porque, a pesar de todos los aparatos de aire acondicionado y copas de cristal tallado y alfombras de Shiraz y otras comodidades del pabellón de reposo, no había podido encontrar un solo cenicero; y cuando les pidió a los guardianes que le enviaran de su casa una caja de sus habanos favoritos, le dijeron cortésmente que era imposible. La prohibición de fumar se apoderó de los pensamientos de Isky, borrando su aprecio por la cama confortable y la buena comida, porque era evidente que alguien había ordenado a sus guardianes que le negaran sus vegueros, de forma que le estaban diciendo algo —*cuidado*— y eso no le gustaba, no señor. La ausencia de humo de cigarro le dejaba un gusto rancio en la boca. Comenzó a masticar betel sin pausa, escupiendo deliberadamente el jugo en aquellas alfombras inestimables, porque su furia había empezado a predominar sobre la elegancia remilgada de su verdadero carácter. Los *paans* hacían que las muelas le dolieran todavía más, de forma que, teniendo en cuenta todo lo que había de malo dentro de su boca, no fue de extrañar que las palabras le salieran también mal... Raza Hyder no debía de esperar la recepción que tuvo, porque entró en la habitación de Iskander con una sonrisa conciliadora en el rostro; pero en el momento en que cerró la puerta comenzaron las maldiciones, y el coronel Shuja juró que había visto volutas de humo azul saliendo por el agujero de la cerradura, como si hubiera fuego dentro, o cuatrocientos veinte puros habanos humearan todos al mismo tiempo.

Seductor de la perra mestiza favorita de tu abuela, vendedor de tus hijas con rebaja a hijos bastardos de alcahuetes, infiel con diarrea que te cagas en el Corán... Isky Harappa maldijo a Raza durante hora y media sin permitirse una sola interrupción. El jugo de betel y la falta de tabaco añadían a su vocabulario de imprecaciones, ya enorme, un rencor más devastador que el que había tenido nunca en los días de su lujuriosa juventud. Para cuando terminó, las paredes de la habitación estaban salpicadas de arriba abajo de jugo de betel, las cortinas estaban echadas a perder, parecía como si hubieran sacrificado allí a un rebaño de animales, como si pavos o cabras hubieran estado debatiéndose furiosamente en su agonía y dando vueltas enloquecidos por la habitación mientras vomitaban sangre por las rojas sonrisas de sus gaznates. Raza Hyder salió con el jugo de *paan* chorreándole de la ropa, tenía el bigote lleno de él y le temblaban las manos mientras el líquido rojo le goteaba de la punta de los dedos, como si se hubiera lavado las manos en un cuenco con sangre de Iskander. Su cara estaba blanca como el papel.

El general Hyder no habló hasta que el coche del Estado Mayor se detuvo en el exterior de la residencia del Com. en J. Luego dijo, sin darle importancia, al coronel Shuja: «He oído algunas cosas horribles sobre el mandato del señor Harappa. Ese hombre no merece ser puesto en libertad. Es una amenaza para el país.»

Dos días más tarde, Talvar Ulhaq formuló la declaración en la que, bajo juramento, acusó a Iskander Harappa de haber planeado el asesinato de su primo, Mir el Pequeño. Cuando el coronel Shuja leyó el documento, pensó perplejo: «Hay que ver adónde te puede llevar el ser malhablado.»

En aquellos tiempos, el hogar del administrador principal de la Ley Marcial había empezado a parecer un orfanato más que una residencia oficial, debido a la incapacidad de Buenas Noticias para contener la inundación anual de niños que le salía de los ijares. Veintisiete niños de edades comprendidas entre uno y seis años vomitaban, babeaban, gateaban, pintaban con lápices en las paredes, jugaban con bloques de construcción, berreaban, derramaban jugos, se dormían, se caían por la escalera, rompían orinales, ululaban, se reían, cantaban, bailaban, saltaban a la comba, se hacían pis, reclamaban atención, experimentaban con palabrotas, daban patadas a sus *ayahs*, se negaban a cepillarse los dientes, le tiraban de la barba al maestro de religión contratado para enseñarles a escribir y el Corán, arrancaban cortinas, manchaban sofás, se perdían, se cortaban, se defendían contra agujas vacunadoras y pinchazos antitetánicos, suplicaban animales domésticos y perdían luego el interés por ellos, robaban radios e irrumpían en reuniones de alto nivel en aquella casa de locos. Entretanto, Buenas Noticias se había ensanchado aún más, y era tan enorme que parecía que se hubiera tragado una ballena. Todo el mundo sabía con horrible certeza que la progresión continuaba, que esta vez aparecerían nada menos que ocho niños, y que el próximo año serían nueve, y después de eso diez, y así sucesivamente, de forma que, para cuando ella cumpliera los treinta años, habría dado a luz nada menos que a setenta y siete niños; aún faltaba lo peor. Es posible que si Raza y Talvar no hubieran estado pensando en otras cosas hubieran adivinado lo que ella iba a hacer; pero puede que nadie la hubiera detenido de todos modos, porque la opresión de los niños había empezado a desquiciar a todos los que vivían en medio del alboroto de aquella muchedumbre.

Ay, este Talvar Ulhaq; ¡qué desasosiego, qué ambigüedades en torno a ese jefe de cuello rígido de la Fuerza Federal de Seguridad! Yerno de Hyder, mano derecha de Harappa... tras la caída de Iskander Harappa, Raza Hyder se vio sometido a una presión considerable para que hiciera algo con respecto al marido de su hija. La FFS no era una organización popular; Raza no tuvo más remedio que disolverla. Pero seguía habiendo voces que pedían la cabeza de Talvar. De forma que fue buena cosa que la antigua estrella del polo eligiera aquel momento para demostrar que había tenido la intención de cumplir al pie de la letra su voto leal de ser el yerno perfecto. Le entregó a Raza Hyder su expediente secreto y detallado sobre el asesinato de Mir Harappa, del que resultaba evidente que era Haroun Harappa quien lo había cometido, por su antiguo odio hacia su padre; y que el genio malo de aquel desagradable asunto había sido nada menos que el presidente del Frente Popular, que una vez murmuró, pacientemente: «La vida es larga.»

—Hay pruebas de que en Aansu malversó fondos públicos para el desarrollo del turismo, en su propio provecho —informó Raza Hyder al general Tughlak—, pero esto es mucho mejor. Esto lo liquidará por completo.

La leal traición cometida por Talvar Ulhaq lo cambió todo. Se prohibió al Frente Popular participar en las elecciones; luego se aplazaron las elecciones; luego se volvieron a aplazar; luego se les dio carpetazo; luego se suprimieron. Fue en ese período cuando las iniciales APLM, que correspondían a Administrador Principal de la Ley Marcial, cobraron un nuevo sentido. La gente empezó a decir que lo que realmente querían decir era *Anulado Por La Mañana*.

Y el recuerdo de una mano derecha sobre un Libro se negaba a desvanecerse.

El presidente Iskander Harappa fue llevado del pabellón de reposo de Bagheeragali a la cárcel de Kot Lakhpat en Lahore. Lo tuvieron allí incomunicado. Padecía paludismo e infecciones del colon. Tuvo gripes graves. Se le empezaron a caer los dientes; y perdió peso también de otros modos. (Ya hemos dicho que Omar Khayyam Shakil, su antiguo compañero de diabluras, estaba adelgazando igualmente en ese período, bajo la benéfica influencia del *ayah* parsi.)

El juicio se celebró en la Audiencia de Lahore, ante cinco jueces punjabíes. Harappa, como se recordará, procedía de la hacienda de Mohenjo en Sind. El testimonio del ex jefe de la FFS, Talvar Ulhaq, fue fundamental para la acusación. Iskander Harappa declaró a su propio favor, acusando a Talvar de fabricar pruebas para salvar el pellejo. En cierto momento, Iskander utilizó la expresión «maldita sea», y fue amonestado por utilizar lenguaje malsonante en un tribunal. Se disculpó:

—Mi estado de ánimo no es muy sereno.

El presidente respondió:

—Eso no nos importa.

Lo cual hizo que Iskander perdiera los estribos:

—Ya basta —gritó— de insultos y humillaciones.

El presidente ordenó a los policías:

—Llevaos a ese hombre hasta que recobre el juicio.

Otro juez añadió el siguiente comentario:

—No podemos tolerarlo. Se cree que es el antiguo primer ministro, pero eso a nosotros no nos importa.

Todo esto figura en las actas.

Al terminar aquel juicio de seis meses, Iskander Harappa y también el rebelde señor Haroun Harappa fueron condenados a ser colgados del cuello hasta que la muerte llegara. Iskander fue trasladado inmediatamente a la celda de los condenados a muerte de la cárcel de Kot Lakhpat. Se le concedieron sólo siete días, en lugar de los treinta habituales, para recurrir contra la sentencia.

Iskander manifestó: «Cuando no hay justicia, no tiene sentido solicitarla. No recurriré.»

Aquella noche Begum Talvar Ulhaq, ex Buenas Noticias Hyder, fue encontrada en su alcoba de la residencia de los Hyders, colgada por el cuello y muerta. En el suelo, bajo sus pies balanceantes, estaba la soga rota de su primer intento, partida por el enorme peso de su embarazo. Pero eso no la había disuadido. Tenía jazmines en el pelo y había llenado la habitación de la fragancia de Joy, de Jean Patou, el perfume más caro del mundo, importado de Francia para tapar el olor de sus intestinos abiertos por la muerte. Había cosido una nota de suicidio a la obscena globulosidad de su dos piezas, con un imperdible de bebé. Hablaba de su terror ante la progresión aritmética de niños que le salían del vientre. No decía lo que pensaba de su marido, Talvar Ulhaq, que nunca compareció ante un tribunal acusado de nada.

En el funeral de Naveed Talvar, Raza Hyder no dejó de mirar fijamente la figura críptica y lejana de su esposa Bilquìs, con su *burqa* negro; recordó de pronto cómo la encontró por vez primera en aquella fortaleza distante llena de refugiados, cómo ella había estado tan desnuda como estaba ahora vestida; vio la historia de ella como una lenta retirada desde aquella desnudez temprana hasta el secreto del velo.

—Ay, Bilquìs —murmuró—, ¿qué ha sido de nuestras vidas?

—¿Quieres sentir remordimientos? —respondió ella, demasiado fuerte—. Pues siéntelos por la vida que se ha perdido. Para mí la culpa es tuya. Vergüenza, vergüenza, vergüenza de amapola.

Él se dio cuenta de que no era ya la chica radiante de la que se enamoró en un universo distinto, había perdido el juicio, y por eso hizo que el coronel Shuja la acompañara a casa antes de que terminasen los funerales.

A veces piensa que las paredes palpitan, como si el hormigón manchado por el agua hubiese adquirido un tic, y entonces se permite cerrar los párpados, tan pesados como blindajes de hierro, a fin de poder decirse a sí mismo quién es. En la armadura de su ceguera, recita: Yo, Iskander Harappa, primer ministro, presidente del Frente Popular, marido de Rani, padre de Arjumand, en otro tiempo fiel amante de. Ha olvidado el nombre de ella y obliga a sus párpados a abrirse, tiene que utilizar los dedos para levantarlos, y los muros siguen latiendo. Cucarachas desplazadas por su movimiento le caen en la cabeza; tienen tres pulgadas de largo y, cuando se las sacude y caen al suelo, tiene que aplastarlas con los talones desnudos; crujen como piñones contra el cemento. Siente un tamborileo en los oídos.

¿Qué forma tiene la muerte? La celda de los condenados tiene diez pies de largo, siete de ancho, ocho de alto, sesenta y dos coma dos yardas cúbicas de irrevocabilidad, más allá de las cuales aguarda cierto patio, un último cigarro, el silencio. *Insistiré en los Romeos y Ju-*

lietas. También esa historia termina con la muerte... Lo llaman estar incomunicado, pero no está solo, hay moscas que fornican en las uñas de sus pies y mosquitos que beben en los charcos de sus muñecas, aprovechando la sangre antes de que toda se dilapide. También cuatro guardianes en el pasillo: en resumen, mucha compañía. Y a veces dejan que sus abogados lo visiten.

A través de la puerta de las barras de hierro llega el hedor de la letrina. En invierno tirita, pero las bajas temperaturas embotan el olor pardo y fétido. En la estación cálida conectan el ventilador de techo y el olor burbujea y se hincha, metiéndole sus dedos pútridos por la nariz, haciendo que sus ojos se le salgan de las órbitas aunque tenga secos los conductos lagrimales. Comienza una huelga de hambre y, cuando está casi demasiado débil para moverse, cuelgan una manta sobre la puerta de la letrina y conectan el ventilador. Pero cuando pide agua para beber se la traen hirviendo y tiene que esperar muchas horas a que se enfríe.

Dolores en el pecho. Vomita sangre. Tiene también hemorragias nasales.

Dos años entre su caída y la horca, y casi todo el tiempo lo pasa en el espacio cerrado de la muerte. Primero en Kot Lakhpat, luego en la cárcel del distrito, desde la que, si tuviera una ventana, podría ver el palacio de su antigua gloria. Cuando lo trasladaron de la primera celda de la muerte a la segunda, tuvo la vertiginosa convicción de que no lo habían movido, de que, aunque había sentido el saco por la cabeza, los empujones, la sensación de viajar, de volar, se habían limitado a hacer eso para desorientarlo y lo habían devuelto al punto de partida. O al punto final. Las dos celdas eran tan parecidas que no quiso creer que lo habían trasladado a la capital hasta que hicieron que sus abogados se lo dijeran.

Lo tienen encadenado las veinticuatro horas del

día. Cuando se vuelve demasiado bruscamente en sueños, los grilletes de metal le muerden los tobillos. Durante una hora diaria le quitan las cadenas; caga, pasea. Y le ponen los grilletes otra vez. «Tengo la moral alta —les dice a sus abogados—, porque no soy de madera que se queme fácilmente.»

La celda de la muerte, sus proporciones, su contenido. Concentra su pensamiento en lo que hay allí de concreto, de tangible. Esas moscas y mosquitos y cucarachas son sus amigos, los cuenta, se puede tocarlos o aplastarlos o soportarlos. Esos barrotes de hierro que lo encierran, del uno al seis. Ese saco de dormir, que le dieron después de organizar un escándalo diario durante cinco meses, es una victoria, quizá la última. Esas cadenas, esa *lotah* llena de agua demasiado caliente para tocarla. Esto quiere decir algo, se pretende algo. La celda de la muerte encierra la llave del misterio de morir. Pero nadie ha arañado una clave en ningún muro.

Si se trata de un sueño, y a veces, en la fiebre de aquellos días, piensa que lo es, entonces (lo sabe también) quien sueña es otro. Él está dentro del sueño, porque si no no podría tocar insectos de sueño; el agua de sueño no lo quemaría... alguien lo está soñando. ¿Dios entonces? No, no es Dios. Lucha por recordar el rostro de Raza Hyder.

La comprensión le llega antes del final. Él, Harappa, trajo al general del desierto al mundo. El general del que esta celda es sólo un pequeño aspecto, que es general, omnipresente, omnívoro: una celda dentro de su cabeza. La muerte y el general Iskander no ven diferencia entre los términos. *De la oscuridad a la luz, de la nada al algo. Yo lo hice, fui su padre, es mi simiente. Y ahora soy menos que él. Acusan a Haroun de matar a su padre porque eso es lo que está haciendo Hyder conmigo.*

Y luego otro paso, que lo lleva más allá de esas dolorosas simplezas. El padre debe ser superior y el hijo inferior. *Pero ahora yo estoy abajo, y él arriba.* Una inversión: el padre se convierte en hijo. *Me está convirtiendo en su hijo.*

Su hijo. Que salió muerto del vientre con un nudo en torno al cuello. *Ese nudo marca mi destino.* Porque ahora comprende la celda, los muros palpitantes, el olor a excrementos, el redoble de un corazón invisible y sucio: el vientre de la muerte, un útero invertido, espejo oscuro de un lugar de nacimiento, su finalidad es absorberlo, llevarlo hacia atrás y hacia abajo a través del tiempo, hasta que cuelgue en posición fetal en medio de sus propias aguas, con un cordón umbilical fatalmente enrollado en torno al cuello. Sólo dejará este lugar cuando sus mecanismos hayan hecho su tarea, hijo de la muerte descendiendo por el canal de la muerte, y cuando el nudo aumente su presión.

Un hombre espera toda una vida para vengarse. La muerte de Iskander Harappa vengará al niño que nació muerto. *Sí: me están deshaciendo.*

Sus abogados convencieron a Iskander Harappa de que recurriera contra la sentencia de muerte de la Audiencia. Conocieron del recurso siete jueces que componían el Tribunal Supremo de la nueva capital. Para cuando terminó la vista ante el Tribunal Supremo, llevaba en cautividad un año y medio; y pasaron otros seis meses antes de que el cuerpo del ex primer ministro llegara a Mohenjo, al cuidado de Talvar Ulhaq que, para entonces, había vuelto al servicio activo en la policía.

No se celebraron elecciones. Raza Hyder se convirtió en presidente. Todo eso es bien sabido.

¿Y Sufiya Zinobia?

El reloj retrocede otra vez. Era día de elecciones y había muchas hogueras. Raza Hyder echa cenizas por la ventanilla de un coche en marcha. Isky Harappa no sabe nada de las celdas de muerte del futuro. Y Omar Khayyam Shakil está muerto de miedo.

Después de despedir a Shahbanou, el *ayah* parsi, Omar Khayyam tuvo miedo, porque vio que las siluetas de su vida anterior se alzaban para perseguirlo en su edad adulta. Una vez más, una chica parsi había quedado embarazada; una vez más había una madre con un niño sin padre. La idea de que no había escapatoria se le enrollaba en torno a la cabeza como una toalla caliente y hacía que le costara trabajo respirar; y por añadidura estaba sumamente nervioso por saber lo que haría ahora el general Hyder, al haber sido despedida el *ayah* por el delito de embarazo y no ser posible ya guardar el secreto de a quién había ido a ver Shahbanou todas las noches. Lo que había quedado al descubierto: la más penosa de las faltas, la infidelidad de un marido bajo el techo del padre de su esposa. La traición de la hospitalidad.

Pero Raza Hyder estaba tan excitado como Omar Khayyam, y no pensaba en la hospitalidad. Después de quemar el velo incrustado de sangre, lo había asaltado la idea de que quizá Talvar Ulhaq era un poco demasiado bonito para que su actitud de yerno ideal fuera auténtica. ¿Quién había sido mordido en el cuello? ¿De quién era la carrera de polo que acabó vampíricamente? ¿Quién hubiera podido, muy plausiblemente, esperar su momento y tomarse su venganza? «Qué idiota soy —se maldijo Raza a sí mismo—, hubiera debido hacer analizar la sangre. A lo mejor era sólo de cabra; pero ahora se ha convertido en humo.»

¡Oh resistencia de un padre a aceptar la Bestialidad de su hija! Convertidas en humo: certidumbres, obligaciones, responsabilidades. Raza Hyder consideró la posibilidad de olvidarlo todo... Aquella noche, sin embargo, soñó con Maulana Dawood, y el santón muerto le gritó que ya era tiempo de que empezara a creer que un diablo se había metido dentro de su hija, porque todo el asunto era una prueba para su fe, imaginada por Dios, y más valía que decidiera lo que le importaba realmente, la vida de su hija o el amor eterno de la Deidad. Maulana Dawood, que aparentemente había seguido envejeciendo después de muerto y parecía más decrépito que nunca, añadió, poco amablemente, que si le servía de algo podía asegurarle a Hyder que las fechorías de Sufiya Zinobia empeorarían en lugar de mejorar y, al final, pondrían fin indudablemente a la carrera de Hyder. Raza Hyder se despertó y rompió a llorar, porque el sueño le había mostrado su verdadero carácter, que era el de un hombre dispuesto a sacrificarlo todo, incluso a su hija, ante Dios. «Acuérdate de Abraham», se dijo mientras se enjugaba los ojos.

De modo que tanto Hyder como Shakil estaban afligidos, aquella mañana, por la sensación de haber perdido el control de sus vidas... por la presencia sofocante del Destino... Raza comprendió que no tenía más remedio que hablarle al marido de Sufiya Zinobia. No importaba aquella idiotez con el *ayah*; esto era serio, y el tipo tenía derecho a saberlo.

Cuando el A. de C. del general se presentó a Omar Khayyam Shakil y le dijo tristemente y con cierta perplejidad que el Com. en J. requería la presencia del médico para una pequeña partida de pesca, Omar comenzó a temblar como un azogado. ¿Qué podía haber tan importante para que Hyder pasara el día con él, mientras la ciudad estallaba en los fuegos artificiales de después de las elecciones? «Se acabó —pensó—, esa *ayah* ha terminado conmigo.» En el viaje en coche hasta las colinas de Bagheeragali tuvo demasiado miedo para abrir la boca.

Raza Hyder le dijo que iban a ir a un riachuelo que era famoso tanto por la belleza de las laderas boscosas que lo rodeaban como por la leyenda de que por sus aguas vagaba un fantasma que odiaba a los peces con tal ferocidad que las muchas y rollizas truchas *mahaseer* que pasaban preferían saltar a los anzuelos de cualquier pescador que pescase allí, por incompetente que fuera. Aquel día, sin embargo, ni Raza ni Omar Khayyam consiguieron sacar un solo pez.

Rechazo de las truchas *mahaseer*: ¿por qué no picaban los peces? ¿Qué era lo que hacía a aquellos dos distinguidos caballeros menos atrayentes que el pez fantasma? Al ser incapaz de penetrar en la imaginación de una trucha, brindo mi propia explicación (un tanto escamante). Un pez busca, en un anzuelo, una especie de confianza, ya que el anzuelo comunica su inevitabilidad a la boca del pez. Pescar es una lucha de ingenios; los pensamientos del pescador descienden por cañas y sedales, y son divinizados por animales con aletas. Los cuales, en esa ocasión, encontraron más fáciles de tragar aquellas aguas atormentadas que los feos pensamientos que bajaban... bueno, aceptadlo o no, pero los hechos son los hechos. Un día con botas de vadear y cestos vacíos al terminar ese día. Los peces pronunciaron su veredicto sobre aquellos hombres.

Dos hombres en el agua discutían cosas inverosímiles. Mientras a su alrededor, *koels*, pinos y mariposas añadían a sus palabras una improbabilidad fantástica... Raza Hyder, incapaz de quitarse de la cabeza conspiraciones de venganza, se encontró pensando que estaba poniendo su suerte en manos de un hombre a cuyo hermano había exterminado. ¡Oh yernos sospechosos! La duda y el pesimismo flotaban sobre la cabeza de Hyder, asustando a los peces.

Pero... aunque Iskander Harappa, en su celda de muerte, creyera que los hombres podían esperar toda la vida para vengarse... aunque voy a tener que volver a abrir esa maldita posibilidad, porque a Hyder se le ha metido en la cabeza... sencillamente, no puedo ver a nuestro héroe como una amenaza pendiente, en espera de su oportunidad, salida de una tragedia de venganzas. He admitido que su obsesión por Sufiya Zinobia podría ser auténtica; más allá de eso, o incluso a causa de eso, sigo en mis trece. Ha pasado demasiado tiempo sin que Omar Khayyam dé la menor señal de que haya en perspectiva algún castigo horrible; me parece que ha hecho su elección, eligiendo a los Hyders y repudiando a su familia; que Omar-el-marido, Omar-el-yerno, ha eliminado hace tiempo la sombra de Omar-el-hermano llorando al hermano que nunca conoció, el más oscuro de los competidores, aguardando su oportunidad... Resulta cansado cuando los personajes de uno ven las cosas con menos claridad que uno mismo; pero tengo a sus tres madres de mi parte... Y Raza no debió de tomarse demasiado en serio sus propias preocupaciones, porque terminó contándoselo todo a Omar Khayyam, los chicos sin cabeza, los rastros de semen, el velo... Y, si no lo hizo, bueno, tampoco lo haremos nosotros.

Dos hombres en la rápida corriente y, sobre sus cabezas, nubes de tormenta, invisibles para los ojos humanos pero alarmantes para los de pez. La vejiga de Omar Khayyam había empezado a dolerle de miedo, el miedo a Sufiya Zinobia que sustituía al miedo a Raza Hyder, ahora que comprendía que Raza iba a hacer la vista gorda sobre el asunto de Shahbanou; y un tercer miedo también, el miedo a lo que Raza Hyder le estaba proponiendo.

Se habló del sacrificio de Abraham. La inyección fatal, sin dolor. Las lágrimas fluían de los ojos de Hyder, hacían plaf en el agua, y su salinidad desanima-

ba aún más a los ya desdeñosos peces. «Eres médico
—le dijo Hyder— y marido. Te lo dejo a ti.»

La acción de la mente sobre la materia. En un trance hipnótico, el sujeto puede adquirir lo que parece una
fuerza sobrehumana. No se siente dolor, los brazos se
vuelven tan fuertes como barras de hierro, los pies corren como el viento. Cosas extraordinarias. Sufiya Zinobia podía ponerse en ese estado, al parecer, sin ayuda
externa. ¿Tal vez, con hipnosis, se la podría curar? Los
manantiales de la furia localizados, consumidos, dese-
cados... la fuente de su cólera descubierta y aplacada.
Recordemos que Omar Khayyam Shakil era un médico
ilustre, y que el interés profesional lo había conducido
a Sufiya Zinobia hacía años. El viejo desafío se renova-
ba. Raza y Omar Khayyam: ambos hombres se sentían
puestos a prueba, uno por Dios, el otro por su ciencia.
Y es corriente en los machos de la especie el ser incapaces de resistir la idea de una prueba... «La vigilaré de
cerca —dijo Omar Khayyam—. Hay un tratamiento
posible.»

Nadie hace nada por un solo motivo. ¿No es posible que Omar Khayyam, durante tanto tiempo desvergonzado, se volviera valeroso por una punzada de vergüenza? ¿Que su sentimiento de culpabilidad por el
asunto de Shahbanou le hiciera decir «hay un tratamiento posible», afrontando así el mayor peligro de su
vida?... Pero lo que es innegable, lo que no trato de negar, es que demostró coraje. Y el coraje es algo más raro
que el mal, después de todo. A cada uno lo suyo.

Pero ¡qué confusión invadió a Raza Hyder! A un
hombre que, por motivos religiosos, ha decidido supri-
mir a su hija, no le gusta que le digan que se ha preci-
pitado.

—Eres un necio —le dijo el general Hyder a su yerno—. Si el diablo vuelve a surgir, ella te arrancará esa
cabeza de estúpido.

Para ir al grano: durante algunos días, Omar Khayyam vigiló en casa a Sufiya Zinobia, mientras ella jugaba con los innumerables niños, saltaba a la comba para ellos y les partía piñones, y pudo ver que ella estaba empeorando, porque era la primera vez que la violencia que estallaba en ella no había dejado secuelas, ni desórdenes inmunológicos, ni trances comatosos; se estaba habituando a aquello, pensó aterrado, podía repetirse en cualquier momento, los niños. Sí, veía el peligro, ahora que se fijaba, captaba los temblores de sus ojos, la aparición y desaparición de alfilerazos de luz amarilla. La observaba detenidamente y por eso vio lo que unos ojos distraídos no hubieran visto: que los bordes de Sufiya Zinobia estaban empezando a hacerse imprecisos, como si hubiera dos seres que ocupasen su espacio aéreo, disputándoselo, dos entidades de forma idéntica pero de naturalezas trágicamente opuestas. Por aquellos puntos de luz temblorosos comenzó a darse cuenta de que la ciencia no bastaba, de que, aunque él rechazaba la posesión diabólica por ser una forma de negar la responsabilidad de los actos humanos, aunque Dios nunca había significado mucho para él, su razón no podía borrar la evidencia de aquellos ojos, no podía hacerlo ciego a aquel resplandor sobrenatural, al fuego latente de la Bestia. Y alrededor de Sufiya Zinobia jugaban sus sobrinos y sobrinas.

Ahora o nunca, pensó, y le habló al estilo de un marido al viejo estilo: «Esposa, ¿quieres acompañarme a mis habitaciones?» Ella se levantó y lo siguió sin decir palabra, porque la Bestia no estaba a cargo del asunto; pero, cuando estuvieron allí, él cometió el error de ordenarle que se echara en la cama, sin explicarle que no tenía la intención de obligarla a, de exigir sus, de forma que, naturalmente, ella comprendió mal sus intenciones e, inmediatamente, la cosa comenzó, el fuego amarillo que salía por sus ojos, y ella saltó de la cama y se dirigió hacia él con las manos extendidas como garfios.

Él abrió la boca para gritar, pero la vista de ella le chupó el aliento de los pulmones; miró fijamente aquellos ojos del Infierno, con la boca abierta como la de un pez asfixiado. Luego ella cayó al suelo y empezó a retorcerse y tener bascas, y se le formaron burbujas púrpuras en la lengua, que sobresalía. Era imposible no creer que se estaba librando una lucha, Sufiya Zinobia contra la Bestia, que lo que quedaba de aquella pobre chica se había lanzado contra el bicho, que la esposa estaba protegiendo de sí misma a su marido. Así fue cómo sucedió que Omar Khayyam Shakil mirara a los ojos a la Bestia de la vergüenza y sobreviviera, porque, aunque lo paralizó aquella llama de basilisco, ella la apagó lo suficiente para romper el hechizo, y él logró liberarse de su poder. Ella se revolcaba por los suelos tan violentamente que astilló el marco de su cama al chocar con él y, mientras se revolvía, él logró coger su maletín de médico, sus dedos lograron coger la hipodérmica y el sedante y, en el último instante mismo de la lucha de Sufiya Zinobia, cuando, por una fracción de segundo, tuvo el aspecto sereno de un niño adormecido, inmediatamente antes del ataque final de la Bestia, que hubiera destruido para siempre a Zinobia Shakil, Omar Khayyam clavó la aguja profundamente, sin anestesia local, en el trasero de ella y empujó el émbolo, y ella se hundió en la inconsciencia con un suspiro.

Había un desván. (Era una casa diseñada por arquitectos angreses.) Por la noche, cuando los criados estaban dormidos, Raza Hyder y Omar Khayyam subieron el cuerpo drogado de Sufiya Zinobia por las escaleras del desván. Hasta es posible (era difícil verlo en la oscuridad) que la envolvieran en una alfombra.

Omar Khayyam se había negado a administrarle la inyección final y sin dolor. *No la mataré. Porque ella me salvó la vida. Y porque, una vez yo salvé la suya.* Pero no creía ya que fuera posible un tratamiento; había visto los ojos dorados del hipnotizador más poderoso del mundo. Ni matarla ni curarla... Hyder y Shakil convinieron en que Sufiya Zinobia debía estar inconsciente hasta nuevo aviso. Debía entrar en un estado de suspensión de sus funciones vitales; Hyder trajo largas cadenas, y la ataron con candados a las vigas del desván; en las noches que siguieron tapiaron la ventana del desván y pusieron enormes cerrojos en la puerta; y, dos veces cada veinticuatro horas, Omar Khayyam iba sin ser visto a aquella habitación oscura, reflejo de otras celdas de muerte, para inyectar en el cuerpo diminuto echado en su delgada alfombra los líquidos de la nutrición y de la inconsciencia, para administrarle las drogas que la hacían pasar de un cuento de hadas a otro, convirtiéndola en la bella-durmiente en lugar de la-bella-y-la-bestia. «¿Qué otra cosa se puede hacer? —decía Hyder impotente—. Porque yo tampoco puedo matarla, comprendes.»

Hubo que decírselo a la familia; nadie tuvo las manos limpias. Todos fueron cómplices en el asunto de Sufiya Zinobia, y se guardó el secreto. El «milagro-que-salió-mal»... desapareció de la vista. ¡Puf! Como si tal cosa.

Cuando se anunció que el Tribunal Supremo había confirmado la sentencia de muerte por un fallo dividido, cuatro contra tres, los abogados de Iskander Harappa le dijeron que el indulto era seguro. «Es imposible ahorcar a un hombre cuando hay esa división —dijeron—. Tranquilícese.» Uno de los jueces que había votado por la absolución dijo: «Bien está lo que bien acaba.» Los precedentes legales, le dijeron a Iskander, obligaban al jefe de Estado a ejercer su clemencia después de una votación de esa índole. Iskander Harappa dijo a sus abogados: «Ya veremos.» Seis meses más tarde seguía en la celda de los condenados a muerte cuando recibió la visita del inalterablemente taciturno coronel Shuja. «Le he traído un puro —dijo el A. de C.—. Romeo y Julieta, sus favoritos, según creo.»

Iskander Harappa, mientras lo encendía, adivinó que iba a morir, y comenzó a recitar sus plegarias en magnífico árabe; pero Shuja lo interrumpió: «Debe de haber algún error, le ruego que me disculpe, señor.» Insistió en que había venido por un motivo muy diferente, se pedía a Harappa que firmase una confesión completa y, después de eso, la cuestión de la clemencia recibiría una consideración favorable. Al oírlo, Isky Harappa reunió sus últimas fuerzas y comenzó a maldecir al lúgubre oficial pathán. Fue una especie de suicidio. Sus palabras nunca fueron más ásperas. La obscenidad de su lenguaje asestaba golpes que escocían, Shuja sintió cómo le atravesaban la piel, y comprendió lo que había padecido Raza Hyder en Bagheeragali dos años antes; notó que la furia se despertaba en su interior, fue incapaz de sufrir tal humillación sin dejarse llevar por la cólera, y cuando Iskander vociferó: «Se la chupo a quien sea, chuloputas, mámale la polla a tu nieto», aquello fue el final, no importaba que Shuja no tuviera edad suficiente para tener nietos, se puso en pie muy despacio y le atravesó el corazón de un balazo al ex primer ministro.

La Bestia tiene muchos rostros. Algunos son siempre tristes.

Una ejecución en el patio de la cárcel del distrito en plena noche. Los presos aullando, golpeando con los jarros, cantaron el réquiem de Isky. Y al verdugo no se le volvió a ver. No me preguntéis qué fue de él; no puedo saberlo todo Desapareció: ¡puf...! Y, cuando cortaron la cuerda para bajar el cuerpo, el vuelo hasta Mohenjo, y Rani arrancándole del rostro el sudario. Pero nunca le vio el pecho. Y luego ciegos que veían, cojos que andaban, leprosos sanados al tocar la tumba del mártir. Se decía también que eso de tocar la tumba era un remedio especialmente eficaz para los dolores de muelas.

Y el suicidio de Clavelitos; no hace falta hablar de él otra vez. Se quedó muerta; no volvió para perseguir a nadie.

El presidente Raza Hyder, en el patio de la prisión, con un cadáver bamboleante, recordó lo que había dicho Bilquìs: «Están cayendo —pensó— como los cuerpos de un cohete.» Dawood a la Meca, Bilquìs y Sufiya perdidas tras velos diferentes, Buenas Noticias y ahora Isky dando vueltas en sus sogas. Desconfiando de sus yernos, pero unido a ellos por la necesidad, Raza sintió alrededor la vacuidad de la nada que lo rodeaba. Fue en ese momento, en que Harappa colgaba de un nudo corredizo con un saco sobre la cabeza, cuando Raza Hyder oyó la voz de Iskander: «No tengas miedo, muchacho, es muy difícil deshacerse de mí. Puedo ser un cabrón cabezota si me lo propongo.»

La voz dorada, clara como una campana. Y Raza Hyder, conmocionado, gritó: «¡Ese hijoputa no ha muerto!» La grosería salida de sus labios asombró al verdugo todavía-no-desaparecido, y enseguida, en su oído, Raza Hyder oyó la voz de Isky que se reía: No seas tonto, *yaar*. Sabes lo que está pasando.

¡Oh monólogo incesante del ahorcado! Porque nunca lo abandonó, desde el día de la muerte de Iskander hasta la mañana de la suya propia, aquella voz, sardónica cadenciosa seca, ora aconsejándole que no echase a su A. de C., porque era seguro que soltaría la verdad, ora tomándole el pelo, presidente *sahib*, tienes mucho que aprender sobre cómo dirigir el cotarro; las palabras le goteaban en el tímpano como suplicios chinos, incluso mientras dormía; a veces anecdóticas, recordándole *tilyars* y hombres-atados-a-estacas, y en otras ocasiones burlonas, ¿cuánto crees que vas a durar, Raz, un año, dos?

La voz de Iskander no era la única. Ya hemos visto la primera aparición del espectro de Maulana Dawood; volvió para encaramarse, invisiblemente, en el hombro derecho del presidente, para susurrarle al oído. Dios en su hombro derecho, el diablo en el izquierdo; ésa era la verdad invisible de la presidencia del Viejo Razia Redaños, aquellos dos soliloquios contrapuestos dentro de su cráneo, avanzando izquierdoderecho izquierdoderecho izquierdoderecho a lo largo de los años.

De *El suicida*, una obra de teatro del escritor ruso Nikolai Erdman: «Sólo los muertos pueden decir lo que piensan los vivos.»

Las reapariciones de los muertos deben compensarse con desapariciones de los vivos. Un verdugo: ¡puf! Y Clavelitos Aurangzeb. Y he reservado lo peor para el final: la noche de la ejecución de Harappa, Omar Khayyam Shakil descubrió que Sufiya Zinobia, su esposa, la hija de Hyder, se había escapado.

Un desván vacío. Cadenas rotas, vigas partidas. Había un agujero en la ventana tapiada. Tenía cabeza, brazos, piernas.

«Dios nos ayude», dijo Omar Khayyam, a pesar de sus comienzos no circuncidados, no afeitados y no susurrados. Era como si hubiese adivinado que había llegado el momento de que el Altísimo diera un paso adelante y se hiciera cargo de los acontecimientos.

12. ESTABILIDAD

El gran héroe revolucionario francés Danton, que perderá la cabeza durante el Terror, hace una observación apesadumbrada: «... Pero Robespierre y el pueblo —observa— son virtuosos.» Danton está en un escenario londinense, no es realmente Danton, en absoluto, sino un actor que recita las frases de Georg Büchner en traducción inglesa; y la época no es la de entonces, sino la de ahora. No sé si el pensamiento tuvo su origen en francés, alemán o inglés, pero sé que parece asombrosamente desolado... porque lo que significa, evidentemente, es que *el pueblo es como Robespierre*. Puede que Danton sea un héroe de la revolución, pero le gustan también el vino, la ropa elegante, las putas; debilidades que (el público lo comprende instantáneamente) permitirán a Robespierre, un buen actor de abrigo verde, cargárselo. Cuando envían a Danton a visitar a la viuda, a la vieja madame Guillotine con su cesto de cabezas, sabemos que no es realmente por ningún delito político, real o inventado. Le dan el tajo (milagrosamente escenificado) porque le gustan demasiado los placeres. El epicureísmo es sub-

335

versivo. La gente es como Robespierre. Desconfía de lo divertido.

Esa oposición —el epicúreo contra el puritano— es, según nos dice la obra, la verdadera dialéctica de la Historia. Olvidaos de izquierda-derecha, capitalismo-socialismo, negros-blancos. La virtud frente al vicio, el asceta frente a la patrona de burdel, Dios contra el Demonio: ése es el juego. *Messieurs, mesdames: faîtes vos jeux.*

Vi la obra en un gran teatro, vacío en sus dos terceras partes. La política vacía los teatros de la vieja Londres. Después, el público, al salir, hacía comentarios desaprobadores. El problema de la obra, al parecer, era que había demasiado Danton altisonante y demasiado poco siniestro Robespierre. Los espectadores lamentaban el desequilibrio. «Me gustaba el antipático», dijo alguien. Sus compañeros estaban de acuerdo.

Yo estaba con tres huéspedes de Pakistán. A todos les encantó la obra. «Qué suerte tienes —me envidiaron— en vivir donde pueden representarse esas cosas.» Me contaron la historia de un reciente intento de escenificar *Julio César* en la Universidad de P.[1] Al parecer, las autoridades se inquietaron mucho cuando supieron que el argumento exigía el asesinato del jefe de Estado. Más aún, la obra se iba a representar con trajes actuales: el general César estaría en uniforme de gala cuando los cuchillos comenzaran a trabajar. Se ejercieron grandes presiones sobre la universidad para que se abandonara la obra. Los académicos, honorablemente, resistieron, defendiendo a un antiguo escritor de nombre bastante marcial contra el ataque-de-los-generales. En cierto momento, los censores militares sugirieron una transacción: ¿no accedería la universidad a montar toda la

---

1. Indudablemente, Peshawar, capital de la Frontera del Noroeste. *(N. del T.)*

obra, tal como había sido escrita, con la única excepción de ese desagradable asesinato? Seguro que esa escena no era absolutamente necesaria...

Por último, el director de escena sugirió una solución brillante, realmente salomónica. Invitó a un destacado diplomático británico a representar el papel de César, vestido con galas imperiales (británicas). El Ejército se tranquilizó; se estrenó la obra; y cuando, la primera noche, cayó el telón, las luces del teatro se encendieron revelando una primera fila llena de generales, que aplaudían todos furiosamente para expresar su complacencia por aquella obra patriótica que presentaba el derrocamiento del imperialismo por el movimiento romano pro libertad.

Insisto: no me lo he inventado... y recuerdo a la mujer de un diplomático británico que he mencionado anteriormente. «¿Por qué el pueblo de Roma —podría haber preguntado ella— no se deshace del General César, ya sabe, de la forma usual?»

Pero estaba hablando de Büchner. A mis amigos y a mí nos gustó *La muerte de Danton*; en nuestra época de Jomeini, etc., parecía sumamente apropiada. Pero la visión de «el pueblo» de Danton (¿de Büchner?) nos molestó. Si el pueblo fuera como Robespierre, ¿cómo pudo Danton ser un héroe? ¿Por qué fue aclamado ante el tribunal?

«El problema es —razonó uno de mis amigos— que es cierto que existe esa oposición; pero es una dialéctica interna.» Eso sonaba convincente. El pueblo no es sólo como Robespierre. Es, somos también como Danton. Somos Robeston y Dampierre. La inconsecuencia no importa; yo mismo me las arreglo para sostener grandes cantidades de opiniones totalmente irreconciliables simultáneamente, sin la menor dificultad. No creo que los demás sean menos polifacéticos.

Iskander Harappa no era sólo Danton; Raza Hyder

no era lisa-y-llanamente Robespierre. Isky, desde luego, se daba la gran vida, quizá fuera una especie de epicúreo, pero también creía que siempre, sin discusión, tenía razón. Y dieciocho chales nos han mostrado que tampoco era opuesto al Terror. Lo que le ocurrió en la celda de la muerte les ocurrió a otros antes que a él. Eso es importante. (Pero, si nos preocupan los otros, tendremos que preocuparnos también, desgraciadamente, por Iskander.) ¿Y Raza Hyder? ¿Se puede creer que no sentía placer haciendo lo que hacía, que no actuaba el principio del placer, aunque él pretendiera actuar en nombre de Dios? No lo creo.

Isky y Raza. También ellos fueron Dampierre y Robeston. Lo que puede ser una explicación; pero no puede ser, desde luego, una excusa.

Cuando Omar Khayyam Shakil vio el agujero-de-forma-de-Sufiya-Zinobia en la ventana tapiada, tuvo la idea de que su esposa había muerto. Lo que no quiere decir que esperase encontrar su cuerpo sin vida en el césped, bajo la ventana, sino que adivinó que la alimaña que ella tenía dentro, la cosa ardiente, el fuego amarillo, la había consumido ya totalmente, como un incendio vacía una casa, de forma que la muchacha a la que su destino había impedido llegar a la plenitud se había reducido por fin hasta llegar al punto de fuga. Lo que se había escapado, lo que vagaba ahora por el aire confiado, no era en absoluto Sufiya Zinobia Shakil, sino algo que se asemejaba más a un principio, la personificación de la violencia, la fuerza puramente maligna de la Bestia.

«¡Maldita sea —se dijo—, el mundo se está volviendo loco.»

Había una vez una esposa, cuyo marido le inyectaba narcóticos dos veces al día. Durante dos años estuvo echada en una alfombra, como una muchacha de una fantasía que sólo puede ser despertada por el beso de sangre azulada de un príncipe; pero los besos no eran su destino. Parecía hechizada por las brujerías de la droga, pero el monstruo que tenía dentro jamás dormía, la violencia nacida de la vergüenza, pero que ahora vivía su propia vida bajo la piel de ella; luchaba con los líquidos narcolépticos, no tenía prisa, y se extendía lentamente por todo el cuerpo de ella hasta ocupar todas sus células, hasta que ella se convirtió en la violencia, que no necesitaba ya nada para desatarse, porque, una vez que un carnívoro ha probado la sangre, no se le puede engañar con verdura. Y al final derrotó a la droga, levantó su cuerpo y rompió las cadenas que lo sujetaban.

Pandora, poseída por el contenido liberado de su caja.

Fuego amarillo tras sus párpados cerrados, fuego bajo las uñas y en las raíces de su pelo. Sí, es verdad que estaba muerta, estoy seguro de ello, no había ya Sufiya-Zinobidad, todo se había consumido en aquel Infierno. Arrojad un cuerpo a una pira funeraria y se agitará, arrodillará, incorporará, danzará, sonreirá; el fuego mueve los hilos nerviosos del cadáver, que se convierte en títere de la hoguera, produciendo una horrorosa ilusión de vida en medio de las llamas...

Había una vez una Bestia. Cuando estuvo segura de su fuerza, eligió el momento y saltó a través de una pared de ladrillos.

Durante los cuatro años siguientes, es decir, el período de la presidencia de Raza Hyder, Omar Khayyam Shakil se hizo viejo. Nadie lo notó al principio, porque tenía canas desde hacía años; pero cuando cumplió los sesenta, sus pies, que durante la mayor parte de su vida habían tenido que soportar la carga inverosímil de su obesidad, se rebelaron, porque después de la marcha de Shahbanou, el *ayah*, cuando se vio privado de sus tés de menta y del alimento nocturno de la lealtad de ella, él comenzó a ganar peso otra vez. Los botones se le saltaban de la cintura de los pantalones, y sus pies se declaraban en huelga. Los pasos de Omar Khayyam se convirtieron en atroces dolores, aunque se apoyara en el bastón de escondido estoque que había llevado todos aquellos años, desde la época de su libertina alianza con Iskander Harappa. Comenzó a pasar horas y más horas sentado en una silla de mimbre en lo que en otro tiempo fue la celda de Sufiya Zinobia, mirando por la ventana que conservaba, con perfil fantástico, la imagen remanente en ladrillo de su desaparecida esposa.

Se retiró del hospital de Mount Hira y enviaba la mayor parte de su pensión a una vieja casa de Q., habitada por tres ancianas que se negaban a morir, a diferencia de Bariamma, que había hecho hacía tiempo lo correcto, expirando, apuntalada con almohadones, de forma que pasó casi un día entero antes de que nadie se diera cuenta de lo que había pasado... Se envió más dinero al *ayah* parsi, y Omar Khayyam vivió tranquilamente bajo el techo de Raza Hyder, partiendo piñones, mientras sus ojos, vagando hacia el exterior por la ventana del desván, parecían seguir a alguien, aunque no había nadie.

Como conocía bien la teoría de que la susceptibilidad a la hipnosis era indicio de una facultad de imaginación muy desarrollada —de que el trance hipnótico es una forma de creatividad interior, durante la cual el sujeto se rehace a sí mismo y hace el mundo que elige— a veces pensaba que la metamorfosis de Sufiya Zinobia debió de ser voluntaria, porque ni siquiera un autohipnotizador puede obligarse a sí mismo a hacer algo que no esté dispuesto a hacer. De forma que ella había elegido, había creado a la Bestia... en cuyo caso, rumiaba en su silla de mimbre con la boca llena de piñones, el caso de ella es una lección objetiva. Demuestra los peligros de dar demasiada rienda suelta a la imaginación. Los estragos de Sufiya Zinobia eran consecuencia de una fantasía desbocada.

«La vergüenza debería visitarme —le informó al *koel* encaramado a la ventana—, aquí estoy haciendo lo mismo que critico, pensando en Dios sabe qué, viviendo demasiado metido en mi cabeza.»

También Raza Hyder pensaba: «La vergüenza debería visitarme.» Ahora que ella se había ido, los pensamientos de él estaban llenos de ella. Aquel algo-demasiado-flojo en los músculos, aquel algo-semicoordinado en su forma de andar le había impedido quererla durante algún tiempo. *Casi tuvo que morirse antes de que yo. Y, desde luego, no fue suficiente.* La cabeza le reventaba de voces: Isky Dawood Isky Dawood. Es difícil pensar bien... y ahora ella se vengaría. De algún modo, alguna vez, lo hundiría. A menos que él la encontrase antes. Pero, ¿a quién enviar, a quién hablar? «Mi hija, la idiota de la encefalitis, se ha convertido en una guillotina humana y ha empezado a arrancar cabezas. Ésta es su foto, se la busca viva o muerta, hay una hermosa recompensa.» Imposible. Inimaginable.

Oh impotencia del poder. El presidente convenciéndose a sí mismo de que no debe ser estúpido, de que ella no sobrevivirá, no ha sobrevivido, no se ha sabido nada desde hace tiempo, sin noticias buenas noticias. O de que aparecerá en algún lado y entonces echaremos tierra encima. Pero todavía seguía apareciendo en sus pensamientos la imagen de una chica diminuta con un rostro de severidad clásica; era una acusación... Palpitándole en las sienes, Isky y Dawood susurraban y discutían, derechaizquierdaderecha. Pero a uno lo pueden perseguir los vivos tanto como los muertos. En sus ojos aparecía una mirada extraña.

Como Omar Khayyam Shakil, el presidente Raza Hyder comenzó a partir y comerse grandes cantidades de piñones, la golosina favorita de Sufiya Zinobia, que se había pasado muchas horas felices liberando los piñones de su cáscara, con dedicación demente, porque partir piñones es una forma de locura, se gasta más energía sacando las malditas cosas que la que se obtiene al comerlas.

—General Hyder —le pregunta a Raza el entrevistador de la televisión angresa— fuentes informadas opinan, observadores atentos pretenden, muchos de nuestros espectadores occidentales dirían, ¿cómo refutaría el argumento de, tiene algo que decir sobre la alegación de que el establecimiento por su parte de castigos islámicos como los azotes o el amputar manos podrían considerarse en ciertos medios como, discutiblemente, con arreglo a ciertos criterios, por decirlo así, bárbaros?

Raza Hyder sonríe a la cámara, una sonrisa cortés, la sonrisa de un hombre de buenos modales y no escaso decoro.

—No es bárbaro —responde—. ¿Por qué? Por tres razones. —Levanta un dedo por cada razón y las va contando—. La primera —explica— es que, les ruego que me comprendan, una ley, por sí misma, no es bárbara ni no bárbara. Lo que importa es quién aplica esa ley. Y en este caso soy yo, Raza Hyder, quien la aplica, de manera que, desde luego, no será bárbara.

»La segunda es, permítame decírselo, señor, que no somos salvajes bajados de un árbol, ¿comprende? No nos limitamos a decirle a la gente que ponga las manos, así y, *fataakh!*, con la cuchilla del carnicero. No señor. Todo se hace en las condiciones más higiénicas, con la debida vigilancia médica, utilizando anestésicos, etc.

»Pero la tercera razón es que no se trata de leyes, mi querido amigo, que nos hayamos sacado de la manga. Son las palabras sagradas de Dios, reveladas en textos sagrados. Por lo tanto, si son palabras sagradas de Dios, no pueden ser también bárbaras. No es posible. Deben de ser otra cosa.

Había preferido no moverse de la casa del presidente en la capital nueva, sintiéndose más cómodo en la residencia del comandante-en-jefe, a pesar de las hordas ruidosas de niños sin madre que tiranizaban a las *ayahs* por los pasillos. Al principio había estado dispuesto a pasar algunas noches bajo el techo presidencial, por ejemplo cuando la conferencia panislámica, en que llegaron jefes de Estado de todo el mundo, y todos se trajeron a sus madres, de forma que se desató el infierno, porque las madres del ala de la *zenana* comenzaron enseguida una lucha con-uñas-y-dientes por cuestiones de precedencia, y no hacían más que mandar mensajes urgentes a sus hijos, interrumpiendo las sesiones de plenipotenciarios de la conferencia para quejarse de insultos mortales recibidos y honores mancillados, lo que hizo que los dirigentes mundiales estuvieran a punto de empezar peleas a puñetazos e incluso guerras. Raza Hyder no tenía una madre que lo pusiera en apuros, pero tenía sus preocupaciones, porque había descubierto, en la primera noche de la conferencia, que, mientras estaba en aquel palacio que parecía un aeropuerto, la voz de Iskander resonaba tan fuerte en sus oídos que apenas podía oír nada más. El monólogo del ahorcado le zumbaba en el cráneo, y parecía como si Isky hubiera decidido dar a su sucesor algunos consejos útiles, porque la voz incorpórea había empezado a citar liberalmente y con un sonsonete irritante lo que a Raza le costó un rato largo descubrir eran las obras del tristemente céle-

343

bre infiel y extranjero Nicolás Maquiavelo. Raza se pasaba las noches despierto con aquel zumbido espectral en la cabeza. «Al apoderarse del Estado —decía Iskander—, el conquistador debe arreglárselas para cometer todas sus atrocidades enseguida, porque las lesiones deben causarse juntas, de forma que, al ser menos saboreadas, ofendan menos.» Raza Hyder no había podido impedir que una exclamación («¡*Ya Allah*, cállate, cállate!») saliera de los labios presidenciales, e inmediatamente los guardias entraron corriendo en su alcoba, temiendo lo peor, a saber, una invasión de las madres eternamente quejosas de los dirigentes mundiales; Raza tuvo que decirles avergonzado: «Nada, nada. Una pesadilla, un mal sueño, nada para preocuparse.»

«Lo siento, Raza», susurró Iskander, «sólo trataba de ayudarte.»

En el momento en que terminó la conferencia y las madres se separaron, Raza se apresuró a volver a su otro hogar, donde podía descansar, porque la voz de Maulana Dawood en su oído derecho era más fuerte que la de Isky en el izquierdo Aprendió a concentrar su atención en el lado derecho y, como consecuencia, le fue posible vivir con el fantasma de Iskander Harappa, aunque Isky siguió tratando de imponer su opinión.

En el siglo xv, el general Raza Hyder se convirtió en presidente de su país, y todo empezó a cambiar. El efecto del incesante monólogo de Iskander Harappa fue arrojar a Raza en los brazos ectoplasmáticos de su viejo amigote Maulana Dawood. Alrededor de cuyo cuello habían colocado en otro tiempo, por error, cierto collar de zapatos Raza Hyder, con su moretón *gatta* era, como recordaréis, el tipo de *mohajir* que había llegado con Dios saliéndole por los bolsillos, y cuanto más le susurraba Iskander tanto más sentía Raza que Dios era su única esperanza. De forma que cuando Dawood gimoteó «aquí en la santa Meca puede verse mucho mal; hay que purificar los santos lugares, ése es tu primero y único deber», Hyder prestó atención, aunque era evidente que la muerte no había conseguido desengañar al santón de la idea de que había llegado al centro sagrado de la fe, Mecca Sharif, la ciudad de la gran Piedra Negra.

Lo que hizo Raza: prohibió el alcohol. Cerró la famosa y antigua fábrica de cerveza de Bagheera, de forma que Panther Lager se convirtió en un recuerdo amable en lugar de ser una bebida refrescante. Alteró los programas de televisión tan drásticamente que la gente empezó a llamar a expertos para que les arreglaran los aparatos, porque no podían comprender por qué sus televisores se negaban de pronto a mostrarles más que conferencias teológicas, y se preguntaban cómo era posible que aquellos *mullahs* se hubieran quedado encerrados dentro de la pantalla. El día del cumpleaños del profeta, Raza ordenó que todas las mezquitas del país hicieran sonar una sirena a las nueve de la mañana, y todo el que no se detuvo y rezó al oír el aullido fue transportado inmediatamente a la cárcel. Los mendigos de la capital y también de otras ciudades recordaron que el Corán obligaba a los fieles a dar limosnas, de forma que aprovecharon la llegada de Dios al puesto de presidente para organizar una serie de marchas inmensas para pedir la implantación, por ley, de un donativo mínimo de cinco rupias. Sin embargo, subestimaron a Dios; en el primer año de su mandato, Raza Hyder encarceló a cien mil pordioseros y, metido ya en faena, a otros veinticinco mil miembros del ahora ilegal Frente Popular, que después de todo no eran mucho mejores que los mendicantes. Declaró que Dios y el socialismo eran incompatibles, de forma que la doctrina del Socialismo Islámico en que el Frente Popular basaba su atracción era la peor clase de blasfemia imaginable. «Iskander Harappa nunca creyó en Dios —manifestó públicamente—, y por eso destruía el país mientras pretendía unirlo.» Esa doctrina de la incompatibilidad hizo a Raza muy popular con los norteamericanos, que opinaban lo mismo, aunque el Dios afectado fuera diferente.

«De los que han alcanzado el puesto de príncipe por medio de la villanía —le susurró al oído la voz de Iskander— *Il Principe*, capítulo octavo. Deberías leerlo; es muy corto», pero para entonces Raza había encontrado la forma de hacer caso omiso de su siniestro o izquierdo ángel de la muerte. Suprimía los enredos de Isky y, en lugar de tomar nota de los precedentes históricos ofrecidos por las historias de Agatocles el Siciliano y Oliverotto da Fermo, escuchaba a Maulana Dawood. Iskander se negaba a renunciar, alegando que sus motivos eran desinteresados, y tratando de recordarle a Raza la diferencia existente entre atrocidades bien y mal cometidas, y la necesidad de disminuir las atrocidades con el paso del tiempo y de conceder las mercedes poco a poco, a fin de que pudieran disfrutarse mejor. Pero para entonces el fantasma de Dawood había cogido el tranquillo; tenía más confianza, a causa del trato de preferencia que le daba el presidente, y ordenó a Raza que prohibiera las películas o, por lo menos, para empezar, las importadas; se opuso a que las mujeres anduvieran sin velo por las calles; exigió medidas firmes y una mano de hierro. Es un hecho documentado que, en aquellos días, los estudiantes religiosos comenzaron a llevar pistola disparando de vez en cuando al azar contra los profesores insuficientemente devotos; que los hombres escupían a las mujeres en la calle si ellas se dedicaban a sus cosas enseñando el diafragma en un dos piezas; y que una persona podía ser estrangulada por fumar un cigarrillo durante el mes del ayuno. Se desmanteló el sistema jurídico, porque los abogados habían demostrado la naturaleza fundamentalmente profana de su profesión al oponerse a diversas actividades del Estado; se sustituyó por tribunales religiosos presididos por santones, a los que Raza designaba por la razón sentimental de que sus barbas le recordaban a su difunto asesor. Dios se ocupaba de todo y, por si acaso alguien lo dudaba, Él hacía pequeñas demostraciones de Su poder: hizo que varios elementos contrarios a la fe desaparecieran como los chicos de los barrios miserables. Sí, los muy cabrones fueron simplemente borrados por el Altísimo, se desvanecieron, puf, como si tal.

Raza Hyder era un hombre ocupado en aquellos años, con poco tiempo para lo que le quedaba de vida familiar. No hacía caso de sus veintisiete nietos, dejándoselos a su padre y sus *ayahs*; pero su devoción por la idea de la familia era conocida, le importaba mucho, y por eso veía a Bilquìs regularmente, una vez por semana. Hacía que la llevaran a los estudios de televisión a tiempo para sus mensajes al país. Éstos comenzaban siempre por una sesión de plegaria, durante la cual Raza se arrodillaba en primer plano, renovando su moretón, mientras detrás de él Bilquìs rezaba también, como una buena esposa, un poco desenfocada y velada de la cabeza a los pies. Él se sentaba con ella unos momentos antes de la transmisión, y se dio cuenta de que llevaba siempre algo para coser. Bilquìs no era Rani; no bordaba chales. Sus actividades eran a la vez más sencillas y más misteriosas, y consistían en coser grandes pedazos de tela negra en formas imposibles de descifrar. Durante mucho tiempo, la torpeza de las relaciones entre ellos impidió a Raza preguntarle qué demonios hacía, pero al final su curiosidad pudo más que él y, cuando estaba seguro de que no había nadie más al alcance del oído, el presidente preguntó a su esposa:

—¿Qué son todas esas puntadas? ¿Qué estás haciendo con tanta prisa que no pueda esperar a volver a casa?

—Sudarios —respondió ella seriamente, y él sintió un estremecimiento en la espina dorsal.

Dos años después de la muerte de Iskander Harappa, las mujeres del país comenzaron a organizar marchas contra Dios. Esas procesiones eran asunto delicado, decidió Raza, y había que manejarlas cuidadosamente. De modo que pisó con cautela, aunque Maulana Dawood le gritara al oído que era un debilucho y que debía dejar a aquellas putas desnudas y colgarlas de todos los árboles disponibles. Sin embargo, Raza se mostró circunspecto; dijo a la policía que evitara golpear a las damas en los pechos al disolver las manifestaciones. Y finalmente Dios recompensó su virtuosa moderación. Sus investigadores averiguaron que las marchas estaban siendo organizadas por cierta Noor Begum, que recorría los barrios y las aldeas avivando los sentimientos antirreligiosos. Sin embargo, Raza seguía reacio a pedirle a Dios que hiciera desaparecer a aquella zorra, porque después de todo no se puede pedir al Altísimo que lo haga todo; de forma que se sintió profundamente justificado cuando le proporcionaron pruebas de que aquella Noor Begum era un personaje tristemente célebre, con un historial de exportación de mujeres y niños a los harenes de príncipes árabes. Sólo entonces envió a sus hombres a detenerla, porque nadie podía oponerse a tal detención, y hasta Iskander Harappa lo felicitó: «Aprendes deprisa, Raza, quizá hayamos subestimado todos tu talento.»

Éste era el lema de Raza Hyder: «Estabilidad, en el nombre de Dios.» Y, después del asunto de Noor Begum, añadió otra máxima a la primera: «Ayúdate y Dios te ayudará.» Para lograr la estabilidad-en-nombre-de-Dios, puso a oficiales del Ejército en los consejos de administración de todas las empresas industriales importantes del país; colocó generales en todas partes, de forma que el Ejército intervino en todo mucho más profundamente de lo que lo había hecho jamás. Raza supo que su política había tenido éxito cuando los generales Raddi, Bekar y Phisaddi, los miembros más jóvenes y capaces de su Estado Mayor, vinieron a verlo con pruebas sólidas de que el general Salmàn Tughlak, conchabado con el jefe de la policía, Talvar Ulhaq, el propio yerno de Raza Hyder, y con el coronel Shuja, durante mucho tiempo su A. de C., estaba planeando un golpe de Estado. «Necios estúpidos —murmuró Raza Hyder, pesaroso—. Adictos al whisky, ¿os dais cuenta? Necesitan sus *chota pegs* y por eso están dispuestos a deshacer todo lo que hemos logrado.» Adoptó una expresión lacrimosa, tan trágica como cualquiera de las de Shuja; pero en secreto estaba encantado, porque siempre lo había molestado el recuerdo de su inepta llamada telefónica al general Tughlak; había estado tratando de encontrar un motivo para deshacerse de su A. de C. desde el asunto de la celda de la muerte en la Cárcel del Distrito; y Talvar Ulhaq había dejado de ser digno de confianza hacía años. «Un hombre que se revuelve contra un jefe —les dijo Raza a los jóvenes Raddi, Bekar y Phisaddi— se revolverá contra otro.» Pero lo que realmente quería decir era que la clarividencia de Talvar lo aterrorizaba y que, de todas formas, el tipo lo sabía todo sobre Sufiya Zinobia, lo que significaba que sabía demasiado... Raza les dio palmadas en la espalda a los jóvenes generales y les dijo: «Muy bien, muy bien, ahora todo está en el regazo de Dios.» Y a la mañana siguiente los tres conspiradores habían desaparecido sin dejar la más mínima nubecilla de humo. Los veintisiete huérfanos de Talvar Ulhaq llenaron la residencia del Com. en J. de gritos curiosamente armonizados, chillando todos exactamente en el mismo tono y parándose a respirar al mismo tiempo, de modo que todo el mundo tuvo que llevar tapones en los oídos durante cuarenta días; luego comprendieron que su padre no iba a volver y se callaron totalmente, con lo que su abuelo no volvió a darse cuenta de su presencia hasta la última noche de su reinado.

La lealtad de sus generales más jóvenes mostró a Raza Hyder que el Ejército lo estaba pasando demasiado bien para tener ganas de armar jaleo. «Una situación estable —se felicitó a sí mismo—, todo en perfecto estado de revista.»

Fue en ese momento cuando su hija Sufiya Zinobia volvió a entrar en su vida.

¿Puedo intercalar unas palabras sobre el tema del nuevo despertar islámico? No será muy largo.

Pakistán no es Irán. Esto puede sonar raro hablando de un país que, hasta Jomeini, era una de las dos únicas teocracias del mundo (Israel era la otra) pero, en mi opinión, Pakistán nunca ha sido una sociedad dominada por los *mullahs*. Los extremistas religiosos del partido Jamaat tienen sus seguidores entre los estudiantes universitarios y demás, pero son relativamente pocas las personas que han votado nunca al Jamaat en unas elecciones. El propio Jinnah, su fundador o Quaid-i-Azam, no me parece un tipo especialmente preocupado por Dios. El Islam y el Estado Musulmán eran, para él, ideas políticas y culturales; no se trataba de teología.

Lo que digo será anatematizado probablemente por el régimen actual de ese país desventurado. Mala suerte. Mi tesis es que el Islam hubiera podido resultar una eficaz fuerza unificadora en el Pakistán posterior a Bangladesh, si la gente no hubiera tratado de hacer de ello algo tan todopoderosamente importante. Es posible que sindhis, beluchis, punjabíes y pathanes, por no hablar de los inmigrantes, hubieran enterrado sus diferencias en aras de una fe común.

Sin embargo, pocas mitologías sobreviven a un examen atento. Y la verdad es que pueden hacerse muy impopulares si se obliga a la gente a tragárselas.

¿Qué ocurre si a uno lo alimentan a la fuerza con esos platos descomunales e indigestos?... Que se pone malo. Que rechaza el alimento. Lector: que vomita.

El llamado «fundamentalismo» islámico no brota, en Pakistán, del pueblo. Se le impone desde arriba. Los regímenes autocráticos encuentran útil abrazar la retórica de la fe, porque el pueblo respeta ese lenguaje y se resiste a oponerse a él. Así es como las religiones apuntalan a los dictadores; rodeándolos de palabras poderosas, de palabras que el pueblo se resiste a ver desacreditadas, privadas de sus derechos, ridiculizadas.

Pero lo de hacer-tragar-por-la-fuerza es verdad. Al final, uno se harta, se pierde la fe en la fe, si no como tal fe, desde luego como base de un Estado. Y entonces el dictador cae, y se descubre que ha arrastrado a Dios con él, que se ha deshecho el mito justificador de la nación. Eso deja sólo dos opciones: la desintegración o una nueva dictadura... no, hay una tercera, y no seré tan pesimista que niegue esa posibilidad. La tercera opción es sustituir el antiguo mito por otro nuevo. He aquí tres de esos mitos, todos ellos disponibles en almacén para su rápida entrega: libertad; igualdad; fraternidad.

Yo los recomiendo vivamente.

Más tarde, durante su huida aterrorizada de la capital, Raza Hyder recordaría la historia de la pantera blanca que había circulado en la época de la detención de Iskander Harappa; y se estremecería de comprensión y de miedo. El rumor se había apagado bastante deprisa, porque nadie dijo nunca que hubiera visto de veras a aquel animal fabuloso, salvo un chico de pueblo llamado Ghaffar, bastante poco de fiar, y su descripción había sido tan disparatada que la gente había decidido que la pantera había surgido de la cabeza, notoriamente indigna de confianza, de Ghaffar. Aquella bestia inverosímil de la imaginación del muchacho era, según dijo, «no toda blanca, tenía la cabeza negra y no tenía pelo en ninguna otra parte, como si se hubiera quedado calva; además, andaba de una forma extraña». Los periódicos recogieron esa declaración en broma, sabiendo que sus lectores sentían una afición tolerante por las historias de monstruos; pero el general Hyder, recordando el asunto, fue acometido por la horrible idea de que la pantera blanca de Bagheeragali había sido un milagro proléptico, una profecía amenazadora, el fantasma del Tiempo, el futuro caminando por las selvas del pasado. «La vio sin duda alguna —pensó Raza amargamente—, y nadie lo creyó.»

Ella reapareció así:

Una mañana, Omar Khayyam Shakil estaba sentado mirando por la ventana del desván como siempre, cuando Asgari, la barrendera, a la que ponía furiosa esa costumbre de él que la obligaba a subir y barrer aquella habitación olvidada, y también su forma distraída de dejar caer las cáscaras de piñón en el suelo mientras ella trabajaba, refunfuñó con su desdentado aliento de vieja que olía fuertemente a desinfectante *fineel*: «Esa bestia debería subir aquí y acabar con todas las personas sin consideración que no dejan a una mujer honrada hacer su trabajo.» La palabra «bestia» atravesó las nieblas de la ensoñación de Omar Khayyam, y él alarmó a la anciana preguntándole en voz muy alta: «¿Qué quieres decir con eso?» Cuando ella se convenció de que no iba a hacer que la echaran como a Shahbanou y de que no tomaba su inocente exabrupto como un insulto, se tranquilizó y lo regañó, como hacen los viejos criados, por tomarse las cosas demasiado a pecho. «Otra vez han empezado esas historias, eso es todo —le dijo—, las lenguas desocupadas necesitan ejercicio. No hace falta que el gran *sahib* se excite tanto.»

Durante el resto del día Omar Khayyam fue zarandeado por una tormenta interior cuya causa no se atrevía a nombrar, ni siquiera para sí, pero de noche, mientras dormitaba, soñó con Sufiya Zinobia. Ella estaba a cuatro patas y desnuda como su madre como consecuencia del legendario viento de fuego de su juventud... no, más aún, porque no había nada que colgara de sus hombros, ningún *dupatta* de modestia-y-vergüenza. Él se despertó, pero el sueño se negaba a abandonarlo. Flotaba ante sus ojos, el espectro de su esposa en la selva, cazando víctimas humanas y animales.

En las semanas que siguieron, se sacudió la letargia de sus más-de-sesenta años. A pesar de sus pies doloridos, se convirtió en una figura familiar y excéntrica en la estación de autobuses, donde se acercaba cojeando a tipos temibles de la Frontera y les ofrecía dinero a cambio de alguna información. Rondaba los mataderos *halal*, apoyado en su bastón, los días en que los campesinos traían animales de los distritos lejanos. Frecuentaba los bazares y los destartalados cafés, una figura incongruente de traje gris, apoyada en un bastón de estoque, que hacía preguntas y escuchaba, escuchaba.

Poco a poco le resultó evidente que era verdad que se volvían a contar historias de la pantera blanca; pero lo curioso era que habían empezado a llegar de todo el país, en los hatos de las bacas de los autobuses de los trabajadores de los campos de gas que volvían de Aguja y en las cananas de los hombres con fusil de las tribus procedentes del norte. Era un país grande, incluso sin su Ala Oriental, una tierra de desiertos y deltas pantanosos tachonados de mangles y de baluartes y abismos montañosos; y desde cada rincón remoto del país, al parecer, el cuento de la pantera viajaba hasta la capital. Cabeza negra, cuerpo pálido sin pelo, andares torpes.

La ridiculizada descripción de Ghaffar se la repitieron a Omar Khayyam, una y otra vez, viajeros analfabetos, todos los cuales creían que el rumor era exclusivo de su parte del mundo. Él no los sacaba de esa creencia.

Asesinatos de animales y de hombres, aldeas atacadas en la oscuridad, niños muertos, rebaños degollados, aullidos que helaban la sangre en las venas: era el clásico miedo al comedor de hombres, pero con un rasgo nuevo y aterrador: «¿Qué animal —le preguntó a Omar Khayyam un hombre de la Frontera de seis pies de alto, con el espanto inocente de un niño— puede arrancarle la cabeza a un hombre de los hombros y sacarle las entrañas por el agujero para comérselas?»

Supo de aldeas en que habían formado grupos de vigilantes, de hombres de las tribus de las montañas que habían puesto centinelas al acecho durante toda la noche. Los relatos de apariciones iban acompañados de jactanciosas alegaciones de haber herido al monstruo, o de patrañas menos creíbles aún, no te lo creerás, *sahib*, le acerté exactamente entre los ojos con mi escopeta de *shikar*, pero esa cosa es un demonio, se dio simplemente la vuelta y se desvaneció en el aire, no se puede matar a esas alimañas, que Dios nos proteja... de forma que parecía que la pantera blanca se estaba convirtiendo ya en mito. Había quienes decían que podía volar, o volverse inmaterial, o crecer hasta ser más alta que los árboles.

Ella creció también en la imaginación de Omar Khayyam Shakil. Durante mucho tiempo él no le habló a nadie de sus sospechas, pero pululaban en torno a su insomne figura nocturna, rodeaban el sillón de sus días de partir piñones. Se la imaginaba a ella, a aquello, a la Bestia, prefiriendo, con la astucia de su espíritu, distanciarse de las ciudades, sabiendo quizá que, a pesar de su fuerza colosal, era vulnerable, que en las grandes ciudades había balas, gases, tanques. Y qué rápida se había vuelto, cuánto terreno cubría, extendiéndose tanto por las periferias del país que pasaron años antes de que las distintas leyendas pudieran encontrarse mutuamente, para unirse en los pensamientos de él, formando el dibujo que revelaba aquella forma oscurecida por la noche. «Sufiya Zinobia —dijo ante la ventana abierta—, ahora te puedo ver.»

A cuatro patas, con gruesos callos en las palmas de las manos y las plantas de los pies. El pelo negro, en otro tiempo rapado por Bilquìs Hyder, y ahora largo y enmarañado en torno al rostro, rodeándolo como una piel; el pálido cutis de su ascendencia *mohajir* quemado y endurecido por el sol, mostrando, como cicatrices de guerra, las laceraciones de arbustos y animales y de sus propias uñas rascadoras. Unos ojos feroces y el hedor del estiércol y la muerte. «Por primera vez en su vida —la compasión que había en su pensamiento lo sobresaltó a él mismo— esa chica es libre.» La imaginó orgullosa; orgullosa de su fuerza, orgullosa de la violencia que la estaba convirtiendo en leyenda, que impedía que nadie le dijera lo que tenía que hacer, o cómo tenía que ser, o qué hubiera debido ser y no era; sí, se había sobrepuesto a todo lo que no quería oír. ¿Podría ser posible, se preguntó, que los seres humanos fueran capaces de descubrir su nobleza en su propio salvajismo? Luego se irritó consigo mismo, al recordar que ella no era ya Sufiya Zinobia, que no quedaba nada en ella que pudiera reconocerse como la hija de Bilquìs Hyder, que la Bestia que tenía dentro la había cambiado para siempre. «Debería dejar de llamarla por su nombre», pensó; pero descubrió que no podía. *La hija de Hyder. Mi mujer. Sufiya Zinobia Shakil.*

Cuando decidió que no podía guardar más su secreto y fue a informar a Raza Hyder de las actividades de su hija, se encontró a los tres generales, Raddi, Bekar y

Phisaddi, que salían de la oficina del presidente con expresiones idénticas de beatitud ligeramente aturdida. Habían estado en el noveno cielo desde que Hyder los ascendió a su gabinete íntimo a raíz del golpe de Estado de Tughlak, pero en aquella ocasión estaban embriagados por un exceso de plegaria. Acababan de decirle a Raza que los rusos habían enviado a un ejército al país del A., al otro lado de la Frontera del Noroeste y, con gran asombro por su parte, el presidente había saltado de su silla, desplegado cuatro esterillas de rezar en el suelo e insistido en que todos dieran las gracias, rápidamente, *fut-a-fut*, por aquella bendición que Dios les otorgaba. Habían estado levantándose y prosternándose una hora y media, adquiriendo en la frente los primeros rastros del moretón que Raza ostentaba con orgullo, cuando él se detuvo y les explicó que el ataque ruso era la última medida de la estrategia de Dios, porque ahora la estabilidad de su gobierno tendría que ser asegurada por las Grandes Potencias. El general Raddi contestó, con un poco de excesiva acritud, que la política norteamericana se centraba en organizar un contragolpe espectacular contra los Juegos Olímpicos, pero, antes de que Raza perdiera los estribos, los amigos de Raddi, Phisaddi y Bekar, comenzaron a estrecharse las manos y a felicitarse ruidosamente. «Ese yanqui de culo gordo —vociferó Phisaddi, refiriéndose al embajador de Estados Unidos— tendrá que pagar ahora las facturas», y Bekar comenzó a fantasear sobre cinco mil millones de dólares de equipo militar nuevo, el material más reciente por fin, misiles capaces de volar de costado sin agotar el oxígeno de sus motores y sistemas de seguimiento capaces de detectar un mosquito anofeles extranjero en un radio de diez mil millas. Estaban tan entusiasmados que, cómodamente, se olvidaron de comunicar al presidente el resto de las noticias; sin embargo Raddi se acordó, y soltó, antes de que nadie pudiera detenerlo, la noticia de que el señor Haroun Harappa había fijado su residencia en una manzana de apartamentos selectos situada en el centro de Cabul, la capital del A. Sus colegas, alarmados por la segunda estimación errónea hecha por Raddi del talante del presidente, intentaron echarle otra vez una mano, asegurando a Raza que la noticia no se había confirmado, de Cabul venían toda clase de informaciones equivocadas a raíz de la ocupación rusa; intentaron desviar su atención hacia la cuestión de los refugiados, pero el presidente no hizo más que resplandecer.

—Pueden mandarnos diez millones de refugiados —exclamó—, porque, al hacerse cargo de ése, han completado mi escalera real.

Entonces los tres generales se sintieron confusos; los tres se creyeron obligados a explicar que, según sus informaciones más fiables, Haroun Harappa estaba recibiendo apoyo pleno y activo del nuevo régimen respaldado por los rusos al otro lado de la frontera, y estaba formando un grupo terrorista, con armas soviéticas y entrenamiento palestino, al que había llamado Al-Iskander en recuerdo de su amado tío.

—Excelente —sonrió abiertamente Hyder—, ahora, por fin, podremos mostrar al pueblo que el Frente Popular no es más que una cuadrilla de asesinos y *badmashes*. —E hizo que los tres generales se arrodillaran y dieran gracias a Dios otra vez.

De forma que Raza Hyder acompañó a sus colegas hasta la puerta de su despacho con auténtica alegría en el corazón y, cuando el aturdido triunvirato salió tambaleándose, el presidente saludó a Omar Khayyam Shakil con auténtica cordialidad:

—¿Qué hay, viejo zorro, qué te trae por aquí?

El pasmoso buen humor de Raza Hyder despertó curiosas emociones en Omar Khayyam, de forma que respondió, casi con placer:

—Un asunto sumamente delicado y confidencial.
—Y, tras la puerta cerrada del despacho del presidente, una sombría satisfacción lo invadió mientras comunicaba a Raza sus especulaciones e investigaciones, y veía cómo las buenas noticias desalojaban el rostro del presidente y eran sustituidas por la gris palidez del miedo.

—Vaya, vaya —dijo Raza Hyder—, casi me había engañado a mí mismo convenciéndome de que había muerto.

—Yo la compararía con un río impetuoso —le susurró Iskander Harappa al oído— que, cuando se vuelve turbulento, inunda las llanuras, derribando árboles y edificios; todo el mundo huye ante él y todo se rinde a su furia sin poder oponérsele. Así ocurre con la Fortuna, que muestra su poder donde no se han tomado medidas para resistirla, y dirige su furia hacia donde sabe que no se han levantado diques ni barreras para contenerla.

—¿Qué barreras? —exclamó en voz alta Raza Hyder, convenciendo a Omar Khayyam de que el presidente se estaba derrumbando ante la tensión—. ¿Qué muros puedo alzar contra mi hija?

Pero Maulana Dawood, su ángel de la derecha, no dijo nada.

¿Cómo cae un dictador? Hay un viejo proverbio que dice, con optimismo absurdo, que las tiranías acaban por su propia naturaleza. Igual se podría decir que, por su propia naturaleza, comienzan, continúan, se atrincheran y, a menudo, son mantenidas por potencias mayores que la suya.

Bien, bien, no tengo que olvidar que sólo estoy contando un cuento de hadas. Mi dictador será derribado por medio de duendes, de hadas. «Eso te facilita mucho las cosas», es la crítica evidente; y yo estoy de acuerdo, estoy de acuerdo. Pero añadiré, aunque suene un poco cascarrabias: «Intentad *vosotros* deshaceros de un dictador alguna vez.»

Cuando Raza Hyder llevaba casi cuatro años de presidente, la pantera blanca comenzó a acercarse a la capital. Es decir, los asesinatos y los sacrificios de animales se aproximaron más entre sí, las apariciones se hicieron más frecuentes, y las historias se unieron unas a otras, formando un cerco alrededor de la ciudad. El general Raddi le dijo a Raza Hyder que, para él, era evidente que esos actos de terrorismo eran obra del grupo Al-Iskander mandado por Haroun Harappa; ante lo cual, con gran sorpresa por su parte, el presidente le dio cordialmente grandes golpes en la espalda. «Muy bien, Raddi —rugió Hyder—, no eres tan idiota como creía.» Raza convocó una conferencia de prensa presidencial, en la que echó la culpa de los llamados «asesinatos sin cabeza» a los infames *dacoits* y pistoleros respaldados por los rusos y a las órdenes del superbandido Haroun, cuya finalidad era socavar el temple moral del país. «Para debilitar nuestra divina decisión —dijo Raza—, su propósito es la desestabilización, pero puedo aseguraros que nunca lo lograrán.»

Secretamente, sin embargo, estaba espantado por esa última prueba de su impotencia para hacer frente a su hija. Le parecía, una vez más, que los años de su grandeza y de la construcción del gran edificio de la estabilidad nacional no habían sido más que mentiras para engañarse a sí mismo, que su némesis le había seguido todo el tiempo los pasos, permitiéndole elevarse más y más para que su caída fuera mayor; su propia carne se había vuelto contra él, y nadie puede defenderse de una traición así. Cediendo a una melancolía fatalista nacida de la certidumbre de su próxima perdición, dejó la dirección cotidiana del gobierno en manos de sus tres ascendidos generales, sabiendo que si Sufiya Zinobia era muerta por las numerosas partidas que batían el país en busca de terroristas, sería también identificada, y que la vergüenza de tal reconocimiento lo derribaría; sin embargo, si ella esquivaba a sus perseguidores, tampoco serviría de nada, porque veía que lo que ella estaba haciendo era avanzar lentamente hacia el interior, trazando espirales inexorables hacia el centro, hacia la habitación misma que él medía a grandes pasos, insomne, triturando a cada zancada la alfombra de cáscaras de piñón que cubría el suelo, mientras Omar Khayyam, igualmente sin dormir, miraba fijamente por la ventana del desván a la noche amenazadora.

Silencio en su oído derecho. Maulana Dawood se había desvanecido, para no volver a hablarle. Atormentado por ese silencio, que era ahora tan opresivo como las frases sibilantes, cada vez más malignamente satisfechas, de Iskander Harappa en su lado izquierdo, Raza Hyder se hundió más profundamente aún en las arenas movedizas de su desesperación, al comprender que Dios lo había abandonado a su suerte.

No he cambiado de opinión sobre Haroun Harappa: el tipo era un bufón. Sin embargo, el tiempo inflige extrañas ironías a sus víctimas, y Haroun, que en otro tiempo lanzaba consignas revolucionarias poco sinceras y hacía chistes sobre cócteles Molotov encaramado en una tortuga de mar, era ahora la encarnación de lo que en otro tiempo había menospreciado, un jefe de banda tristemente célebre, con una cuadrilla de forajidos a su mando.

Las autoridades permitieron tanto a Rani como a Arjumand Harappa hacer declaraciones públicas desde Mohenjo, lamentando las actividades terroristas. Pero

Haroun había desarrollado la incontenible tozudez del hombre auténticamente estúpido; y la muerte de Isky Harappa lo había curado por fin de su obsesión por el recuerdo de Buenas Noticias Hyder. No es raro que un amor muerto vuelva a nacer convertido en su contrario, y ahora el nombre de «Hyder» hacía que Haroun se pusiera rojo de ira. Es otra ironía, por ello, que su apoderamiento de una aeronave civil en la pista del aeropuerto de Q. sólo sirviera para desviar la atención, por unos momentos, del escándalo de los asesinatos de la pantera blanca y de la crisis del régimen de Hyder.

Cuando avisaron al general Raddi de la captura de la aeronave en Q., inició un plan notable, dando órdenes a las autoridades de policía locales para que adularan a los hombres de Harappa tanto como pudieran. «Díganles que está en marcha un golpe de Estado —sugirió Raddi, asombrándose a sí mismo por lo inspirado de su idea—, que Hyder ha sido capturado y que pronto se liberará a las mujeres de Mohenjo.» Haroun Harappa, el muy idiota, se lo creyó, y mantuvo la aeronave en tierra, con todos sus pasajeros, esperando ser llamado al poder.

El día se hizo más caluroso. La humedad se condensaba en el techo de la cabina de los pasajeros y caía sobre sus ocupantes en forma de lluvia. Las reservas de comida y bebida de la aeronave escaseaban, y Haroun, con la impaciencia de su ingenuidad, habló por radio con la torre de control, pidiendo que le enviaran una comida. Su solicitud fue acogida con gran cortesía; se le dijo que el futuro dirigente del pueblo se lo merecía todo, y muy pronto se envió a la aeronave un banquete de proporciones generosas, mientras la torre de control rogaba a Haroun que comiera y bebiera hasta hartarse, asegurándole que se le informaría en el momento en que pudiera salir sin peligro. Los terroristas se atiborraron con aquel alimento de sueños, con las albóndigas de una esperanza-más-allá-de-toda-esperanza y con las bebidas espumosas de la ilusión y, una hora después de acabar, se habían quedado todos dormidos en el calor, con los botones superiores del pantalón desabrochados. La policía subió a la aeronave y los esposó sin disparar un solo tiro.

El general Raddi buscó a Hyder en la residencia del Com. en J., y lo encontró en el desván de su desesperación. Entró en él y descubrió a Raza y Omar Khayyam perdidos en silencios.

—Magníficas noticias, señor —anunció, pero, cuando terminó su informe, se dio cuenta de que, de alguna forma, había conseguido meter la pata otra vez, porque el presidente se volvió contra él y rugió:

—De forma que tiene a Harappa en chirona, ¿eh? ¿Y a quién le va a echar ahora la culpa de las muertes de la pantera?

El general Raddi se ruborizó como una novia y comenzó a disculparse, pero su desconcierto pudo más que él y rugió:

—Pero señor, indudablemente, la eliminación de la amenaza del Al-Iskander significa que los asesinatos sin cabeza cesarán...

—Vete, vete, fuera de mi vista —refunfuñó Raza, y Raddi se dio cuenta de que la cólera del presidente era apagada, distante, como si él hubiera aceptado algún destino secreto. Las cáscaras de piñón crujieron bajo las botas de Raddi cuando salió.

Las muertes continuaron: agricultores, perros sin dueño, cabras. Los asesinatos formaban un cerco de muerte en torno a la casa; habían llegado a las afueras de las dos ciudades, la capital nueva y la población vieja. Asesinatos sin ton ni son, cometidos, al parecer, por afición a matar o para satisfacer alguna necesidad horrorosa. El aplastamiento de Haroun Harappa suprimió la explicación racional; el pánico comenzó a crecer. Las partidas de búsqueda se duplicaron, y luego se volvieron a duplicar; sin embargo, el lento dibujo circular de sangre continuaba. La idea del monstruo comenzó a ser tratada con incrédula seriedad por los periódicos. «Nunca hay señales de lucha.» Un dibujante trazó la imagen de una cobra gigante hipnotizando a hordas bien armadas, pero impotentes, de mangostas.

—No falta mucho —dijo en voz alta Raza Hyder en el desván—. Es el último acto.

Omar Khayyam asintió. Le parecía que Sufiya Zinobia estaba probando su fuerza, ensayando el poder de aquellos ojos hipnóticos en grupos cada vez mayores, petrificando a sus adversarios, que eran incapaces de defenderse cuando las manos de ella se cerraban alrededor de su cuello. «Sólo Dios sabe a cuántos puede enfrentarse —pensó—, quizá a un regimiento ya, a todo el ejército, al mundo entero.»

Debemos decir claramente que Omar Khayyam tenía miedo. Raza se había convencido, fatalistamente, de que su hija venía contra él, pero igualmente podía andar buscando al marido que la drogó y encadenó. O a la madre que la llamó su Vergüenza.

—Tenemos que huir —le dijo a Raza, pero Hyder parecía no oírle; la sordera de la aceptación, del silencio-en-el-oído-derecho y de Isky-en-el-izquierdo había paralizado sus sentidos. Un hombre abandonado de Dios puede decidir morir.

Cuando el secreto quedó al descubierto, a Omar Khayyam empezó a parecerle un milagro que la verdad hubiera estado oculta tanto tiempo. Asgari, la barrendera, había desaparecido sin previo aviso, incapaz, quizá, de hacer frente a la proliferación de cáscaras de piñón; o tal vez fue sólo el primer criado que huyó del terror, el primero que adivinó lo que era probable que le ocurriera a cualquiera que se quedara en la casa... parece probable, en cualquier caso, que fuera Asgari quien descubrió el pastel. Un signo de la decadencia del poder de Raza fue que los periódicos se atrevieran a publicar artículos en los que insinuaban que la hija del presidente era una loca peligrosa a la que su padre había dejado escapar de su residencia, mucho tiempo antes, «sin molestarse siquiera en advertir a las autoridades competentes», como dijo un diario con descaro. Ni la prensa ni la radio llegaron a relacionar la desaparición de Sufiya Zinobia con los «asesinatos sin cabeza», pero estaba en el ambiente, y en los bazares y en las estaciones de autobuses y sobre las mesas de los cafetuchos el monstruo comenzó a recibir su verdadero nombre.

Raza convocó a su triunvirato de generales. Raddi, Bekar y Phisaddi llegaron, y oyeron a Hyder recoger, por última vez, algunos añicos de su antigua autoridad.

—¡Detened a esos subversivos! —pidió, agitando los periódicos ante los generales—. ¡Los quiero en la cárcel más sombría, los quiero acabados, difuntos, *kaput!*

Los tres oficiales esperaron a que hubiera terminado, y el general Raddi dijo entonces, con la satisfacción pura de alguien que ha aguardado mucho tiempo ese momento:

—Señor presidente, no creemos que sea una medida aconsejable.

—Dentro de uno o dos días vendrá el arresto domiciliario —le dijo Hyder a Omar Khayyam—, cuando hayan preparado el terreno. Te lo dije: es el telón del último acto. Ese Raddi, hubiera debido darme cuenta, estoy perdiendo facultades. Cuando un general sueña con un golpe de Estado en este maldito país, se puede apostar que intentará realizarlo, aunque al principio sólo lo considere como una especie de broma, como un juego.

¿Cómo cae un dictador? Raddi Bekar Phisaddi levantan algunas prohibiciones periodísticas. Se insinúa en letras de molde algunas conexiones fatales: los pavos muertos de Clavelitos Aurangzeb, el sofocón del día de la boda de Buenas Noticias Hyder y el cuello rígido de Talvar Ulhaq, las teorías sobre los muchachos muertos en los barrios miserables llegan por fin a los periódicos. «La gente es como madera seca —dice Raza Hyder—. Esas chispas iniciarán el incendio.»
Y entonces llega la última noche.

Durante todo el día la multitud se ha estado congregando en torno a los muros del recinto, volviéndose más colérica a medida que se hace mayor. Ahora es de noche y la oyen arremolinarse: cantos, gritos, burlas. Dónde está ella, se pregunta Shakil, ¿vendrá ahora, o cuándo? ¿Cómo acabará todo, piensa: con el populacho invadiendo el palacio, linchamientos, saqueos y llamas... o del otro modo, el más extraño, con la gente abriéndose como aguas mitológicas, desviando los ojos, dejando pasar a su paladín para que haga su trabajo desagradable: a su Bestia de ojos feroces? Naturalmente, piensa con insensatez, naturalmente no han enviado soldados para protegernos, qué soldado pondría el pie en esta casa de muerte inminente... y entonces oye en los corredores de abajo los suaves sonidos de ratas, los susurros de los criados que huyen de la casa, con sus petates sobre la cabeza; sirvientes y *hamals* y barrenderos, jardineros y chicos para todo, *ayahs* y doncellas. Algunos de ellos van acompañados de niños, que a la luz del día podrían parecer demasiado bien alimentados para sus ropas andrajosas, pero que, de noche, pasarán por hijos de pobres. Veintisiete niños; al oírlos salir, cuenta, con la imaginación, sus pasos acolchados. Y siente, surgiendo de la invisible muchedumbre nocturna, una expectación que llena el aire.

—Por el amor de Dios —le ruega a Raza— vamos a intentar salir.

Pero Hyder es una figura aplastada, incapaz, por primera vez en su vida, de producir humedad con los ojos.

—Imposible —se encoge de hombros—, las masas. Y más allá estarán los soldados.

La puerta cruje; unos pies de mujer aplastan cáscaras vacías dispersas. Acercándose a través de los restos de piñones... la figura olvidada de Bilquìs Hyder. Que lleva un montón de vestidos sin forma, una selección del trabajo de sus años de aislamiento. *Burqas*, comprende Omar Khayyam, mientras la esperanza estalla en su interior, capas de la invisibilidad, velos de-la-cabeza-a-los-pies. *Los vivos llevan sudarios como los muertos.* Bilquìs Hyder dice simplemente:

—Poneos eso. —Shakil se apresura a ponerse su disfraz de mujer; Bilquìs introduce la tela negra por la cabeza de su marido, que no se resiste—. Tu hijo fue una hija —le dice ella—, de manera que tú también tienes que cambiar de forma. Sabía que los estaba cosiendo por alguna razón.

El presidente se muestra pasivo, se deja llevar. Unos fugitivos con velos negros se mezclan con los criados que escapan por los oscuros pasillos de la casa.

Cómo cayó Raza Hyder: en medio de la improbabilidad; en el caos; en vestidos de mujer; de negro.

Nadie hace preguntas a las mujeres que llevan velo. Pasan a través de la multitud y del cerco de soldados, jeeps, camiones. Finalmente Raza habla:

—¿Y ahora qué? ¿Adónde vamos?

Y como Omar Khayyam tiene la sensación de haber salido en medio de un sueño, se oye a sí mismo responder:

—Creo que yo sé un sitio.

¿Y Sufiya Zinobia?

No atacó el palacio vacío. No la capturaron, ni la mataron, ni fue vista más en esa parte del país. Fue como si su hambre hubiera quedado satisfecha; o como si nunca hubiera sido más que un rumor, una quimera, la fantasía colectiva de un pueblo sofocado, un sueño nacido de su rabia; o incluso como si, sintiendo un cambio en el orden del mundo, se hubiera retirado y estuviera dispuesta a esperar un poco más, en ese siglo XV, a que llegara su momento.

V

EL DÍA DEL JUICIO

Casi he terminado.

Velados, dando tumbos en autobuses, encogiéndose en las sombras de las estaciones, se dirigen hacia el sur y el oeste. Siempre por rutas de trayectos cortos, en autobuses que se detienen cuando se les pide, evitando los rápidos correos de la carretera nacional. Saliendo de la meseta de Potwar, bajando por las llanuras de aluvión, con el rostro vuelto hacia la frontera situada más allá de Q. Sólo tienen el dinero que encuentran en sus bolsillos, de modo que comen poco y beben cuanto pueden: lívidos cordiales verdes, té rosa achicado en grandes cacharros de aluminio, agua sacada de lagos amarillos en los que se tumban lánguidos carabaos. Durante días enteros apenas hablan, y se fuerzan a sí mismos a permanecer impasibles cuando los policías pasan mirando de reojo las largas colas de viajeros que esperan en las estaciones de pequeñas ciudades, golpeándose con el *lathi* sus muslos de pantalón corto. Para Shakil y Hyder, la humillación de las letrinas de señoras. No hay país más miserable que la Huida.

No los cogen; nadie espera encontrar a un presidente huido, vestido de mujer, en un desvencijado autobús de tercera. Pero hay días y noches de insomnio; hay miedo, y desesperación. Una fuga a través de un país que explota. En la laxitud del calor de las zonas rurales, los radios de los autobuses interrumpen las desmayadas agonías de los cantantes para hablar de tumultos y tiroteos. En dos ocasiones se encuentran sentados en autobuses rodeados de manifestantes, y se preguntan si van a morir en una arenosa ciudad anónima, tragados por un fuego de gasolina. Pero se deja pasar a los autobuses y, lentamente, la frontera se acerca. Y, más allá de la frontera, la posibilidad de una esperanza: sí, podría haber refugio al otro lado de la frontera, en ese país colindante de reyes-sacerdotes, hombres santos que, sin duda, darían refugio a un dirigente caído con un moretón en el entrecejo. Y entonces podrían estar incluso suficientemente lejos de *ella*, de la némesis feral, de la venganza de la carne contra la carne. Raza Hyder, desvirilizado por los velos cosidos por su esposa, se aferra a esas briznas de optimismo.

La frontera es imposible de vigilar. Los postes de hormigón avanzan por los yermos. Omar Khayyam recuerda las historias de la gente que la cruza como quiere, del viejo Zoroaster empobrecido por esa frontera abierta, privado por esa tierra baldía de todo suplemento de ingresos. El recuerdo de Farah Rodrigues que esa reminiscencia desencadena casi lo ahoga, mezclándose en su gaznate con la historia del *ayah* Shahbanou; y entonces comienza el mareo. Cuando recuerda la nube que descendió sobre la frontera y lo asustó tanto que se desmayó en brazos de Farah, comprende que su antiguo vértigo vuelve para atormentarlo, se abalanza sobre él mientras va sentado en un autobús traqueteante, con pollos que le picotean en el cuello y aparceros mareados en los pasillos, que le vomitan en los dedos de los pies. El vértigo lo devuelve a su infancia y le muestra una vez más la peor de todas sus pesadillas, la boca abierta del vacío. Las partes más profundas de Omar Khayyam se agitan una vez más, el mareo las revuelve, lo avisan de que, digan lo que digan, tiene que saber que la frontera es el borde de su mundo, el cerco de las cosas, y que los verdaderos sueños son esas ideas inverosímiles de atravesar esa frontera sobrenatural para llegar a alguna absurda alucinación de tierra prometida. Vuelve a Nishapur, susurran las voces interiores, porque allí es donde te has estado dirigiendo, toda tu vida, desde el día en que te fuiste.

El miedo aleja el vértigo; le da fuerzas para no desmayarse.

El momento peor llega casi al final. Están subiendo al último autobús de su huida, el autobús que los llevará a la estación de Q., cuando oyen la broma aterradora. «Ya veis adónde hemos llegado en este país —se burla el conductor del autobús; es enorme, con brazos como troncos de árbol y un rostro como un almohadón de crin—, hasta los travestidos llevan ahora *purdah*.» Inmediatamente, todo el autobús de mineros del gas y canteros de la bauxita comienza un alboroto de silbidos de admiración, risas groseras, obscenidades, aullidos, canciones; las manos se alargan para pellizcar el trasero de los *hijra*. «Esto es el final —piensa Omar Khayyam—, estamos listos, atrapados, *funtoosh*», porque está seguro de que alguien les arrancará el velo, y el rostro de Hyder es famoso después de todo... Pero es entonces cuando Bilquìs Hyder habla más fuerte y hace callar por completo a los pasajeros. «Deberíais avergonzaros —exclama con su voz indiscutiblemente femenina—, ¿es que los hombres de esta región han caído tan bajo que tratan como putas a las señoras?» Un silencio desconcertado en el autobús. El conductor, ruborizándose, ordena a tres trabajadores del campo que dejen libres sus asientos en la delantera misma del vehículo —para estar seguros, *begums*, de que no las molestarán más; sí, es una cuestión de honor para mí, la dignidad de mi autobús ha sido manchada.

Así: en un autobús silencioso y contrito, y después de sobrevivir a un buen susto, Omar Khayyam Shakil y sus dos acompañantes llegan, poco después de medianoche, a la estación de autobuses de las afueras de Q. Cojeando con sus pies doloridos, sin el apoyo del bastón que ha tenido que dejar atrás, agotado, los guía por calles no iluminadas hasta un gran edificio situado entre el Acantonamiento y el bazar, donde se quita el velo y emite cierto silbido, repitiéndolo hasta que ve movimiento en una ventana del piso superior; y entonces el artilugio de Mistri Yakoob Balloch comienza a descender, y son alzados hasta Nishapur, la patria, el hogar, como cubos de agua de un pozo.

Cuando las tres madres de Omar Khayyam comprendieron quién había sido llevado a su presencia lanzaron pequeños suspiros, como si, después de muchos años, se hubieran visto liberadas de unos vestidos especialmente apretados e, instalándose cómodamente una al lado de otra en su viejo columpio chirriante, comenzaron a sonreír. La sonrisa era beatífica, inocente, pero, de algún modo, su repetición en aquellas tres bocas idénticamente ancianas le daba un carácter de amenaza clara, aunque indefinible. Era plena noche, pero una de las tres viejas señoras, a la que Omar Khayyam, exhausto por sus viajes, apenas había reconocido como Chhunni-ma, le ordenó que fuera enseguida a la cocina e hiciera un poco de té, como si él acabara de llegar después de salir unos minutos.

—No hay criados ya —se disculpó graciosamente Chhunni Shakil ante Raza Hyder, que se había arrancado el *burqa* y derrumbado en un sillón, en un estado de aturdimiento que la fatiga explicaba sólo en parte—, pero nuestros primeros visitantes en más de cincuenta años deben tener una taza de bienvenida.

Omar Khayyam se fue pesadamente y volvió con una bandeja, sólo para ser cariñosamente regañado por una segunda madre, los restos marchitos de Munnee-la-de-en-medio:

—Qué calamidad, te lo juro. ¿Qué clase de cacharro traes? Vete al *almirah* y saca lo mejor.

Él siguió la dirección de su dedo hasta un gran armario de teca, en el que descubrió, con gran asombro por su parte, el servicio de porcelana de mil piezas, hacía tiempo perdido, de las cerámicas Gardner de la Rusia zarista, aquellos milagros del arte de los fabricantes de loza que se habían desvanecido, convirtiéndose en simple leyenda, ya en su infancia. Los platos y fuentes resucitados pusieron en su rostro un ardiente arrebol, llenando sus pensamientos vertiginosos de un terror nostálgico e inspirándole la idea fugaz pero impresionante de que había vuelto a una casa poblada sólo por fantasmas. Pero las tazas y platos y platitos azul-y-rosa eran indudablemente sólidos; los colocó en la bandeja con un estremecimiento de incredulidad.

—Y ahora vete corriendo a la lata de Peek Frean y trae el bizcocho —ordenó su madre más joven, Bunny, con su voz octogenaria temblando con un placer que no se esforzó en explicar.

Omar Khayyam musitó algo desconcertado e inaudible y salió cojeando para traer el rancio pastel de chocolate que puso el toque final de pintoresca inverosimilitud a la pesadilla llena de *takallouf* de aquel té.

—Eso está mejor —dijo Chhunni con aprobación mientras cortaba y servía trozos de bizcocho seco—. Con unos huéspedes tan distinguidos, esto es lo que hay que hacer.

Omar Khayyam observó que, mientras él estaba fuera de la habitación buscando el bizcocho, sus madres habían obligado a Bilquìs Hyder, mediante la fuerza inexorable de su encanto cortés, a quitarse el *burqa.* El rostro de ella, sin cejas, pálido de polvo, muerto de sueño, era una mascarilla mortuoria, con sólo unos puntos vivos de color rojo en los pómulos para indicar que estaba viva; hizo que los remordimientos que Omar Khayyam tenía fueran peores que antes. Su taza tintineó en el plato, mientras el corazón se le encogía por el miedo renovado a la atmósfera críptica de su infancia, que podía convertir a personas vivas en espejos de sus fantasmas; y entonces Bilquìs habló, y él se vio sacado de aquellas fantasías de su agotamiento al expresar ella una idea sumamente extraña.

—En otro tiempo había gigantes —declaró Bilquìs Hyder cuidadosa y melancólicamente.

Las leyes del *takallouf* la obligaban a dar conversación, pero hacía demasiado tiempo que Bilquìs había practicado la cháchara insulsa; había perdido la habilidad para hacerlo, y había que tener en cuenta además la tensión y el debilitamiento causados por la larga huida, por no hablar de la excentricidad de sus últimos años. Sorbiendo su té mientras hablaba, sonriendo radiantemente en respuesta a la triple sonrisa de sus anfitrionas, parecía imaginar que estaba contando alguna anécdota insignificante y divertida, o disertando ingeniosamente sobre alguna sofisticada cuestión de moda.

—En otro tiempo los gigantes vagaban por el mundo —repitió, categóricamente—. Sí, titanes sin lugar a dudas, es un hecho.

Las tres madres crujían y se columpiaban con expresiones de ensimismamiento fascinado en sus rostros sonrientes; pero Raza Hyder no prestaba atención, cerró los ojos, gruñía de cuando en cuando.

—Ahora, sin embargo, los pigmeos los han sustituido —les confió Bilquìs—. Personajes diminutos. Hormigas. En otro tiempo él fue un gigante —lanzó un pulgar en dirección a su soñoliento marido—, no lo creeríais al verlo, pero lo era. Las calles por donde pasaba se estremecían de miedo y respeto, incluso aquí, en esta misma ciudad. Sin embargo, ya veis, hasta un gigante puede pigmificarse, y ahora se ha encogido, es más pequeño que una chinche. Pigmeos por todas partes, y también insectos y hormigas... una vergüenza para los gigantes, ¿verdad? Una vergüenza por encogerse. Eso es lo que yo opino.

Tres ancianas señoras asintieron gravemente mientras Bilquìs formulaba su lamento; luego se apresuraron a darle la razón.

—Muy cierto —declaró Chhunni cortésmente, y Munnee metió baza:

—Gigantes, gran verdad, tenía que haberlos. —Y entonces Bunny Shakil terminó:

—Porque, después de todo, también hay ángeles, todavía andan por ahí, oh sí, estamos seguras.

Un color antinaturalmente vivo se extendió por el rostro de Bilquìs mientras sorbía su té, aniquilando su imagen de mascarilla mortuoria; al parecer estaba decidida a encontrar consuelo en aquella escena espantosa, a convencerse de que estaba segura creando una intimidad desesperada y superrápida entre ella misma y las tres crujientes ancianas... pero Omar Khayyam había dejado de darse cuenta de las cosas porque, en el momento en que la menor de sus madres mencionó a los ángeles, comprendió el extraño buen humor de las hermanas Shakil. Sus tres madres estaban improvisando aquel instante de teatro demencial para no tener que aludir a cierto joven muerto; había un agujero en el centro de su sonriente hospitalidad y estaban dando vueltas alrededor de su periferia, alrededor de un vacío como el que los animales que huyen hacen en ventanas tapiadas, de una ausencia con la forma del innombrable Babar Shakil. Sí, eso era, estaban en un estado de júbilo, porque tenían por fin a Raza Hyder en sus garras, y no veían más que una razón para que Omar Khayyam hubiera llevado allí a aquel sujeto; de forma que estaban tratando de no estropear las cosas, procurando adormecer a sus víctimas con una sensación de falsa seguridad, no querían que los Hyders se preocuparan y huyeran. Y al mismo tiempo suspiraban felices, convencidas de que por fin iba a ocurrir, la venganza, ante sus mismas narices. La cabeza de Omar Khayyam Shakil le dio vueltas al darse cuenta de que las tres lo obligarían a hacerlo... a dar muerte sin piedad y a sangre fría a Raza Hyder bajo el techo de sus madres.

A la mañana siguiente se despertó por el ruido de Bilquìs Hyder cerrando ventanas de golpe. Omar Khayyam se levantó con esfuerzo de una cama que estaba inexplicablemente empapada de sudor, con las piernas más débiles y los pies más doloridos que de costumbre, y salió renqueando para ver qué pasaba. Encontró a sus tres madres mirando a Bilquìs mientras ella recorría violentamente la casa, cerrando las ventanas, ferozmente, como si estuviera furiosa por algo; aseguraba los postigos y bajaba las persianas *chick*. A Omar Khayyam le llamó la atención por primera vez lo altas que eran sus madres, como brazos extendidos hacia el cielo. Ellas permanecían en actitudes de mutua solicitud, sujetándose unas a otras por los codos y sin intentar oponerse al frenesí cerrador-de-ventanas de Bilquìs. Omar Khayyam quiso detenerla, porque, a medida que las ventanas se cerraban, el aire de dentro de la casa se hacía más espeso y apelmazado, hasta que le pareció estar inhalando sopa *mulligatawny*, pero sus tres madres le indicaron que se estuviera quieto.

—Es nuestra invitada —susurró Chhunni-ma—, de forma que puede quedarse para siempre si quiere.
—La anciana había adivinado que la conducta de Bilquìs era la de una mujer que había ido ya suficiente-

mente lejos, demasiado lejos, una mujer que había dejado de creer en fronteras y en lo-que-pudiera-haber-detrás. Bilquìs se estaba parapetando contra el mundo exterior, con la esperanza de que ese mundo desapareciera, y ésa era una actividad que las hermanas Shakil podían comprender sin necesidad de decir palabra.

—Ha sufrido —dijo Munnee Shakil con una sonrisa misteriosa—, pero aquí es bienvenida.

Omar Khayyam sintió que el aire se coagulaba en sopa, y los gérmenes de la claustrofobia comenzaron a reproducirse. Pero en el aire había otros gérmenes también y, cuando Bilquìs se derrumbó en un hirviente estupor, Omar Khayyam adivinó el significado de su propia debilidad matinal, los ardientes arreboles, las piernas de goma.

—Paludismo —se obligó a decir, y entonces el vértigo se arremolinó a su alrededor y él cayó al suelo junto a Bilquìs Hyder, sin sentido y ardiendo.

En aquel preciso instante Raza Hyder se despertó de un sueño morboso, en el que se le habían aparecido varios pedazos del difunto Sindbad Mengal, todos mal unidos, de forma que la cabeza del hombre muerto estaba en mitad de su estómago, y los pies le sobresalían del cuello, con las plantas hacia arriba, como orejas de asno. Mengal no le había hecho ningún reproche, pero había advertido a Raza de que, tal como iban las cosas, el general *sahib* sería troceado a su vez dentro de unos días. El Viejo Razia Redaños, medio dormido aún, se levantó de la cama dando gritos de peligro, pero la enfermedad había empezado a arder también dentro de él, y cayó hacia atrás dando boqueadas y tiritando como si fuera invierno. Las hermanas Shakil vinieron y se situaron junto a su cama para verlo temblar.

—Qué bien —dijo plácidamente Bunny Shakil—, parece que el general no tiene prisa por marcharse.

La fiebre era un fuego que lo dejaba a uno frío. Quemaba las barreras entre la conciencia y el sueño, de forma que Omar Khayyam no sabía nunca si las cosas sucedían realmente o no. En cierto momento, mientras yacía en una habitación oscura, creyó oír a Bilquìs que gritaba algo sobre encefalitis, sobre castigos y condenas, al ser castigada la madre con la enfermedad que lisió a su hija, en la ciudad de su vergüenza. Creyó también oír a Raza pedir a gritos piñones. Y en otra ocasión estuvo seguro de que la olvidada figura del maestro Eduardo Rodrigues estaba acusadoramente a su cabecera, sosteniendo un bebé muerto en brazos... pero eso no podía ser cierto, tenía que haber sido el delirio. Hubo momentos en que sentía una especie de lucidez, en los que llamaba a sus madres y les dictaba nombres de drogas. Tenía recuerdos de haber recibido medicación, se acordaba de brazos que le levantaban la cabeza y le metían pastillas blancas en la boca, pero cuando mordió una por error sabía a calcio, de forma que su cerebro febril tuvo la sospecha de que sus madres no habían enviado a buscar ninguna medicina. Sus pensamientos se caldearon hasta el punto de poder considerar la enfermiza posibilidad de que las hermanas Shakil estaban encantadas de dejar que el paludismo hiciera su trabajo desagradable, de que estaban dispuestas a sacrificar a su hijo superviviente si se llevaba consigo a los Hyders. O están locas ellas o lo estoy yo, pensó, y entonces la fiebre lo acometió otra vez, haciendo imposible todo pensamiento.

A veces, creía, había recuperado el conocimiento y escuchado abajo, a través de las ventanas cerradas y atrancadas, retazos de voces coléricas, y también disparos, explosiones, cristales rotos, y eso, a menos que hubiera sido también parte del delirio significaba que estaban surgiendo disturbios en la ciudad, sí, podía recordar claramente algunos gritos, por ejemplo «¡El hotel está en llamas!» ¿Lo estaba o no? Los recuerdos venían hacia él dando bandazos por los pantanos de la enfermedad, ahora estaba casi seguro de haber oído arder el hotel, el estrépito de la cúpula dorada al derrumbarse, los últimos graznidos sofocados de una orquesta aplastada bajo la mampostería al caer. Hubo una mañana en que la nube de cenizas del hotel muerto logró penetrar en Nishapur, a pesar de los postigos y cristales se infiltró en su alcoba, cubriéndolo todo con el polvo gris de la muerte del hotel y reforzando su sensación de haber caído en una casa de fantasmas. Pero cuando preguntó a una —¿a cuál?— de sus tres madres por el hotel quemado, ella —¿quién?— respondió: «Cierra los ojos ahora y no te preocupes. Cenizas por todas partes, qué ocurrencia.»

Siguió creyendo que el mundo estaba cambiando fuera, viejos órdenes estaban pasando, grandes estructuras estaban siendo derribadas mientras otras se alzaban en su lugar. El mundo era un terremoto, se abrían abismos, templos de ensueño surgían y caían, la lógica de los Montes Imposibles había bajado para infectar las llanuras. En su delirio, sin embargo, en las garras ardientes de la enfermedad y la atmósfera fétida de la casa, sólo los desenlaces parecían posibles. Podía sentir las cosas derrumbándose dentro de él, corrimientos de tierras, desplazamientos, el tamborileo de la mampostería al caerle sobre el pecho, ruedas dentadas al romperse, una nota desafinada en el zumbido de la máquina. «Este motor —dijo en voz alta en algún momento de aquel tiempo detenido— no funcionará más.»

Tres madres hacían crujir su columpio a la cabecera de su cama. No, cómo lo habían trasladado, qué hacía allí, era un fantasma, un espejismo, se negaba a creerlo, cerraba los ojos, los apretaba, los volvía a abrir un minuto o una semana más tarde, y todavía estaban en el columpio, de forma que era evidente que su enfermedad iba empeorando, las alucinaciones iban cobrando confianza. Las hermanas explicaban tristemente que la casa no era ya tan grande como había sido en otro tiempo. «No hacemos más que perder habitaciones —se lamentaba el espectro de Bunny—, hoy se nos ha extraviado el estudio de tu abuelo. Ya sabes donde solía estar, pero ahora, si atraviesas esa puerta, apareces en el comedor, lo que es imposible, porque se supone que el comedor está al otro extremo del pasillo.» Y Chhunni-ma asentía: «Es muy triste, hijo, hay que ver cómo trata la vida a los ancianos, te acostumbras a una alcoba y un día, puf, se va, la escalera desaparece, qué se puede hacer.» «La casa se está encogiendo —bufaba Munnee-la-de-en-medio—. De verdad, es horrible, como una camisa barata. Hubiéramos debido sanforizarla. Pronto la casa entera será más pequeña que una caja de cerillas y nos encontraremos en la calle.» Y Chhunni-ma habló la última. «A la luz del sol, sin paredes —profetizó el fantasma de su madre mayor—, no podremos sobrevivir. Nos convertiremos en polvo y se nos llevará el viento.»

Entonces volvió a perder el conocimiento. Cuando salió a la superficie no había columpio, no había madres, estaba solo en aquella cama de cuatro columnas alrededor de las cuales se enroscaban serpientes y con un Paraíso bordado en el dosel. El lecho de muerte de su abuelo. Comprendió que se sentía fuerte como un toro. Había llegado el momento de levantarse. Saltó de la cama y salió descalzo y en pijama de la habitación antes de que se le ocurriera que aquello era sólo otra ilusión, pero para entonces no podía detenerse, sus pies, que habían dejado de dolerle, lo llevaron por pasillos abarrotados, llenos de perchas para sombreros y peces disecados en vitrinas y relojes rotos de bronce dorado, y vio que, lejos de haber encogido, la casa se había ensanchado en realidad, haciéndose tan inmensa que encerraba entre sus muros todos los lugares en que había estado alguna vez. La suma de todas sus posibilidades: abrió una puerta cubierta de telarañas y retrocedió ante el pequeño grupo de figuras con máscaras blancas, brillantemente iluminado que se inclinaba sobre un cuerpo. Era una sala de operaciones del hospital de Mount Hira. Las figuras le hicieron gestos amistosos, querían que los ayudara en la operación, pero tuvo miedo de ver el rostro del paciente. Se volvió con brusquedad y sintió crujir bajo sus talones las cáscaras de piñón, mientras las habitaciones de la residencia del comandante en jefe comenzaban a formarse a su alrededor. En cierto momento echó a correr, tratando de encontrar el camino de regreso a su cama, pero los pasillos no hacían más que doblar sin previo aviso, y llegó jadeando a una *marquee* llena de espejuelos en la que se celebraba un banquete nupcial, vio el rostro de la novia en un pedazo de espejo, ella llevaba un nudo corredizo al cuello, y él gritó: «Hubieras debido seguir muerta», haciendo que todos los invitados lo miraran. Todos estaban vestidos de harapos, a causa del peligro de andar bien vestido por la turbulencia de las calles, y cantaban al unísono, vergüenza, vergüenza, vergüenza de amapola, a todas las muchachas las mejillas arrebola. Luego se encontró corriendo otra vez, pero más lentamente, se estaba volviendo más pesado, las barbillas le oscilaban sudorosamente desde la mandíbula hasta llegarle a los pezones, los michelines de la obesidad le colgaban sobre las rodillas, hasta que no pudo moverse, por mucho que lo intentara, sudaba como un cerdo, el calor el frío, no hay escapatoria, pensó, y cayó hacia atrás mientras un sudario bajaba blandamente sobre él, blanco, empapado, y comprendió que estaba en la cama.

Oyó una voz que, tras un esfuerzo, identificó como la de Hashmat Bibi. Le hablaba desde una nube: «Hijo único. Siempre viven demasiado metidos en sus pobres cabezas.» Pero no había seguido siendo hijo único.

Ardiendo, ardiendo en aquel fuego helado. Encefalitis. Bilquìs Hyder a su cabecera señalaba acusadoramente la lata de Peek Frean. «Veneno —acusó—, veneno de gérmenes en el bizcocho. Pero teníamos hambre, no pudimos resistirlo y nos lo comimos.» Preocupado por esa mancha sobre su apellido, comenzó a defender la hospitalidad de sus madres, no, el bizcocho no, estaba rancio pero no seas ridícula, piensa en el viaje en autobús, recuerda lo que bebíamos, verde rosa amarillo, teníamos pocas defensas. Bilquìs se encogió de hombros y fue a la alacena y sacó todas las piezas de la colección de porcelana de Gardner, una por una, estrellándolas contra el suelo en un polvo rosa-y-azul. Él cerró los ojos, pero los párpados no eran ya una defensa, sólo eran puertas que daban a otros lugares, y allí estaba Raza Hyder de uniforme, con un mono en cada hombro. El mono de la derecha tenía la cara de Maulana Dawood y las manos cerradas sobre la boca; en el hombro izquierdo se sentaba Iskander Harappa, rascándose su sobaco de langur. Las manos de Hyder se dirigieron a sus oídos; las de Isky, después de rascarse, le taparon los ojos, pero él miraba entre los dedos. «Las historias acaban, los mundos acaban —dijo Isky el mono— y entonces llega el día del Juicio.» El fuego, y los muertos, levantándose, bailando entre las llamas.

Durante los recesos de la fiebre, recordaba haber soñado cosas que no sabía si eran ciertas, visiones del futuro, de lo que ocurriría después del final. Disputas entre tres generales. Continuos tumultos populares. Las Grandes Potencias cambiando de lado, decidiendo que el Ejército se había vuelto poco estable. Y por fin Arjumand y Haroun en libertad, volviendo a ocupar el poder, la virgen Bragas de Hierro y su único amor tomando el mando. La caída de Dios y, en su lugar, el mito de Iskander el Mártir. Y después de eso detenciones, castigos, procesos, ejecuciones, sangre, un nuevo ciclo de desvergüenza y vergüenza. Mientras, en Mohenjo, aparecían grietas en el suelo.

Un sueño de Rani Harappa: que prefiere quedarse en Mohenjo y le envía a Arjumand, un día, un regalo de dieciocho chales delicados. Esos chales garantizan que no volverá a salir de la hacienda: Arjumand hace que vigilen a su propia madre. Las personas que se ocupan de construir nuevos mitos no tienen tiempo para críticas bordadas. Rani se queda en la casa de pesados aleros donde el agua fluye roja como la sangre; inclina la cabeza en dirección a Omar Khayyam Shakil. «No parece que el mundo sea un lugar seguro —dice pronunciando su propio epitafio— si Rani Harappa anda suelta.»

Las historias acaban, los mundos acaban; y entonces llega el día del Juicio.

Su madre Chhunni dice: «Hay algo que deberías saber.»

Está echado impotente entre serpientes de madera, ardiendo, helándose, con unos ojos rojos que vagan por su cabeza. Traga aire; se siente un tanto borroso, como si hubiera sido enterrado por la justicia divina bajo una gigantesca montaña de lana. Está varado, dando boqueadas, una ballena que picotean los pájaros. Pero esta vez las tres están realmente allí, no hay alucinaciones, está seguro de ello, se sientan en su cama y tienen un secreto que revelarle. La cabeza le da vueltas; cierra los ojos.

Y escucha, por primera vez en su vida, el último secreto familiar, el peor relato de la Historia. La historia de su abuelo y su hermano, Hafeezullah y Rumi Shakil. Cada uno de ellos casado con una mujer que el otro consideraba inapropiada, y cuando Hafeez hizo correr por la ciudad la voz de que su cuñada era una mujer tan desatada como un amplio pijama, a la que Rumi había sacado del distrito de mala fama de Heeramandi, la ruptura entre los dos hermanos fue completa. Entonces, la mujer de Rumi se vengó. Convenció a su marido de que la causa de la mojigata desaprobación de Hafeez era que había querido acostarse con ella, después de su matrimonio, y ella lo había rechazado de plano. Rumi Shakil se quedó tan frío como el hielo y se dirigió enseguida a su escritorio, donde redactó una carta anónima y venenosa para su hermano, en la que acusaba a la mujer de Hafeez de tener relaciones extramatrimoniales con un famoso sitarista de la época, acusación letal porque era cierta. Hafeez Shakil había confiado siempre ciegamente en su esposa, de forma que palideció al leer la carta, que reconoció instantáneamente como de la mano de su hermano. Cuando interrogó a su mujer, ella confesó enseguida. Dijo que siempre había querido al sitarista, y que se hubiera fugado con él si sus padres no la hubieran casado con Hafeez. El bisabuelo de Omar Khayyam se metió en la cama y, cuando su mujer vino a verlo, con su hijo en los brazos, se puso la mano derecha en el pecho y dirigió al bebé sus últimas palabras.

—Este motor —dijo tristemente— no funcionará más.

Aquella noche murió.

—Tú dijiste lo mismo —le dice Munnee Shakil a Omar Khayyam—, en medio de la fiebre, cuando no sabías lo que decías. Lo mismo con las mismas palabras. Ahora sabes por qué te hemos contado la historia.

—Ahora lo sabes todo —continúa Chhunni-ma—. Sabes que ésta es una familia donde los hermanos han hecho las peores cosas a sus hermanos, y quizá sepas incluso que tú eres lo mismo.

—También tú tuviste un hermano —dice Bunny— y trataste su recuerdo a patadas.

Una vez, antes de que saliera al mundo, le prohibieron sentir vergüenza; ahora estaban volviendo esa emoción contra él, cortándolo con esa espada. «El padre de tu hermano fue un arcángel —susurró Chhunni Shakil a su cabecera—, y el chico era demasiado bueno para este mundo. Tú en cambio, quien te hizo era un diablo salido del infierno.» Estaba volviendo a hundirse en los pantanos de la fiebre, pero esa observación hizo blanco, porque ninguna de sus madres había suscitado nunca antes, espontáneamente, el tema de los padres. Le resultó evidente que sus madres lo odiaban y, con sorpresa por su parte, descubrió que la idea de ese odio era demasiado horrible para soportarla.

La enfermedad le lamía ahora las pestañas, ofreciéndole el olvido. Luchó contra él, un hombre de sesenta y cinco años, abrumado por la repugnancia materna. La veía como algo vivo, enorme y grasiento. La habían estado alimentando durante años, dándole bocados de sí mismas, ofreciendo pedazos de sus recuerdos del Babar muerto a aquel odioso animal favorito. El cual se los tragaba, arrebatándolos ansiosamente de los largos dedos huesudos de las hermanas.

Su Babar muerto, al que, durante su corta vida, nunca se le había permitido olvidar su inferioridad con respecto a su hermano mayor, el gran hombre, el hombre de éxito, el hombre que les permitió ahuyentar al prestamista, para evitar que su pasado terminara en los anaqueles de Chalaak Sahib. El hermano al que él, Omar Khayyam, nunca había conocido. Las madres utilizan a sus hijos como palos... cada hermano es una vara con que castigar al otro. Asfixiado por el viento cálido de la adoración de sus madres por Omar Khayyam, Babar huyó a las montañas; ahora las madres habían cambiado de bando, y el muchacho muerto era su arma contra el vivo. *Te casaste en una familia de asesinos. Lamiste las botas de los poderosos.* Detrás de sus párpados, Omar Khayyam veía a sus madres colocándole, en torno al cuello, la guirnalda de su odio. Esta vez no había error; su barba empapada de sudor rozaba con los encajes ajados, las raídas lenguas de cuero, las bocas que se reían del collar de zapatos desechados.

La Bestia tiene muchos rostros. Adopta la forma que quiere. Él sintió que se le metía en el estómago arrastrándose y comenzaba a alimentarse.

El general Raza Hyder se despertó una mañana al amanecer con los oídos llenos de un sonido tintineante y astillado como la ruptura de mil ventanas, y comprendió que era el ruido de la enfermedad al ceder. Aspiró profundamente y se incorporó en la cama. «Fiebre —dijo alegremente— te he derrotado. El Viejo Razia Redaños no está acabado aún.» El ruido terminó y tuvo la sensación de flotar por un lago de silencio, porque la voz de Iskander Harappa se había callado por primera vez en cuatro largos años. Oyó fuera a los pájaros, sólo eran cuervos, pero sonaban dulces como *bulbuls*. «Las cosas van mejor», pensó Raza Hyder. Luego se dio cuenta del estado en que estaba. Lo habían dejado que se pudriera en la ciénaga de sus propios jugos. Era evidente que nadie lo había visitado desde hacía días. Yacía en la charca pestilente de sus propios excrementos, en unas sábanas amarillas de sudor y orina. Había empezado a formarse moho en la ropa de su cama, y había también hongos verdes en su cuerpo. «De manera que eso es lo que piensan de mí —exclamó en la habitación vacía—, esas brujas, ya les daré su merecido.» Pero, a pesar del estado repugnante de su lecho de enfermo, su nuevo talante optimista se negó a desinflarse. Se puso en pie sobre unas piernas sólo ligeramente tambaleantes y se quitó los apestosos vestidos de su enfermedad;

luego, con gran delicadeza y fastidio, hizo un fardo de ropa blanca supurante y lo dejó caer por la ventana. «Brujas —rió para sus adentros—, que recojan de la calle su ropa sucia, les está bien empleado.» Ahora desnudo, fue al baño y se dio una ducha. Mientras se enjabonaba el hedor de la fiebre, le revoloteó por la mente el ensueño de una vuelta al poder. «Claro que sí —se dijo— lo haremos, ¿por qué no? Antes de que nadie sepa qué pasa.» Sintió una gran oleada de cariño por la esposa que lo había salvado de las mandíbulas de sus enemigos, y se llenó de deseos de arreglar las cosas entre ellos. «La traté mal —se acusó culpablemente—, pero tuvo suerte de todas formas.» El recuerdo de Sufiya Zinobia se había convertido en poco más que una pesadilla; ni siquiera estaba seguro de su base real, creyendo casi que era sólo una de las muchas alucinaciones que la enfermedad había enviado para atormentarlo. Salió de la ducha, se envolvió en una toalla y fue a buscar ropas. «Si Bilquìs no se ha recuperado aún —prometió—, la cuidaré noche y día. No la voy a dejar a merced de esos buitres dementes.»

No había ropas por ninguna parte.

—Dios las maldiga —blasfemó Raza—, ¿no hubieran podido dejarme un *shalwar* y una camisa?

Abrió la puerta de su habitación y llamó:

—¿Hay alguien ahí? —Pero no tuvo respuesta. Un lago de silencio llenaba la casa.

«Está bien —pensó Raza Hyder—, entonces tendrán que aceptarme como estoy.» Sujetándose firmemente la toalla alrededor de la cintura, se puso en marcha en busca de su esposa.

Tres habitaciones vacías y oscuras y luego una cuarta que supo era el lugar que buscaba por el olor.

—¡Zorras! —gritó salvajemente en la casa llena de ecos—. ¿No os da vergüenza? —Y entonces entró.

El hedor era aún peor de lo que lo había sido en su

propia habitación, y Bilquìs Hyder estaba echada en medio de la obscenidad de su propia mierda.

—No te preocupes, Billoo —le susurró él—, Raza está aquí. Te limpiaré como es debido y entonces verás. Esas bestias, les haré coger excrementos con las pestañas y se los meteré por las narices.

Bilquìs no contestó, y Raza necesitó unos momentos para olfatear la razón de su silencio. Luego olió el otro olor por debajo de los olores pútridos de los residuos, y sintió como si el nudo del verdugo le hubiera golpeado en la nuca. Se sentó en el suelo y comenzó a tamborilear con los dedos en la piedra. Cuando habló le salió todo mal, no había tenido la intención de parecer malhumorado, pero lo que dijo fue:

—Por el amor de Dios, Billoo, ¿qué te propones? Espero que no estés fingiendo ni nada por el estilo. ¿Qué significa esto, si no se supone que hayas de morir?

Pero Bilquìs había cruzado ya la frontera.

Después de haber proferido esas palabras quejumbrosas, que le resultaron violentas, levantó la vista y encontró a las tres hermanas Shakil delante de él, con pañuelos perfumados en las narices. Chhunni-ma sostenía también, en la otra mano, un antiguo trabuco que había pertenecido en otro tiempo a su abuelo Hafeezullah Shakil. Apuntaba al pecho de Raza, pero se agitaba tanto que sus probabilidades de acertarle eran remotas y, en cualquier caso, el arma era tan inverosímilmente vieja que probablemente le estallaría en la cara si apretaba el gatillo. Por desgracia para las probabilidades de Raza, sin embargo, sus hermanas iban también armadas. Llevaban pañuelos en la mano izquierda, pero en la derecha de Munnee había una cimitarra de aspecto feroz, con puño enjoyado, mientras que la mano de Bunny se cerraba sobre el asta de una lanza de cabeza muy oxidada pero indiscutiblemente puntiaguda. El optimismo abandonó a Raza Hyder sin molestarse en decirle adiós.

—Deberías haber muerto en lugar de ella —manifestó Chhunni Shakil.

La cólera había desaparecido con el optimismo.

—Adelante —animó a las hermanas—. Dios nos juzgará a todos.

—Hizo bien en traerte aquí —reflexionó Bunny—, nuestro hijo. Hizo bien en esperar tu caída. No hay vergüenza en matarte ahora, porque de todas formas estás muerto. Sólo es la ejecución de un cadáver.

—Además —dijo Munnee Shakil—, no hay Dios.

Chhunni agitó el trabuco en dirección a Bilquìs.

—Cógela —ordenó—. Tal como está. Cógela y tráela aquí deprisa. —Él se puso en pie; la toalla resbaló; intentó cogerla, fracasó, y se quedó desnudo ante las ancianas, que tuvieron la delicadeza de quedarse boquiabiertas... recién duchado y totalmente desnudo, el general Raza Hyder llevó el cuerpo apestoso y cubierto de moho de su mujer por los pasillos de Nishapur, mientras las tres hermanas se cernían a su alrededor como cornejas—. Tienes que entrar aquí —dijo Chhunni, hundiéndole en la espalda el cañón de su trabuco, mientras él penetraba en la última habitación de todas las habitaciones de su vida y reconocía la masa oscura del montaplatos que colgaba fuera de la ventana obstruyendo la mayor parte de la luz. Había decidido guardar silencio pasara lo que pasara, pero la sorpresa lo hizo halar:

—¿Qué es esto? —preguntó—. ¿Nos mandáis afuera?

—Qué conocido debe de ser el general en nuestra ciudad —dijo pensativamente Munnee—. Tantos amigos ansiosos de verlo otra vez, ¿no creéis? Qué recepción le harán cuando vean quién está aquí.

Raza Hyder desnudo en el montaplatos junto al cadáver de Bilquìs. Las tres hermanas movieron un panel de la pared: botones conmutadores palancas.

—Esta máquina fue construida por un maestro de

artesanos —explicó Chhunni—, en los viejos tiempos, cuando nada era imposible. Un tal Mistri Balloch; y, a petición nuestra, que le transmitimos por conducta de nuestra querida y desaparecida Hashmat Bibi, incluyó en el artilugio algunos complementos, que nos proponemos utilizar por primera y última vez.

—Dejadme ir —exclamó Raza Hyder, sin comprender nada—. ¿Por qué perdéis el tiempo?

Fueron sus últimas palabras.

—Le pedimos que tomara esas medidas —dijo Munnee Shakil mientras las tres hermanas ponían todas una mano en una de las palancas—, pensando que no hay ofensa en la autodefensa. Pero tienes que convenir también en que la venganza es dulce.

La imagen de Sindbad Mengal centelleó en la mente de Raza mientras las tres hermanas bajaban la palanca, actuando al perfecto unísono, de forma que fue imposible decir quién empujó la primera o más fuerte, y los antiguos resortes funcionaron que era una delicia, los paneles secretos se retrajeron y las dieciocho hojas de estilete de la muerte penetraron en el cuerpo de Raza, cortándolo en pedazos, y sus puntas enrojecidas emergieron de, entre otros lugares, sus globos oculares, manzana de Adán, ombligo, ingles y boca. Su lengua, limpiamente cortada por un cuchillo de acción lateral, le cayó en el regazo. Hizo extraños chasquidos; se estremeció; se quedó inmóvil.

Las contracciones llegaban regularmente, apretándole las sienes, como si algo intentara nacer. La celda pululaba de mosquitos anofeles portadores del paludismo, pero por alguna razón no parecían picar a la figura de cuello rígido del interrogador, que llevaba un casco blanco y un látigo de montar.

—Tiene pluma y papel delante —dijo el interrogador—. No puede considerarse ningún indulto sin que se haya hecho una confesión completa.

—¿Dónde están mis madres? —preguntó patéticamente Omar Khayyam, con una voz a punto de quebrarse. Se remontaba-muy-alto-caía-muy-bajo; él se sentía molesto por aquellas jugarretas.

—Sesenta y cinco años —se burló el otro— y se porta como un bebé. Muévase, no tengo todo el día. Me esperan dentro de poco en el campo de polo.

—¿Es posible realmente un indulto? —preguntó Omar Khayyam. El interrogador se encogió de hombros con hastío.

—Todo es posible —respondió—, Dios es grande, como sin duda sabe.

—Qué tengo que poner —se preguntó Omar Khayyam, cogiendo la pluma—, puedo confesar muchas cosas. Haber-huido-de-mis-raíces, obesidad, embriaguez, hipnotismo. Haber dejado a chicas en estado interesante, no dormir con mi esposa, demasiados piñones, ser un mirón de muchacho. Obsesión sexual por hembras menores de edad y de cerebro dañado, con la consiguiente falta de venganza de la muerte de mi hermano. No lo conocí. Es difícil cometer esos actos por extraños. Confieso haber convertido en extraños a mis parientes.

—Eso no sirve de nada —interrumpió el interrogador—. ¿Qué clase de hombre es usted? ¿Qué especie de patán capaz de escabullirse de su culpa y dejar que sus madres paguen el pato?

—Soy un hombre periférico —respondió Omar Khayyam—. Otras personas han sido los actores principales en la historia de mi vida. Hyder y Harappa, mis guías. Inmigrante y nativo, devoto y profano, militar y civil. Y varias señoras destacadas. Yo miraba desde los laterales, sin saber qué hacer. Confieso mi arribismo social, haber hecho sólo-lo-que-tengo-que-hacer, ser

393

un hombre marginal en los combates de otros. Confieso tener miedo de dormir.

—Así no vamos a ninguna parte. —El interrogador sonaba colérico—. Las pruebas son incontrovertibles. Su bastón de estoque, regalo de Iskander Harappa, el superenemigo de la víctima. Motivos y oportunidades hay en abundancia. ¿Para qué seguir fingiendo? Esperó el momento oportuno, llevó durante años una vida falsa, se ganó su confianza, y finalmente los llevó al lugar de su muerte. Prometiéndoles huir a través de la frontera para engañarlos. Un cebo muy eficaz. Y entonces saltó sobre él, puñalada puñalada puñalada, una y otra vez. Todo eso es evidente. Basta de cháchara y escriba.

—No soy culpable —comenzó a decir Omar Khayyam—, dejé el bastón de estoque en la casa del Com. en J. —pero entonces empezó a notar un gran peso en sus bolsillos, y el interrogador alargó las manos para coger lo-que-le-abultaba-los-bolsillos. Cuando Omar Khayyam vio lo que Talvar Ulhaq le mostraba en su palma acusadora, su voz se convirtió en falsete—. Mis madres deben de haberlo puesto ahí —chilló, pero no tenía sentido continuar porque, mirándolo desde la mano de su inquisidor estaban las horribles pruebas, pedazos de Raza Hyder, limpiamente cortados, su bigote, sus globos oculares, sus dientes.

—Se te condena —dijo Talvar Ulhaq y, levantando su pistola, le disparó a Omar Khayyam Shakil un tiro en el corazón.

La celda había empezado a arder. Omar Khayyam vio el abismo que se abría a sus pies, y sintió venir al vértigo mientras el mundo se disolvía.

—Confieso —exclamó, pero era demasiado tarde. Cayó dando tumbos en el fuego negro y ardió.

Como se habían acostumbrado a hacer caso omiso de la casa, sólo aquella noche notó alguien algún cambio, y gritó que las grandes puertas delanteras de la mansión de las Shakils estaban abiertas por primera vez desde que nadie podía acordarse; pero entonces todos vieron enseguida que algo importante había ocurrido, de forma que apenas fue una sorpresa cuando encontraron el charco de sangre coagulada bajo el montaplatos de Mistri Balloch. Durante mucho rato estuvieron paralizados por las puertas abiertas, incapaces de entrar, ni siquiera para echar una ojeada, a pesar de su curiosidad; luego, en un momento dado, todos se precipitaron adentro, como si alguna voz invisible les hubiera dado permiso: zapateros, mendigos, mineros del gas, policías, lecheros, empleados de banco, mujeres en burros, niños con aros y palos de metal, vendedores de garbanzos, acróbatas, herreros, esposas, madres, todo el mundo.

Encontraron el desanimado palacio del altivo orgullo de las hermanas indefenso, a su merced, y se asombraron de sí mismos, de su odio a aquel lugar, un odio que rezumaba de pozos olvidados, de sesenta y cinco años; hicieron pedazos la casa mientras buscaban a las ancianas. Eran como la langosta. Arrancaron antiguos tapices de las paredes y la tela se convirtió en polvo entre sus dedos, forzaron cajas fuertes que estaban llenas de billetes y monedas que no servían, abrieron puertas de golpe que se rajaron, saliéndose de sus goznes, revolvieron camas y saquearon el contenido de cantimploras de plata, arrancaron bañeras de su base, a causa de sus pies dorados, y sacaron el relleno de los sofás en busca de un tesoro escondido, y tiraron el viejo columpio inútil por la ventana más próxima. Era como si se hubiera roto un hechizo, como si se hubiera explicado por fin un antiguo e irritante truco de prestidigitación. Más tarde se mirarían unos a otros con una incredulidad en los ojos medio orgullosa y medio avergonzada, y se preguntarían, ¿realmente hicimos eso? Pero si sólo somos gente corriente...

Oscureció. No encontraron a las hermanas.

Encontraron los cuerpos en el montaplatos, pero las hermanas Shakil habían desaparecido, y nadie volvió a verlas nunca, ni en Nishapur ni en ningún otro lugar del mundo. Habían abandonado su hogar, pero cumplieron sus votos de retiro, desmoronándose quizá en polvo bajo los rayos del sol o echando alas y volando a los Montes Imposibles del oeste. Unas mujeres tan formidables como las tres hermanas Shakil nunca dejan de hacer lo que se proponen.

Noche. En una habitación, cerca de la parte alta de la casa, encontraron a un anciano de ceño fruncido, en una cama de dosel con serpientes de madera enroscadas en las columnas. El ruido lo había despertado; estaba sentado derecho y musitaba. «De forma que estoy vivo.» Era gris por todas partes, ceniciento de la cabeza a los pies, y estaba tan consumido por la enfermedad que era imposible saber quién era; y como tenía el aspecto de un espíritu que hubiera regresado de entre los muertos, retrocedieron ante él. «Tengo hambre», dijo, pareciendo sorprendido, y entonces miró las linternas eléctricas baratas y las teas de combustión lenta de los invasores, y quiso saber qué estaban haciendo en sus habitaciones; ellos se dieron la vuelta y huyeron, gritándoles a los policías que allí arriba había alguien, puede que vivo, puede que muerto, sentado en una cama y dándoselas de listo. Los policías estaban subiendo cuando oyeron que una especie de pánico comenzaba fuera, en la calle, y salieron para investigar, soplando sus silbatos y dejando que el anciano se levantara y se pusiera la túnica de seda gris que sus madres habían dejado pulcramente plegada a los pies de su cama, y se bebiera un gran sorbo del jarro de jugo de lima fresca que llevaba allí sólo el tiempo necesario para que se deshicieran los cubitos de hielo. Y entonces él también oyó los alaridos.

Eran unos alaridos extraños. Oyó cómo crecían hasta alcanzar su punto más alto y luego se apagaban con misteriosa brusquedad, y entonces supo lo que venía hacia la casa, algo capaz de congelar un grito a la mitad, algo que petrificaba. Algo que, esta vez, no se saciaría hasta alcanzarlo, ni se dejaría engañar, ni se podría eludir; que había penetrado en las calles nocturnas de la ciudad y no podía ser rechazado. Algo que subía las escaleras: lo oyó rugir.

Se quedó de pie junto a la cama y la esperó como un novio en su noche de bodas, mientras ella subía hacia él, rugiendo, como un fuego empujado por el viento. La puerta se abrió de golpe. Y él se quedó en la oscuridad, erguido, mirando el resplandor que se aproximaba, y entonces ella estuvo allí, a cuatro patas, desnuda, cubierta de barro y de sangre y de mierda, con ramitas clavadas en la espalda y escarabajos en el pelo. Ella lo vio y se estremeció; luego se alzó sobre las patas de atrás con las zarpas delanteras extendidas y él sólo tuvo tiempo de decir «Bueno, esposa, por fin has llegado», antes de que los ojos de ella lo obligaran a mirar.

Él luchó contra su poder hipnótico, su fuerza de gravitación, pero no sirvió de nada, sus ojos se alzaron, hasta que se quedó mirando al feroz corazón amarillo de ella, y vio allí, sólo por un instante, cierto temblor, cierto oscurecimiento de la llama por la duda, como si, durante esa fracción de tiempo diminuta, ella hubiera abrigado la absurda fantasía de que realmente era una novia entrando en el aposento de su amado; pero el horno quemó las dudas y, mientras él estaba ante ella, incapaz de moverse, sus manos, las manos de su mujer, se alargaron hacia él y se cerraron.

El cuerpo de él caía alejándose de ella, un borracho sin cabeza y, cuando la Bestia se desvaneció en ella otra vez, ella se quedó allí parpadeando estúpidamente, insegura sobre sus pies, como si no supiera que todas las historias han de terminar al mismo tiempo, que el fuego sólo estaba haciendo acopio de fuerzas, que en el día del ajuste de cuentas los jueces no están exentos de ser juzgados, y que el poder de la Bestia de la vergüenza no puede ser contenido mucho tiempo en un solo marco de carne y sangre, porque crece, se alimenta y se hincha, hasta que su recipiente estalla.

Y entonces llega la explosión, una onda expansiva que derriba la casa, y después de ella la bola de fuego de su incendio, rodando hacia el horizonte como el mar, y lo último de todo la nube, que se alza y se extiende y flota sobre la nada del escenario, hasta que no puedo ver ya lo que ya no está ahí; la nube silenciosa, de forma de hombre gigante, gris y sin cabeza, una figura de ensueño, un fantasma con un brazo levantado en gesto de adiós.

Este libro fue escrito con ayuda económica del Arts Council de la Gran Bretaña. Debe mucho también a la ayuda, en absoluto económica, de muchos otros, a los que quizá exprese mejor mi gratitud no nombrándolos.

La cita no atribuida de la página 172 la he tomado de *The Life Science*, de P. B. y J. S. Medawar. La frase en letra cursiva de la página 244 es de *Las aventuras de Augie March*, de Saul Bellow. He citado también *El libro de la risa y el olvido*, de Milan Kundera; *El proceso*, de Franz Kafka; *El Príncipe*, de Nicolás Maquiavelo; *el Corán*; y las tragedias *El suicida*, de Nikolai Erdman, y *La muerte de Danton*, de Georg Büchner. Mi agradecimiento a todos los interesados; y a los muchos periodistas y escritores, tanto occidentales como orientales, con los que estoy en deuda.

Mi gratitud, también, para Walter, por dejarlo pasar; y finalmente, y como siempre, a Clarissa, por todo.

GLOSARIO

El presente glosario, que no figura en el original, contiene las expresiones en urdu, hindi y árabe que aparecen en el texto y cuyo sentido no siempre resulta evidente. Por razones de coherencia, se ha respetado la transcripción del autor.

abba: padre, papá.

afrit: yini, demonio o gigante de la mitología musulmana.

almirah: armario (préstamo tomado por el hindi del portugués «almario»).

amma: madre, mamá.

anna: unidad monetaria equivalente a 1/16 de rupia.

ayah: criada, aya o enfermera (préstamo tomado por el hindi del portugués «aia»).

baba: padre; curiosamente, se utiliza como nombre cariñoso para dirigirse a los niños.

badmash: persona indigna o desalmada.

bariamma: literalmente, «gran madre» (título de respeto).

begum: princesa o señora de alto rango (título de respeto).

bibi: señora, señorita.

biskut: galleta, bizcocho (deformación del inglés «biscuit»).

bulbul: ruiseñor persa (*Luscinia glozii*), de frecuente aparición en poesía.

bungalow: construcción típicamente oriental, por lo común de un solo piso y con una galería o *verandah* (del hindi «bangla», bengalí).

burqa: vestido hasta los pies, con aberturas para los ojos, de las mujeres musulmanas de la India y el Pakistán.

chadar: sábana, velo.

chapati: pan de trigo sin levadura, en forma de torta.

charpoy: cama de cuerdas de yute y armazón de madera.

chhi chhi!: interjección que expresa vergüenza o disgusto.

chick: persiana hecha de listones de bambú y de cuerda.

chota peg: «lingotazo»; normalmente, medio whisky (*chota*, pequeño).

chup!: ¡chitón!

chutney: condimento de consistencia de jalea, hecho de frutas ácidas, cebollas, uvas, dátiles, etc., con abundantes especias y vinagre.

crore: diez millones de rupias.

dacoit: bandido armado, dedicado al robo y el asesinato.

dhobi: miembro de una casta baja dedicada a la lavandería; por extensión, lavandero.

dhow: embarcación de vela latina, típica del océano Índico (llamada a veces en español «dau» o «butre»).

diwan: consejo de Estado; por extensión, sala donde se celebra, o sala en general.

djinn: espíritu que habita en el mundo, según la doctrina islámica; en español suele llamarse «yini».

dumbir: instrumento musical de tres cuerdas.

dupatta: velo o chal, símbolo de la modestia en la mujer.

ek dum!: al instante, enseguida.

funtoosh: liquidado, acabado, hundido.

fut-a-fut: a toda prisa.

gai: vaca.

gaotakia: cojín de funda de algodón.

gatta: magulladura, moretón.

ghat: escalera o plataforma de piedra a orillas de un río.

goonda: bandido o terrorista profesional.

guddi: muñeca.

haji: musulmán que ha hecho su peregrinación a la Meca.

hakim: médico musulmán.

halal: res sacrificada de acuerdo con la ley islámica.

hamal: chico para recados o pequeños trabajos.

henna: colorante rojizo para el cabello, las manos y los pies, que se obtiene de la *Lawsonia inermis*; se utiliza en algunas ceremonias y, sobre todo, en las bodas.

hijra: travestido.

hoosh: espíritu maligno.

hubshee: abisinio; por extensión, cualquier negro.

jahannum: infierno musulmán.
jalebi: dulce de color dorado.
jawan: mozo, soldado.
-ji: sufijo que denota respeto o cariño.

khansama: criado, mayordomo o cocinero.
khansi: tos.
khichri: especie de gachas de lentejas y arroz; revoltijo (también en sentido figurado).
koel: cuclillo (género *Eudynamys*).
kohl: antimonio empleado para ennegrecer los ojos.
kukri: machete curvo de hoja ancha, utilizado especialmente por los *gurkhas*.
kurta: camisa.

laddoo: pastelillo de arroz.
lakh: cien mil rupias.
lathi: bastón pesado, generalmente de bambú y de hierro, utilizado por la policía.
loo: viento caliente, ola de calor, insolación (del inglés «lew», templado).
lotah: jarra de cobre o de latón para el agua.

maharaj: príncipe hindú, de categoría superior al rajá (título de respeto).
mahaseer: gran pez de agua dulce (*Barbus mosal*).
maidan: explanada.
mantra: fórmula mística o de invocación, del hinduismo y el budismo mahayana.
marquee: tienda de campaña o caseta grande utilizada para fiestas.
maulana: hombre de letras musulmán (título de respeto).

mohajir: exiliado, refugiado.

Muharram: primer mes del año mahometano; originalmente, durante los diez primeros días, celebración chiíta de Hasan y Husain, nietos de Mahoma, pero hoy gran fiesta en toda la India.

mullah: maestro de leyes y doctrina islámicas.

mulligatawny: sopa muy especiada de la India oriental (literalmente, en tamil, «agua de pimienta»).

na: partícula que se utiliza para mayor énfasis o para asegurarse de la atención del interlocutor.

na-pak: impuro, sucio.

nikah: boda, contrato matrimonial.

ohé!: ¡eh!, ¡oye!

paan: nuez de areca y especias, envueltas en hoja de betel, que se mastican como estimulante.

paisa: unidad monetaria equivalente a 1/4 de *anna* o 1/64 de rupia.

pak: puro, limpio.

parsi: seguidor de una religión zoroástrica de origen persa que no entierra ni incinera a sus muertos, sino que los deja para alimento de los buitres.

patang: cometa alegremente decorada.

pathan: pueblo indoiraní de Afganistán, con importantes colonias en Pakistán y la India.

phaelwan: luchador.

purdah: reclusión de la mujer musulmana; especialmente, utilización por ésta del velo, o el velo mismo.

puri: especie de galleta ligera.

Quaid-i-Azam: gran caudillo (nombre dado por anto-
nomasia a Mohammed Ali Jinnah).

rani: reina o princesa hindú, o esposa de un rajá.
rickshaw: vehículo de dos ruedas y tracción humana
(contracción del japonés «jinriksha»).
roohafza: bebida fría no alcohólica.
rubaiyat: estrofa de cuatro versos pentámetros yámbi-
cos, que riman en AABA (nombre tomado de la famosa colección de poemas de Omar Khayyam).
rumal: pañuelo de seda o algodón.

sahib: señor (título de respeto).
salaam aleikum!: ¡la paz sea contigo! (fórmula de salu-
tación).
samosa: empanadilla de verdura.
saranda: instrumento musical de siete cuerdas.
sari: vestido típico de la mujer india, especialmente de
la hindú.
shalwar: bombachos.
shamiana: dosel de tela, toldo sin laterales.
sharam: vergüenza, en todas sus acepciones (urdu y
persa).
sharmàna: avergonzarse.
sheikh: jefe de familia, clan o tribu árabes; a veces, gobernador o príncipe musulmán (título de respeto).
shikar: caza.
sindhi: pueblo indoario, en su mayoría musulmán, de la
provincia paquistaní de Sind.

takallouf: cortesía exagerada y formularia.
takht: silla o trono.
tch tch!: interjección que denota vergüenza.

tilyar: especie de estornino negro y rosa (*Pastor sturnus* o *Pastor roseus*).

tobah!: apócope de *Allah-tobah!*, ¡(No) lo permita Dios!

tonga: vehículo de dos ruedas, tirado por un caballo.

wadi: cauce, valle o río seco.

wallah: persona que realiza cualquier trabajo o presta cualquier servicio; la palabra sirve para formar infinidad de compuestos (*gai-wallah*, vaquero).

Ya Allah!: ¡Oh Dios!

yaar, yara: amigo.

zamindar: terrateniente y recaudador de impuestos.

zenana: parte de la casa reservada a las mujeres.

zobar: literalmente, «arriba» (persa); se utiliza para designar los signos vocálicos y, en especial, la *fatha*.